新潮文庫

決壊

上巻

平野啓一郎著

新潮社版

9206

目次（上）

一　疑念　7
二　沢野崇の帰郷　73
三　秘密の行方　167
四　悪魔　291
五　決壊　433

目次（下）

五　決壊（承前）
六　「正体を見せろ、正体を！」
七　なぜだろう？
八　“permanent fatal errors”

決壊

上巻

一疑念

1

『……なぜだろう？』

博多行の新幹線〈こだま〉は、新下関駅で、後続の〈のぞみ〉の通過待ちをしていた。沢野良介《りょうすけ》は、進行方向を背にして、向かい合わせに設《しつら》えられた座席の窓側に座っていた。正面には三歳になる息子の良太《りょうた》が、隣に座る妻の佳枝《よしえ》の膝《ひざ》を枕《まくら》にして眠っている。駅弁の甘酸《あまず》っぱい臭気が立ち籠《こ》める車内は、盆休みの帰省客で賑《にぎ》わっていた。所々で子供たちのはしゃぐ声が聞こえ、それを諌《いさ》める大人たちの声が聞こえる。同乗の者と何と言うこともない世間話をしたり、実家の家族と携帯電話でこっそり到着時刻の確認をしたりする声が聞こえる。

良介は、自分が今いるそうした風景に、まだ硬い蕾《つぼみ》のような感慨を覚え、目の焦点を曖昧《あいまい》にした。自分はこの場所に、ひとりの父親としている。――そう、父親なんだ。妻を伴い、子供を連れて両親の待つ実家に帰省しようとしている。いつの間にか、そうした年齢になってたんだ。……

丁度、そんなことを考えていた時だった。通路を歩く見知らぬ乗客が、通り過ぎ様にジロリと座席の人の顔を見て行くように、先ほどの言葉が脳裡《のうり》を過《よ》ぎったのだった。

良介は、殆《ほとん》ど反射的に自分自身を顧みて、今度は改めてその言葉の方に目を遣《や》り、見えなくなるまで、ずっとその後ろ姿を追っていた。確かに一瞬、目が合ったように感じた。しかし、その一瞥《いちべつ》に、彼はまるで心当たりがなかった。そうした疑念がどこから来たのか分からなかったし、なぜ、自分を訪うたのかも分からなかった。しかし、一層奇妙に感じられたのは、それをただ、気のせいだとやり過ごすことが出来ずに、まるで何かを見咎《みとが》められでもしたかのように、動揺してしまったことだった。

既に言葉は去っていたが、彼の中にはその一瞥の記憶が残った。そして、不安げにそれを覗《のぞ》き見ると、見られた自分が、そのまま身動きが取れなくなって、そこにまだじっとしているような気がした。

車内では、間延びした時間に倦《う》んだ乗客たちの間に、彼方《かなた》の新幹線の接近を探ろうとするような気配が立ち始めていた。五感には、まだ何も届けられてはいなかった。次の瞬間、突如として車体が傾くほどの衝撃が訪れると、車窓を一刷毛《ひとはけ》で猛然と白く塗り潰《つぶ》し、去り際《ぎわ》にはまた律儀《りちぎ》に車体の傾きを直して、あとの余韻も残さずに去っていった。何秒と数えるよりも、あっと言う間という慣用句がぴったりな感じだった。

発車のベルが長閑《のどか》に鳴り響いて、ドアが閉ざされた。やがて、乗客の視界からホームの景色が少しずつ遅れ始めると、見る見る加速してそれが目まぐるしくなり、駅の全長は呆気《あっけ》なく辿《たど》り尽くされた。車窓は束《つか》の間《ま》晴れた後、関門トンネルに突入し、俄《にわ》かに光を失って、代わりにそこに乗客たちを一斉に映し出した。

「あんなにたのしみにしてたのにねー。まってるあいだにつかれちゃったねー。」

佳枝は、良太の額をちょんとつつくと、半分は良介に聴かせるようにしてささやいた。

最寄駅の宇部新川からは、在来線を乗り継いで厚狭《あさ》まで行き、そこからこだまで小倉まで一時間強という、旅程というほどのこともない移動のはずだった。それが、宇部駅で乗る予定の山陽本線で人身事故があって、復旧まで一時間半も待たされる羽目となった。自殺かどうかは分からなかったが、酷暑のホームで苛立《いらだ》つ乗客たちは、「死んでもいいけど、こんな時に飛び込まんでもなァ。」と愚痴を零《こぼ》し合っていた。

こだまとののぞみとの区別のつかない良太は、幼児用の雑誌の中にあったのぞみを描いた「しんかんせん」の絵を見て、昨晩はなかなか寝つかれないほどだったが、さすがにそれでくたびれ果てて、乗車するなり、佳枝の膝をねだって、ものの五分もする間にすっかり眠り込んでいた。

黒い綿のカーゴ・パンツ越しに、髪に籠もったその小さな頭の熱が、固い重みを伴って伝わってきた。佳枝は、日焼けして肘《ひじ》の谷にまた少し赤く兆《きざ》したアトピー性皮膚炎を時折無意識に掻《か》きながら、良太の顔を覗き込んでいた。

「もうついちゃうよー。おーい、たっくん。ちゃんと、あるけますかー？」

佳枝が顔を上げると、良介の目差《まなざ》しは、内へと滑り落ちそうになっていたところを、危うく引き戻されたというふうに、彼女の上に踏み留まった。そして、眸《ひとみ》の奥で起こったそのほんの些細《ささい》な出来事を悟らせないために、二三度素早く瞬《まばた》きをすると、その隙《すき》に、さりげなく視線を良太の寝顔に逃がして、

「ギリギリになって起こせばいいよ。」

と小声で伝えた。

三歳になって、身長も丁度90センチと大きくなったが、目を瞑《つぶ》る様子には、今もどこか、エコーで見る子宮の中の胎児のような、瞑想《めいそう》的なおとなしさがあった。起きている良太の相手をするのは楽しかったが、眠っている姿を眺めるのも好きだった。それは、父親になるまで想像もしなかった喜びだった。良介は、凡《およ》そ神秘的なもの、崇高なものへの関心を欠いていたが、寝ている良太の静けさには、一種、敬虔《けいけん》な気持ちになった。大人の寝顔は、こんなにも、その内側で何かが起こっている感じを抱かせないものだと彼は思っていた。――そう、何かが起こっている。それも、未来に向けて明るい何かが、着実に起こっている。そんな感じがした。

良太の小さく膨らんだ丸いほっぺたは、熟れ始めの白桃のように鮮やかなピンク色をしていた。そこにはまだ、どんな複雑な感情の陰影も刻まれた痕《あと》がなく、しかも、何か

ちょっとした力が加われば、それがいつまでも消えない傷を残してしまいそうだった。

良介は、今朝、鏡の前に立って見た自分の顔を思い出した。ユニット・バスの床には、昨夜の入浴後の冷えた水気がまだ残っていて、それがいつにも増して不快だった。通気口からは、分厚く強壮な蟬《せみ》の啼《な》き声が聞こえてくる。その響きは、今でも彼に、中学・高校時代の野球部の夏期休暇練習を思い出させた。

地元の私立大学を卒業した後、良介が就職したのは、宇部に本社のある化学薬品会社だった。最初の勤務地は大阪の研究所である。その後、二年間、千葉の工場の品質管理部に配属され、今年四月からは本社の営業部に異動していた。

良介は、自分が痩《や》せたことに気がついた。あまりこまめに体重計に乗ったりはしない方で、四月の健康診断でも、体重は前年と変わらなかったので自覚しなかったが、電気シェーバーの山型のヘッドが、落ち窪《くぼ》んだ頰を捕らえそこなう感触から、彼は途中、何度となく、空いている左手で、肉の薄くなった顴骨《かんこつ》の下の辺りを撫《な》で摩《さす》った。

天井の蛍光灯の明かりは、却《かえ》ってトンネルの中を夜のように錯覚させた。ドアの上の電光掲示板を、プロ野球の試合結果を伝える文字が、右から左へと流れてゆく。

やがて、小倉駅到着のアナウンスが流れると、それに合わせたかのようにトンネルが果て、車中は一瞬にして真夏の午後の光に満たされて、乗客たちはその明るさの中に吸い込まれた。

「さーて、おきてー、たっくん！」

佳枝は良太の肩を軽く叩《たた》きながら声をかけた。良太は、それを嫌がるふうに体を捩《よじ》って、佳枝の股の間に逃げ込むように顔を埋めた。

「もー、どこにかおをつっこんでるの、アナタは？　ほら、たっくん！」

佳枝は思わず吹き出しながら言った。良介は、靴を拾って良太に履かせてやると、

「ほら、たっくん。おきないと、おいていっちゃうぞー。」

と体を揺すり、自分はそのまま立ち上がって、佳枝の前を抜け、通路に出た。荷棚の旅行カバンは、前後の乗客の荷物に圧《お》されて潰れかかっていた。腕を伸ばすと、彼は、二つのカバンと土産のはいった袋とを、佳枝たちに気をつけながら下ろして、空いているシートに並べた。

「はい、おきたー。おはよー、たっくん。おめめはさめましたか？」

『……なぜだろう？』

佳枝の声を聞きながら、荷物を纏《まと》める良介に、ふとまた、その言葉が耳打ちされた。しかし今度は、先ほどとは違って、半ば自分で意識しながら、それを呟《つぶや》いたようだった。彼は、表情を曇らせて顔を上げた。そして、なぜか急に不安になって、降車客で混み合い始めた通路の先に目を遣った。出口が遠い気がした。二人を連れて、うまく出られるだろうか？　あるいはと、後ろを振り返って、どちらが近いかを確かめようとした時、

彼は、良太を傍らに抱いて座ったまま、じっとその様子を見ていた佳枝の目と、間違ってというふうな不用意さで出会《でくわ》してしまった。

「……ん？」

問われるよりも早く、彼はわざと口を固く結んで、両眉《りょうまゆ》を持ち上げながら額に浅く皺《しわ》を寄せた。

「うん。……」

佳枝は咄嗟《とっさ》にそう応じて、続く言葉を微笑の中に曖昧に溶かした。そして、

「さぁ、たっくん、おりるよー。」

と良太の手を取り、促した。

良介は、前屈《まえかが》みになって、荷物の取っ手を両手に掴《つか》んだ。減速する車両に逆らって、上手《うま》くバランスを取ったつもりだったが、持ち上げた荷物が思いの外重く、小さくよろめくと、そのまま耐えきれずに、同じような家族連れの隣の乗客に、肩口からぶつかってしまった。

2

ホームに降り立つと、待ち構えていたかのような熱気に出迎えられて、その飼い犬め

いた、馴《な》れ馴れしく執拗《しつよう》な纏わりつき方に家族三人ともが閉口させられた。

空調で体の冷えていた佳枝も、思わず、

「暑いねぇ。……」

と良介に顔を顰《しか》めてみせた。

改札を抜け、北口から外に出てエスカレーターで一階に降りると、厚狭から電話で連絡した通り、和子がシルバーのヴィッツで迎えに来ていた。

「あ、お義母《かあ》さぁん！」

佳枝が見つけて手を振ると、エンジンをかけたまま車外に出て、周囲を見渡していた和子も、「ああ、」と、跳ねるように手招きした。両手が荷物で塞《ふさ》がっていた良介は、腰の辺りまで軽く腕を上げて、笑みを返した。

佳枝は、良太の手をキュッキュと二回引くと、

「ほら、おばあちゃんいるよ。ちゃんとごあいさつできる？」

と尋ねた。良太は、寝起きの機嫌の悪さで、母親の手にぶら下がりながら、返事もせずに目を擦《こす》っていた。

「ほらぁ、ちゃんと、あるいてよ。」

そう言われると、ますますむずかってくねくねと身を捩った。

「もう、ときわこうえんのおさるさんみたいよ。おばあちゃんにわらわれちゃうよー。」

荷物を持って先を行く良介は、立ち止まって振り返ると、二人のやりとりを見守った。そして、また少し歩いて、車に辿り着くと、

「ただいま。ありがとう、迎えに来てくれて。」

と待ち構えていた母に礼を言った。

「おかえり。電車遅れて大変やったねぇ。疲れたやろう？」

「うん、ちょっとね。車やったら、簡単やったんやけど。」

「新幹線の事故やったと？」

「ううん、その前の山陽本線よ。」

トランクを開けてもらい、荷物を順に収めると、良介は、大きく息を吐いて昔から変わらない黒縁の眼鏡を外し、痺《しび》れたような腕で、額に吹き出し、目に流れ込みそうになっていた汗の玉を拭《ぬぐ》った。

空は露悪的なほどに晴れ渡っていて、雲一つなかった。

トランクを閉める際に触れた車体の熱が、彼にはどこか新品めいて感じられた。洗車したばかりなのか、車体は強く光を反射し、掌《てのひら》には、肌に直接張りつくような感触があった。

「――たっくん、ごあいさつは？」

和子を一瞬見て、すぐに顔を伏せてしまった良太は、良介には、渋々というよりも、

むしろ照れているように見えた。

「……こんにちわ。」

「はぁい、こんにちは。だれだかわかる？」

ニッコリ笑ってみせると、和子は、腰をかがめて孫に顔を近づけた。

「ん？　わすれたぁ？」

「ほら、たっくん。だぁれ？」

佳枝は、また手を軽く引っ張った。

「……おばあちゃん？」

良太は、頼りなげに佳枝の顔を見上げた。和子は、それでも上機嫌だった。

「そう！　よくおぼえててくれたねー。」

そう言って頭を撫でると、今度はその手を厭《いと》うようにして体を捻《ひね》った。

「……すみません、さっきまで寝てて、ちょっと機嫌が悪いんです。」

佳枝は、申し訳なさそうに謝った。

「ううん、眠いんよ、まだ。うちに着いたら、またしばらく寝せとけばいいよ。」

車の後部座席には、良太のための真新しいチャイルド・シートが設置されていた。

「わっ、チャイルド・シートまで！　スミマセン、ホントに。……これ、あとでお金出
そうね、良クン？」

佳枝は、恐縮しながら言うと、側《そば》に寄ってきた夫に続きを委《ゆだ》ねた。

「うん、出すよ、母さん。」

良介は、佳枝と良太とを後部座席に誘い、自分は助手席へと向かいながら、運転席に回り込む母に車越しに声をかけた。

「いいよ、もう、そんなの！」

そう言って顔を顰めると、和子は、ヨイショと運転席に乗り込み、ドアを閉めた。

「あー、涼しいね。」

そして、遅れて助手席に座った良介に、シートベルトを締めながら、

「もう息子二人に、お金遣うこともないんやけ、孫にくらい、たまにはおばあちゃんにもお金を遣わせなさい。」

と冗談めかして言った。丁度、ドアがすべて閉め切られ、最後まで聞こえていた屋外エレベーターの注意アナウンスが追い出されたところだったので、その言葉は、冷房の音だけを響かせている車内で、人の耳を否応《いやおう》なく引きつけるような際立ち方をした。佳枝はそれを、親子の間だけの閉ざされた会話のように感じて、それとなく、チャイルド・シートのベルトを確認しているようなふりをした。

良介は、少しだけ頬を緩めてみせ、

「うん、……ありがとう。」

と頷《うなず》くと、エンジンを掛ける母の横顔を数秒間見つめていた。

ビルの影が大きく広がった駅前には、同じように家族を迎えにきているらしい車が、他にも多数見受けられた。ロータリーは混雑していたが、そこを抜けて車道に出ると、少し落ち着いたというふうに、和子はまた口を開いた。

「これはでも、取りつけが大変ねぇ。あーでもない、こーでもないで、一時間くらいかかったんやないやか。……」

「大変ですよね、ホントに。」

と佳枝は後ろから相槌《あいづち》を打った。

「独りでされたんですか？」

「そうなのよ。」

「父さんは、手伝ってくれんかったと？」

良介は、佳枝と二人だけの時には、かなり標準語に近い喋《しゃべ》り方なので、帰省する度に、方言に戻すのに少し抵抗を感じたが、それでも今は、覚えず目を見開いて言った。

「そう、独りでしたんよ。――あれ？　これ、こっちで良かったんかね？　ええっと、……あ、そうか。……それで、――何の話しよったんかね？」

「チャイルド・シート。」

「あ、そうそう、それでお父さんが全然手伝ってくれんけ、独りでしたんよ。……なんかね、夏バテ気味なんよ。今日も、一緒に来る？っち誘ったけど、熱があるみたい。」

「熱？　大丈夫なの？」

「大丈夫よ。お父さんも歳《とし》よね。……」

和子はそう言うと、下瞼《したまぶた》に少し力を込めて、急にフロント・ガラスの汚れが気になったように、洗浄液を出してワイパーを往復させた。良介は、拭《ふ》き取られたガラスの端に、白く泡だった液が垂れ落ちてゆく様をじっと見ていた。

小倉城脇《わき》の信号で停止すると、和子は、

「そうそう、……」

と徐《おもむろ》に左手を伸ばして、CDを再生した。

――おいしいプルコギのお店はどこにありますか？／맛있는《マシンヌン》 불고기《プルコギ》 가게는《カゲヌン》 어디에《オディエ》 있나요《インナヨ》？　円をウォンに替えたいのですが。／엔을《エヌル》 원으로《ウォヌロ》 바꾸고《パクゴ》 싶은데요《シプンデヨ》.　……

「あら、ちょっと、大きいね。」

突然スピーカーから聞こえてきた声に、良太は目を丸くした。その顔が、丁度バック・ミラーの端に映っていたので、和子は、心持ち音量を落とした。

――地下鉄の駅はどこにありますか？／지하철《チハチョル》 역은《ヨグン》 어디에《オディエ》 있나요《インナヨ》？　このまままっすぐに行って、銀行の前で左に曲がったところです。／이《イ》 대로《デロ》 곧장《コッチャン》 가서《カソ》、은《ウン》

행《ヘン》 앞에서《アペソ》 왼쪽으로《ウェンチョグロ》 꺾으세요《コックセヨ》.

「何これ？　韓国語？」

「そう、韓国語よ。イデロコッチャンカソ、ウンヘンアペソ……ウェンチョグロコックセヨ。」

和子は、良介の驚きを面白がるふうに、得意気に復唱してみせた。流暢《りゅうちょう》とは言い難かったが、もう何度も口遊《くちずさ》んでいるらしい様子だった。

「お父さんとね、ちょっと前から習いに行きようんよ。」

「父さんまで？　なんでまた？」

「ん？　そうね、……まぁ、お父さんも仕事を辞めてせっかく時間が出来たし。ボケ防止よ。製鉄所の吉川さんのご夫婦に誘われて行き始めたんよ。」

「そう？……でも、なんでまた、韓国語なん？」

「韓国語に誘われたけよ。今年はほら、ワールド・カップもあったし、教室もね、けっこう、若い生徒さんも多いんよ。——でも、お母さんたちはもうダメね。若い人たちとは、全然上達のスピードが違うけ。」

和子の話に、それまで黙っていた佳枝が、「へぇ、」と身を乗り出した。

「おもしろそうですねー。わたしも、この子が手がかからなくなったら、何か習い事でもしよっかな。派遣でずっと働いてても、張り合いないんですよ。」

「うん、したらいいよ。子供の世話がある間はね、どうしても大変やけど、……」

そう言って口を噤《つぐ》むと、和子はまた耳に飛び込んできた例文に遅れまいと、復唱を始めた。

良介の面には、形をなしきれぬまま崩れてしまったような笑顔が残った。

『……どうしたのかな、母さん？』

彼には、母のそうした気まぐれが理解出来なかった。和子はこれまで一度も韓国に行ったことなどなかったし、彼女が韓国について話しているのさえ聞いたことがなかった。況《ま》してや、語学に興味があるなどとは、想像もつかなかった。

そうした不可解さは、慣れ親しんだ母の声が、自分のまったく知らない言葉を発しているという違和感と結び合って、彼には何となく気味悪く感じられた。

佳枝と和子とが、韓国語教室での逸話で笑い合っている隙《すき》に、良介は、一旦《いったん》さり気なく音量を絞ったあとで、気づかれないようにそっとCDを止めた。佳枝は、その些細《ささい》ないい二度手間を見逃さなかった。和子の話に相槌を打ちながら、彼女は、先ほどやや唐突に口を挟んだ時に感じていたことを、もう一度心中に巡らせていた。婚姻届を出す際に確認した本籍にはそんな事実はなかったはずだが、彼女はこの時、ひょっとすると、良介は在日韓国人の家系なのではと考えていた。

戸畑バイパスの入口で道を迷っている間に、佳枝との会話は途切れた。それから、も

う十分も経《た》ったかという頃になって、和子はようやく、

「あら？　ＣＤ止まっとうね。」

と気がついた。

「うん、……さっき終わったよ。」

良介は、前を向いたまま応《こた》えた。

「そう？……」

彼女は、ハンドルに注意しながら、また手を伸ばしてＣＤをかけようとした。しかし、後ろで良太が口を開けて眠っているのを目にすると、

「止《や》めとこうね。」

と、それを思い止まった。

傾き始めたばかりの西日はまだ若かったが、思いの外その色は濃く、ボンネットに照り返す光は、フロント・ガラスの底からまろやかに立ち昇って眩《まぶ》しかった。和子も良介も、真っ正面からその光を浴び続けていたので、次第に澱《おり》のように頬のつけ根に疲労が溜《た》まっていった。

再会の興奮は、ここに来るまでの思いがけない消耗で、大分割り引かれた格好だった。家族が揃《そろ》って手に入れ、車中に持ち込んだ疲労には、容易ならぬ重さがあった。良介も佳枝も、それを已《や》むを得ぬこととして受け止めたが、良太にはかわいそうなことをした

と感じていた。

そもそもは、車で帰省するような距離だった。それが、このあと千葉の稲毛にある佳枝の実家へと向かい、ついでにディズニー・ランドに行く予定を立てたので、電車を利用することにした。しかし、東京から宇部空港に帰ってくるなら、福岡空港に戻って、そこから車を運転しても良かったのではあるまいか？　なぜそうは考えなかったのだろう？　駐車場の問題だろうか？　そして、どちらを責めるわけにもいかないながら、二人とも、このあまりうまいとは言えない計画のことを、少し恨みがましく考えていた。

佳枝は、いつの間にか車中を領していた沈黙に気がついて、それに指先でそっと触れ、動かしても大丈夫かどうかを確認するかのように、小さく鼻を鳴らした。そうして踏まえた段取りに安心した彼女は、

「たっくん、よっぽど寝心地がいいのか、ぐっすり眠ってますよ。」

と口を開いた。敬語から、和子に語りかけていることはすぐに分かった。継いで、良介にも、

「この調子だと、夜また寝てくれないかもね。」

と言った。

和子は、

「良かった。色々あったけ、どれにしようか、迷ったんよ。」

と嬉《うれ》しそうに言った。そして、

「良ちゃんたちも、もう一人くらい、子供作るかもしれんし、崇《たかし》だって、そのうち結婚するやろうけ、これから何度も使う機会あるよ、これは。いい買い物した。」

と付け加えた。良介は、『兄貴は、……結婚しないんじゃない？』と口にしかけたが、思い止まって、

「兄貴は、いつ帰ってくるって？」

とだけ尋ねた。

「明日よ。明日のお昼前くらい。今日まで仕事みたいね。」

「そう？　夏休みなのにね。――夏休みこそ、忙しいのかな、国会図書館なんて？」

「さァ、司書さんはね。崇は調査員やけ、そうでもないんやないかね。……」

和子はまた少し眩しそうに眉《まゆ》を顰《しか》めて、庇《ひさし》の角度を微調整した。その影が、母の顔の上で滑り落ちるようにして下に伸びたのを、彼は頷きながら目に留めた。

3

実家に到着して、「さぁ、さぁ、」と良介たちを招き入れると、和子は二階に向かって、

「お父さァん、良ちゃんたちが帰って来たよ。」

と呼びかけた。佳枝は良太をオンブし、良介は荷物を抱えていた。二人が靴を脱ぎ、居間に行くまでの間に、治夫《はるお》からの返事はなかった。

「父さん、寝とうと？」

良介は、忙《せわ》しなく動き回って、首を傾《かし》げながら冷房のリモコンを探している母に、荷物を置きながら尋ねた。

和子は振り返らなかった。

「ねぇ、母さん？」

「……ん？　あー、あった、あった。」

そう言って、ようやく冷房の電源を入れると、リモコンをテーブルの上に置きながら、彼女は顔を上げた。

「何？」

「父さん、まだ寝てるの？」

「……返事がないし、そうやないと？」

そう言うと、また廊下に出て、

「お父さァん、良ちゃんたち、帰って来とうよ！」

と、声を上げた。良介は、昔は兄も自分も、そんなふうによく下にいる母から呼びかけられていたと懐《なつ》かしく感じたが、母がそうして父を大声で呼んでいる姿は、あまり見た覚えがなかった。父からの返事は、今度もなかった。

「そのうち、降りてくるやろ。」

溜息《ためいき》混じりに居間に戻ってくると、和子は良介の顔も見ずに言った。

良介は、一旦は「うん、……」と返事をしたものの、気になって、

「ちょっと、様子を見てこようかな。」

と、今し方床に置いた荷物のうち、土産と子供のおもちゃとが入った袋だけを残して、音を立てないように階段を上っていった。和子は踏み締められる板の軋《きし》む気配を頭上に感じながら、ソファで良太の世話をしている佳枝に、

「佳枝さん、スイカがあるけど食べる？　たっくんは、……もう寝てる？」

とぎこちなく方言を避けながら尋ねた。

「ええ、是非。わたし、スイカ大好きなんです！」

良介は、二階のかつての自室で、今夜、家族で寝ることになっている部屋に荷物を置き、湯のように重たく澱《よど》んだ熱気を逃れて廊下に出ると、そのままドアを閉め切らずにおいて、向かいの両親の部屋をノックした。中に人の気配は感じられない。

「……父さん？」

様子を窺《うかが》うようにしてドアを開けた。長時間に亘《わた》って冷房に冷まされ続けた空気が、

疲れ果てたようにその隙間から這《は》い出してきた。カーテンの閉ざされた薄暗い部屋の畳の寝台には、袋詰めの何か大きな荷物が放置されているように、父が黄土色の縞《しま》のパジャマのまま、腹の辺りにだけタオルケットを掛けて横向きに寝ている。

「父さん？」

再度の呼びかけにも反応はなかった。良介は、少し効き過ぎの冷房の設定を変更しようと、リモコンを探した。そして、枕元《まくらもと》にそれを見つけ、歩み寄った時、初めて父が目を開けていることに気がついた。

「父さん、……起きとうと？」

良介は、身を強張《こわば》らせた。治夫の目は、生成《きなり》の綿のズボンを辿《たど》り、ポロシャツを辿って、どうにかその顔まで這い登った。眼鏡がないので、誰だか分からない。しばらく見つめていて、ようやく良介だと分かったが、その間に、最初の一声を取り逃がしてしまったせいで、彼はまた、自分の内側に結わえつけられ、釣り下がっている重りにずるりと引き込まれてしまった。

「ただいま。体調はどう？」

良介は、眉根を高く山にして父の顔を覗《のぞ》き込んだ。その表情が、治夫には痛いほど鮮明に感ぜられて、思わず身を竦《すく》めた。その反射的な動きに、良介は一瞬、異様な感じを受けた。

「どうしたと？　起きたばっかりなん？」

「……ああ、……おかえり。」

「熱は？　良太も帰ってきとうよ。」

「……大したことないけ。」

「そう、……なら、いいけど。明後日までおるし、ゆっくり休んどって。騒々しいやろうけど。」

良介の顔が遠ざかると、治夫は少し体を起こして、

「あとで下りて行くけ。……佳枝さんにも断り言っとって。」

と謝った。

「いいよ。そのまま寝とって。」

良介は、手にしたリモコンを枕元に置いて、部屋を出て行った。その後ろ姿を見えなくなるまで目で追うと、治夫は、籾殻《もみがら》の枕に頭を埋めて、堪《こら》えていた息を絞り出すようにして吐いた。室内には、良介が開けたままにしておいたドアから入った熱がまだ留《とど》まっていた。それが治夫には、息子の残していった体温のように感ぜられて、タオルケットを引っ張ると、首まですっぽりと体を覆《おお》った。

4

やや遅い夕食は、車で十五分ほどの場所にあるファミリー・レストランで済ませた。治夫は食欲がないというので、和子が粥《かゆ》と漬け物、それに焼き魚程度の仕度をして、寝室まで運んでやった。

帰宅すると、良太は、アンパンマンのＤＶＤが見たいと言ってダダをこね始めた。もう何度見たか分からない良太のお気に入りで、こんなこともあろうかと佳枝はバッグに忍ばせてきていたが、見出すと必ず途中で寝てしまうので、先に入浴を済ませてからという条件を出した。

「アンパンマァン！　たっくん、アンパンマンみるよ！」

「ダメ。ちゃんとおふろにはいってからよ。ね？」

「うぅん、……」

良太は、今にも涙を流しそうな顔になって首を横に振った。そして、佳枝の足を叩《たた》き始めた。

「もう、ママ、いたいでしょう？　どうしてたたくの、たっくん？」

彼女は、少し険しい顔をして言った。良太はいよいよ我慢出来なくなって、今度は泣きながらまた彼女の足を叩いた。

「こら、ダメだよ、たっくん。」

今度は良介が、良太を叱《しか》った。泣き声は一層大きくなった。

「なかないの。しずかにしないと、おじいちゃん、ごびょうきでネンネしてるのよ。ほら、ママといっしょに、おふろはいろう。ね？」

そう言って良太を抱き寄せると、佳枝は和子に、

「すみません、先に入らせてもらっていいですか？」

と断った。

「もちろん、もちろん。たっくんも、疲れてるのね、やっぱり。」

和子はそう言うと、更に小声で佳枝にだけ、

「お風呂《ふろ》にはいったら、すぐ寝つくよ、きっと。」

と笑ってみせた。

「ええ、ありがとうございます。——さ、たっくん、いこっ。」

佳枝は良介に、良太を浴室に連れて行って、服を脱がせておくように頼み、自分はタオルや着替えといった必要なものを取りに二階に向かった。良介は、彼女が父の部屋と間違ってしまわないように、

「階段を上がってすぐに右手のドアだから。」

とその背中に言い添えた。

居間に戻ってくると、和子はテレビをつけて、ザッピングしながら、しばらく面白そうな番組を物色していた。

「良太のカンシャクも、今日はおばあちゃんがおったけ、遠慮気味やったみたい。」

良介は、ソファに座りながら苦笑してみせた。

「そう？　ワガママ言う？」

「ワガママっちいうか、……まァ、まだ三歳やし、あれくらいのワガママは言うんやろうけど、カンシャクがね、……すごいんよ。いつもやったら、あんなもんじゃないけ。」

「あら、本当？」

「うん、ギャーギャー泣くもん。今日は様子が違うけ、我慢したんやろ。佳枝ちゃんも、あれで結構芯《しん》が強いけ、普段やったらもっと強く叱るんよ。怖がらせて言うこと聞かせたりはせんどこうっち話し合っとうけ、どの程度がシツケとしていいんか、匙《さじ》加減が難しいけどね。……僕が父親だし、僕が怒り役を引き受けた方がいい気もするけど、……」

「良ちゃんも優しいしね。……そうねぇ、小さいうちは、ちょっとは仕方ないんやないかね。……」

和子は、そう言いながら目を細めた。良介のそうした父親らしい、しかしまだ、どこか辿々しい悩みに、彼女自身が、初老の母親らしい、今更だが初々しいとでも言うべき感慨を覚えた。

「良ちゃんが、そんなことを考えるようになったんやけねぇ。お母さんたちが歳取るはずよ。」

良介は、少し笑った。

「自分でもふしぎな感じがするよ。……今日もね、電車がなかなか来んで、ホームで待っとった間も、良太のご機嫌取りが大変でね。――でも反面、僕も昔はこんなんやったんかなとか思ったら、記憶の中の父さんや母さんの姿が頭の中でちらついてきて、……なんか、……うん、……うまく言えんけど、良太に対してもやさしい気持ちになれたんよ。……やっぱり、ただ年齢が積み重なっていくだけだと、正直あんまり自分が歳取ったことを実感出来んけど、立場が変わるとね。会社に入った時もそうやったけど、親になってみると、また物の見方が変わってくるね。」

「ホントねぇ。お母さんももう、おばあちゃんやけね。……早いような、あっと言う間のような、……みんなそうして順繰り送りよね。……」

良介は、頷《うなず》きながら眼鏡を外して目を擦《こす》った。鼻梁《びりょう》の両脇《りょうわき》のパッドのあとが、そこだけ白く、ずっと外気に曝《さら》されてこなかった分、肉刺《まめ》になっているというより、どこか柔弱な感じがした。

和子は、息子の様子を見守りながら、今し方自分で口にした順繰り送りという言葉のことを考えていた。それは、今年の初め、乳ガンで歿《ぼっ》した彼女の母照子が好んで口にしていた言葉だった。母の享年《きょうねん》は八十二歳だった。――あと二十七年。その年数の意味が、彼女にはよく分からない。しかし、良介が言ったように、立場が人を変えてゆくのであれば、彼女は今、その時間が尽きる時を思う場所に既に足を踏み入れていた。そうして、母が当時語っていた言葉を、そのままの形で語っている。それを語った母の心境に、そのまま自分がなっている。……二十七年前、母が五十五歳の時、自分は幾つだっただろうか？――二十八歳だと計算してみた。今の良介と二歳しか違わない。その時母は、どんなことを思って毎日を過ごしていたのだろうと考えてみて、咄嗟《とっさ》に何も思い浮かばなかった。既に長男と長女、自分、それに末の弟の全員が結婚し、孫はもう四人もいた。戸畑に住む長男象一の家に同居していたから、よく顔は合わせていたが、その時一体、どんな話をしていただろう？　父邦男の方は、六年前に胃ガンで亡《な》くなっていた。享年は八十歳だったが、父の方こそ、いよいよ、当時何を考えていたかなど分からなかった。

和子は、明日の法事の際に、時間があったら少しそんな話をしてみたいと思った。兄たちと話しながら、両親のことを、もっとはっきりと思い出したい気持ちになった。

「お祖母《ばあ》ちゃんがいつも、『親死に、子死に、孫が死に』っち言いよったけど、本当に、それが一番幸せなことよね。」

「ああ、……」

良介は改めて話を聴くような素振りで、

「言いよったねぇ。誰の言葉やったっけ？　一休さん？」

「一休さん？　良寛さんやないかね？」

「良寛？」

「いや、……どっちやったやろう？」

和子は、良介の顔を見ながらしばらく考えていたが、やがて諦《あきら》めて苦笑すると、

「気になるねぇ。祟がおったら、すぐ分かるんやろうけど。」

と言った。

「そうね。兄貴なら知っとうよ、きっと。」

「明日、訊《き》いてみようかね。」

「うん。でも、ネットででも調べれば、すぐに出てくるとは思うけど。」

「あら、そう？——まァ、とにかくよ。お母さんね、最近しみじみ、本当にその通りやねと思うんよ。お祖母《ばあ》ちゃんが亡くなってから、お母さんもちょっと落ち込んどったけど、……その言葉を思い出したらね、あんまり親孝行も出来んかったけど、お葬式に元気で出られたのが、せめてもの親孝行やったかねとか思い直して。……良ちゃんももう、あんないいお嫁さん貰《もら》って、立派に家庭を築いて、十分に親孝行してくれとうけど、あ

と一つだけ望むとすれば、そのことよ。いつまでも元気で、お母さんより先にどうかなってしまうような親不孝だけはしたらいけんよ。」

「そんな心配しなくても、……」

良介は、唐突に言い聞かせられたその内容に、戸惑うような笑みで応じた。

「本当よ。これは、お母さんの唯一《ゆいいつ》のお願いやけ。佳枝さんのためにも、子供のためにもよ。」

「大丈夫だって。会社の健康診断でも何の問題もないし。母さんこそ、まだまだ元気にしとかんと。僕らはともかく、父さんが独り遺《のこ》されたら大変よ。」

「お母さんはもうね、……別に、……」

和子はそう言いかけて、曖昧《あいまい》に余所《よそ》を向いた。丁度そこに、佳枝と良太とがパジャマに着替えて戻ってきた。

「お先に上がりました。」

佳枝は、そう頭を下げると、まだ濡《ぬ》れたままの髪の先端を肩に掛けたバスタオルで絞るようにして拭《ぬぐ》った。良太はその足許《あしもと》で、咳《せき》をしながら肩で大きく息をしている。

「よし、よし、……」

佳枝は身を屈《かが》めて背中をさすりながら、

「喘息《ぜんそく》が出そうな感じ。」

と良介に言った。

「あっ、」

と心配そうに首を伸ばすと、良介は、

「薬取ってこようね。」

とソファを立ち、すぐに二階に駆け上がって、貼《は》り薬と飲み薬とが入った、アンパンマンの絵の小さな袋を持ってきた。

良太は、佳枝と一緒にソファに座ると、俯《うつむ》き加減のままじっとテーブルを見つめて、神妙な面持ちで喉《のど》の奥の咳の気配を探った。そして、それが形となって気管を這い登ろうとする度に、肩に力を入れて、どうにか押し戻そうとした。

佳枝と和子とは、まだ入浴後の火照《ほて》りも引かない小さな体が、そうして自分の内部に突発した出来事に、健気《けなげ》に意識を集中している様を心配しながら見守った。

「たっくん、はい。——だいじょうぶ？」

良介に水と薬とを差し出されると、良太は小さく頷いてソファから下り、毛足の短い生成の絨毯《じゅうたん》の上にちょこんと座った。そして、食事の時の覚束なさとは違った、慣れた様子で薬を飲むと、貼り薬のために薄い水色のパジャマを捲《まく》り上げて背中を開いた。肩胛骨《けんこうこつ》が二つ、小さく並んで盛り上がっている下には、まだ青い蒙古斑《もうこはん》のあとがあった。

「——はい、いいよ、もう。」

促されて自分でパジャマを下ろして裾《すそ》をズボンの中に入れると、良太はソファに戻って母親に寄りかかった。パジャマは、ボタンを留める練習にと、佳枝がわざわざ前が開くものを買ってきていた。

「くるしい？」

肩を抱きながら尋ねると、良太は頷いた。呼吸する度に、玉が跳ねきれないほどの力で吹かれた玩具《おもちゃ》の笛のように、喉の奥が音を立てた。咳は濁っていて、出し切った直後にも気道が晴れる気配はなかった。

和子は、テレビの音をうるさく感じて、リモコンで電源を切った。

「かわいそうにねぇ、たっくん。……」

「湿気があんまり良くないみたいなんですよ。この前も、秋吉台《あきよしだい》の鍾乳洞に連れて行った時に、……ね？」

佳枝は良太を気にしながら、話の続きを夫に委《ゆだ》ねた。

「うん、母さんには、電話でちょっと話したけど、……」

「あの時やろう？　ねぇ、かわいそうに。」

「最初はどうもなかったんやけど、出る頃になって、急に喉がこんな感じでぴーぴー言い始めて、あとはもう、どんどん酷《ひど》くなっていって。――日曜やったけ、救急病院に連れてって、三回も続けて吸入薬を吸ったら、やっと落ち着いたんやけど、……それでダメやったら入院せんといけんかったんよ。」

良介は、和子に向けて語り始めたはずだったが、気がつくと、良太の上に視線を移していたので、最後にもう一度、話に聴き入るふうの母の方を振り返った。

「そう？……先生は？　湿気が悪いって？」

「うん、色々みたいやけど、良太はどうもそうみたい。」

佳枝は、良太の肩を抱いてやったまま、

「薬も飲んだし、少し様子見て、酷くなったら病院に連れて行こうか？　良クン、どこか知ってる？」

「うん、ええっと、……救急病院やったら、西川病院？」

良介は、和子に尋ねた。

「そうね。――あ、まさかお盆休みじゃないやろうね？」

「大丈夫とは思うけど、……とにかく、良太がこのまま落ち着いてくれればね。」

「そうね。……」

良太は、眉間《みけん》に力を込めて、苛立《いらだ》った様子で何度もこめかみの辺りを掻《か》いた。気道が埋められ、辛うじてその隙間《すきま》から漏れ出てくるような呼吸の音は、周囲で見守る良介たちにも息苦しさを感じさせた。

「よし、よし、……」

和子が堪《たま》らず背中をさすると、良太はそれを嫌がるふうに身を捩《よじ》った。

「たっくん、きょうはもう、このままねようね。」

良介の呼びかけに小さく頷くと、良太は佳枝の膝《ひざ》の上に乗って抱きつき、胸元に顔を寄せた。

「ねぇ、くるしいねぇ。」

佳枝は、そう言って良太をやさしく抱いてやると、何度も頭を撫《な》でてやった。そして、

「じゃあ、上でたっくんを寝かせてきます。」

と和子に断って、

「よいしょっ。」

と良太をだっこしたまま立ち上がった。

「大丈夫？　階段登れる？」

良介が尋ねると、

「うん、大丈夫。」

「代わろうか？」

「ううん、平気。」

「そうね、じゃあ、お布団《ふとん》出してあげようね。良ちゃん、今のうちに、お風呂に入っておいで。」

和子に言われると、良介は、

「ああ、うん。じゃあ、急いで入ってこようかな。たっくん、きつくなったら、病院行こうね。」

と、良太の背中にそっと手を置いた。掌《てのひら》は、小さいながらも確かに熱を宿しているその体の奥に、気管を震わせるか細い振動を探り当てた。それが、今まで見ていた息子の表情よりも遥《はる》かに率直に発作の状態を告げていたので、良介は一瞬、締めつけられたように、心臓の鼓動が速くなるのを感じた。

5

良介の部屋は六畳半ほどだったが、結婚後、家族で帰省した際にここで寝泊まり出来るようにと、ずっと置かれたままだった学習机とシングルのパイプ・ベッドとを処分したので、フローリングの床には三人が十分に寝られる広さがあった。

和子は、佳枝と手分けして布団を敷き、良太を横にさせると、冷房の温度を調節し、照明を落として部屋から出て行った。

沈黙が、場所を得たように落ち着きを取り戻した。居間の明るい光の下で、それはずっと、眩《まぶ》しさに混乱を来《きた》したかのように家族の間を右往左往していた。

向かいの夫婦の寝室に和子の入って行く音がして、しばらく、治夫と何か言葉を交わしていたようだったが、内容までは聴き取れなかった。やがて、再びドアが開閉すると、階段を踏む音が一つずつ、下に向かって遠ざかっていった。

良太は、喘息の発作が起きた時にはいつもそうするように、横を向いて佳枝に寄り添っていた。その方が、気道を楽に確保出来るらしかった。

薄暗い部屋の中では、今その苦しげな呼吸の音だけが唯一の出来事だった。向かい合う大小二体の体の間に、時折、むず痒《がゆ》く尾を引くような咳がばらまかれる。その度に、佳枝は、良太の肩に置いた手で二三度そっと、「よし、よし、」と宥《なだ》め、強く響かぬように撫でてやった。

「もうすこししたら、おくすりがきいてくるからね。」

耳元でささやきかけると、良太は何も言わずに頷いた。その様子が、ただ側《そば》にいて、見守っているより外はない彼女には、酷く孤独に感ぜられた。

先ほど彼女が、鍾乳洞での一件について言い淀《よど》んだのは、良太の具合に気を取られていたからばかりではなく、その時の自分の恐慌《きょうこう》がありありと思い出されたからだった。

良介は、それについては触れなかったが、救急病院で二度目の吸入薬が効果を示さなかった時、彼女は、自分の陥りつつあった感情的な混乱に、殆《ほとん》ど敢えてというふうに一歩足を踏み出したのを覚えていた。彼女は、はっきりと、強い口調で当直医に不満を述べた。その言葉は、まだ大学を出て間もないような若い医師の装《よそお》う自信の綻《ほころ》びを、意地悪いほど正確に目がけていた。良太の容態が落ち着いて、自宅に戻ってからも、彼女はそうした自分の言動を悔いなかったが、そこに兆《きざ》した憎しみに近いほどの激しい感情は、彼女が自分自身のためには、決して知らない類《たぐい》のものだった。

佳枝には、息子の面差しに表れた真剣さが痛ましく、だからこそ、その姿が余計に愛《いと》おしく感ぜられた。

良太はまだ、自分の体の仕組みについて何も知らなかった。気管支といったような言葉は勿論《もちろん》のこと、それがどういう異常を起こして発作に至るのか、理屈では何も理解していなかった。そういう年齢の子供なのだから、こうした不具合を担《にな》わせられるのは、まだ早過ぎるはずだと彼女は無力な憤《いきどお》りとともに感じていた。それを母親として、庇《かば》ってやれないことがもどかしかった。

彼女の胸を打ったのは、にも拘《かか》わらず、その幼い息子が、むしろそうした苦しみを通じて、手探りながらも、今、自分の体というものを見つけ出し、そのままならない10キロほどの塊を自分自身として引き受け、どうにかその不調を克服しようと努力していることだった。

彼女が良太の表情に認めたのは、紛れもなく真剣さだった。大人が課されるべきそれと些《いささ》かも変わるところのない義務に対して、まだ三歳になったばかりの息子は忠実だった。そして、病というものに強いられながらも、彼が懸命に引き受けようとしているその体こそは、佳枝自身の血と肉とを分け与えられ、開始されたものに外ならなかった。彼女には、良太をまさしく、字義通りの意味で、良介との愛の結果と感じる瞬間と、彼には悪いが、やはり自分だけの分身のように感じる瞬間とがそれぞれにあった。どういう時にそうなのか、あまり深くは考えなかったが、今のような時に、彼女が自然と抱くのはその後者の感情だった。

　良太は、予定日と一日と違わずに産まれた珍しい子供だった。それが彼女に、伝わったという実感を最後に決定的に信じさせた。途中一度、早産しかかった時、彼女は、緊急入院した病院のベッドの中で、ずっと胎内の子供に、『まだだめよ、まだだめよ、……』と言い聞かせ続けていた。それは確かに、念ずるというよりも、語りかけていたのだった。

　彼女の生涯の中で、そんなふうに言葉が、純粋に内へと向かう声でありながら、しかも一つの別の命に届いたのは、後にも先にも、この時一度きりだった。そして、今日のように発作に苦しむ良太に対して語りかける彼女の声は、今も、あの時胎内の羊水に浮かんでいた、まだ名前すらない一つの命へと伝えられた声の響きを失わないまま留めていた。

　彼女は、一人の人間の命が、何もない外界の空間に、突如として兆した孤独な一点として、剝《む》き出しのまま開始されるのではなく、必ず母親が現に所有している肉体の内側に、いわば場所を許される形で始まるという事実について、妊娠の期間中、折々思いを巡らせていた。

こうした考えを、悪阻《つわり》に苦しんでいた彼女に優しく語ったのは、義兄の崇だった。彼女が、一種の違和感として知った、内から着実に押し広げられてゆくような感覚は、本来は、この世界が新しい個体の出現に対して抱くはずの違和感なのだと、崇はやや唐突に話し始めた。悪阻というのは、そうした違和感に対する生体の尤《もっと》もな拒絶であって、もし世界が直接にこの不快を知っていたならば、新生の一点など簡単に捻《ひね》り潰《つぶ》されてしまうだろう、と。

「僕はきっと、母性というものの、少し甘ったれたような理想を勝手に佳枝ちゃんに見て、ある意味ではそれを押しつけようとしているんだと思う。だから、割り引いて聴いてもらわなければならないけれど、――」

そう言って彼は、一瞬笑った後、いつまでも忘れられないような、柔和ではあったが、疑いなく真剣な顔つきで続けた。

「――そうした苦しみはね、敵意を生まずにはいないものだよ、本当は。だけどね、今、佳枝ちゃんが、その苦しみを優しい寛大さと喜びとを以て耐えている姿にはね、生まれてくるこの子にとってだけじゃなくて、僕らすべての生を生きられるに値すると感じさせるような慰めがあると僕は思う。僕という人間にしたって、この世界に3キロほどの重みを持って、最早、否定出来ないような事実として放り出される前にはね、やっぱり、母親という一個の人間の内部に、最初の場所を許されていた。これは、人間の生が始原に於《お》いて抱えている根源的な条件だよ。人間は、どんなに顔を背けてみても、この最初の寛容さの恩恵を否定出来ないんだから。僕が今頼んでいるのはね、そうした考えだけなんだよ。……」

佳枝は、今振り返って、懐妊中、誰の言葉が一番印象深かっただろうかと考えてみて、この崇の言葉だったと思う。その時は、ほとんど奇異にさえ感じられ、だからこそ、余計に深く記憶に刻まれたのだったが、彼の言うように「割り引いて聴く」までもなく、正直なところ、難しくてピンと来なかった。それが、悪阻が過ぎて、最初は腸か何かの活動のように曖昧《あいまい》に、それからエコーの映像も手伝って、足や頭といった具体的な部位の動きとともに子供の存在を感じられるようになった頃から、彼女はその言葉に、両親のそれとも、良介のそれとも違った、もっと複雑で、直向《ひたむ》きな励ましが込められているように感じ始めた。

――そう、それはまさしく、言葉の問題だった。しかし、その言葉を発したのは崇であり、それを彼女の奥深い場所にまで届かせるように語ったのは、彼だった。

彼女は夫である良介を愛していた。彼女の懐妊期間中、ずっとその心の支えとなっていたのは、疑いもなく彼だった。しかし、良介の言葉は、何かもっと親密だった。そして、親密であるが故《ゆえ》に、彼女は時折、それを酷く無理解に感じて反発した。それが彼を傷つけ、結局は彼女自身をも傷つけた。彼女が良介の崇に対する思いの奥底にある感情を、朧気《おぼろげ》ながら察知するようになったのは、実はこの頃だった。

佳枝は、崇の言葉をもう少し単純に受け取って、自分もまた、こんなふうに最初の十ヶ月間を母親のお腹《なか》の中に匿《かくま》ってもらっていたからこそ、無事に生まれてくることが出来たのだと考えた。それは取り立てて新しい発見ではないはずだったが、そうしてこの世界に新たに場所を得た命が、安穏に過ごせば八十年も持続するという想像は、彼女にはやはり途方もないことのように感ぜられた。

彼女は、産みきったばかりの赤ん坊と向き合い、その姿を目で見た時の感動を、いつまでも忘れなかった。それはむしろ、あとになるほど、記憶の中でいや増してゆくようだった。出産直後は、確かにもっと混乱した、貧血性の薄明の中での感情の昂《たか》ぶりだった。事前に想像していたのとは違い、分娩《ぶんべん》そのものよりも、陣痛の苦しみの方が、彼女にとっては遥かに甚だしかった。激痛が、何か意味ありげな大きな余韻を残しながら、一瞬やわらいだ直後に、甲高い泣き声が耳に飛び込んできた。それは、彼女の消耗の法外さと正確に釣り合うかのように力強く、また、洗い出されたかのように真新しかった。

「五体満足の元気な男の子ですよ！」

分娩台の無機質な硬さが、なぜかこの時、急にその感触を蘇《よみがえ》らせた。

笑顔で言葉をかける若い看護師の腕の中で、泣き声は、まだ羊水に濡《ぬ》れたままの小さな体へと肉づき、形を成した。佳枝は、子供に障害がないということに、正直な安堵《あんど》を覚えた。会社に出ていた間は、そんなことを考える余裕もなかったが、八ヶ月目に実家に戻って、使い切れない時間がだぶつくようになると、不意にそうした不安が胸を過《よ》ぎることがあった。それは、崇の言葉を聴いて以来考えていた、八十年にも及ぼうかという命の長さの想像と相俟《あいま》って、彼女を何度か深い憂鬱《ゆううつ》へと誘《いざな》っていた。

視界は分厚く霞《かす》んで、何度瞬《まばた》きしても晴れなかったが、そういうことに慣れているのか、看護師は、「ほらぁ、かわいい男の子ですよ。」とすぐ目の前にまで赤ん坊を近づけ、十分に時間を取ってから連れ去っていった。

佳枝の中で、その最初の対面の光景に染《し》み入るようにして足の長い陰翳《いんえい》が差していったのは、むしろ、赤ん坊を自宅に引き取ってからのことだった。崇の言っていたような人間の原初の脆弱《ぜいじゃく》さ――庇われなければならないという性格は、出産後の方が遥かに容易に実感された。

彼女は昼夜、片時も子供の側を離れなかったが、放っておいてもお腹の中にいて、いつでもいわば庇っていられるというのと、放っておけば、そこでそのまま本当に孤立してしまうというのとでは訳が違った。階段一つ登るにしても、妊娠中はうっかり駆け上がってよく良介に怒られたりしていたが、産後はとても、そうはいかなかった。崇はむしろ、そうした意志や態度とは別の事実性について説いたはずだったが、現に子供の世話をする彼女は、当然に実感から導かれた解釈を信じた。

　赤ん坊の傍らで長く時間を過ごせば過ごすほど、彼女には、ほんの数ヶ月前まではこの子が自分のお腹の中にいたということがふしぎに感じられた。勢い、数年前までは影も形もなかったことまでふしぎに感じても良かったはずだが、そうした方面には思いが及ばなかった。

　彼女は、そのふしぎを思いつめると、いつもあの分娩室での記憶へと連れ戻された。あれが最初だった。それまで胎内で、ただ感じるだけだった存在が、実際に自分の目の前にある。その姿には、それまでに抱いていたどんな想像とも違う神秘的な意外さがあった。彼女は、出産の殆ど非現実的な苦しみを、後に母や姉と明るい笑いとともに振り返ったが、その必死さの最中で、赤ん坊は最後に彼女の一部であったことが確かめられ、同時にまた彼女とは別の存在であったことが確かめられた。

　赤ん坊に、夫と言うよりも、却《かえ》って彼女自身の希望と彼女の両親の気遣いとから「良太」という名前がつけられ、まだ皺《しわ》だらけだったその輪郭線が、最後に言葉によってきれいに閉じられ、二度と解《ほど》けないように固く結ばれると、彼女は以後、その意外さを、良太が示す一挙手一投足に、何度となく繰り返し経験することとなった。疑うべくもなく、良太は彼女の血肉を分け与えられて誕生した。しかし、その生は、今や彼女からは完全に自立していた。彼女の育児を通じての感動は、むしろその距離を実感することだった。

「すこしらくになってきた？」

佳枝は、咳《せき》の発作が、幾分間遠になったことを察して小声で尋ねた。良太は依然、眉《み》間《けん》の皺を解かなかったが、それでも小さく頷《うなず》いて母の手を握った。

保育園で余所《よそ》の子供たちを見ると、彼女は、自分がもっと丈夫に生んでやっていたならばと、時折息子にすまないような気持ちになった。そうすれば、こんなに苦しい思いはしなくても良かったのに。それでも良太は、そうした彼女の危惧《きぐ》よりも逞《たくま》しく、与えられた体に対して疑いもなく健気《けなげ》だった。それが、彼女の愛情をより一層搔《か》き立てた。

「だいじょうぶよ。ずっとそばにいるからね。」

そう言ってまた肩を撫《な》でてやると、良太は今度も黙ったままで首をコクリと縦に振った。

息の出入りを確認しようと、うつろな眸《ひとみ》で気管の奥に集中していた意識が、段々と遠《とお》退《の》き始めた。瞼《まぶた》が重たくなって、体温とともに感じられていた母親の石鹼《せっけん》の香りが、眠りの中に少しずつ紛れ込んでゆくようだった。

6

治夫が殆ど手をつけなかった夕食の盆を持って、和子が居間に戻ってくると、髪の濡れた良介が、実家に置いたままにしていた昔のパジャマを着てソファに座っていた。

「あら、もう上がったの？」

和子は、驚いたように言った。

「うん、だって、病院に行かんといけんかもしれんし。――良太は？」

「少し落ち着いてきたみたいよ。」

「そう？　ちょっと見てこようかな。」

良介は、和子の傍らを通り過ぎる際に、茶碗《ちゃわん》の中で冷え固まった粥《かゆ》を見て、

「食べてないね、父さん。」

と心配そうに言った。

「そうね。……もう、寝とうみたいやけ、起こさんようにね。」

「……うん。」

そう返事をすると、彼は跫音《あしおと》に気をつけながら二階に上がったが、良太の様子は、覗《のぞ》く程度ですぐにまた戻ってきた。

和子は、眼鏡をかけて、ニュース番組を見ていた。

「どうだった？」

「うん、少し落ち着いたみたい。寝とったけ、起こさんようにすぐ出てきたけど。」

「そう？　良かった。かわいそうにねぇ。」

「うん。……」

「良ちゃんの昔を思い出したよ。良ちゃんもよう、こんなふうに喘息《ぜんそく》の発作を起こしよったけ。——覚えとう？」

「うん、まぁ。——そうね、……僕はだけ、辛《つら》さが分かる反面、子供っちいうのは、あれで結構がんばれるのも知っとうけね。良太がどんな感じか、大体分かるんやけど、佳枝ちゃんは喘息の発作とか見るの、初めてやけ。やっぱり動転するみたい。僕が意外と冷静なのを見て、なんで？っち言われたこともあるもん。」

「そう？　やっぱり、遺伝もあるんかね、喘息は？」

「遺伝、……うん、体質的なことはあるんかもしれんけど、やっぱり環境と思うよ。ここもやけど、千葉も宇部も空気が良くないし。社宅でも多いもん、喘息の子供。」

「あら、そう？」

「うん。その子たちと一緒に、良太にも秋から水泳を習わせようと思って。」

「ああ、水泳がいいよ。良ちゃんもスイミングに行き始めてから、見る見る丈夫になったしねｪ。」

「うん。」

良介は、母の口調に導かれて、先ほどここで発作に苦しんでいた良太の姿を、幼時の自分自身に重ね合わせた。あんなふうに、自分も両親に見られていたのだと彼は思った。そして良太は、あの時のように、今、自分を見ている。取り替えられた目差《まなざ》しの向こうで、視界は微塵《みじん》も曇りを帯びることなく澄んでいた。彼は、当時の両親の心情を内から重なるようにして理解し、同じように今の良太の心情をも理解した。見ることがそのまま感じることであるかのように、彼は、そうしたことを極当然のように信じ、敢《あ》えて意識することもなかった。

和子は、話を少し引き戻すようにして言った。

「本当に、でも、たっくんは、良ちゃんに似とうねェ。……」

「そう？」

「うん、ちょっとした仕草から表情から、真似《まね》したわけでもないのに、時々、なんでこんなん似とうとうんかねっちいうくらい、子供の頃の良ちゃんに似とうよ。」

「そうかなァ。……自分じゃ案外、分からんけど。」

「良ちゃん似なら、あんまり手もかからんよ、きっと。」

和子は笑った。

「どうやろ？　僕もそんなにおとなしい子供でもなかったと思うけど。」

「おとなしいっちいうかね、……育てやすかったね。全然、手のかからん子やったよ。」

和子は懐《なつ》かしそうに言うと、

「崇を育てたあとやったし、余計にね。……」

とつけ足した。良介は、つと顔を上げた。

「兄貴こそ、手がかからんかったやろう？」

「そう……見えた？」

和子は、苦笑するように答えを躊躇《ためら》った。

「……違う？」

「そう見えたんなら、お母さんも安心するけどね、……正直、崇は、大変やったね。

……」

良介は、母のそうした言葉を意外に感じた。

「どうして？　最初の子やったけ？」

「……ううん。」

「でも、勉強だってよく出来たし、運動神経も抜群やったし。——あと、学級委員とか、ああいうのもさァ、自分で立候補なんかせんでも、先生も、クラスの子も、みんな兄貴がするのが当たり前っちゅう感じやったよ。」

「良ちゃん、でも、学年が違ったのに、そんなこと分かりよったと？」

「だって！　目立っとったもん。僕なんか、ずっとみんなから、『沢野君の弟』っち言われよったけ。……兄貴自身は、あの調子で、別に目立つつもりもなかったんやろうけど、やっぱり、よく出来る子やったし、大人びとったけね。」

「うん。……」

「ろくに塾にも行かんで、こんな田舎から東大まで行って、……で、母さん、何が一体、いい大変やったん？」

良介は、笑いながら言った。

「そうね、……」

と、視線を曖昧に逸《そ》らしながら、ぎこちなく笑うと、和子は、少し首を捻《ひね》って、

「でもね、……お母さんやっぱり、崇には手を焼いたんよ。その思いが、ずっとあるんよね。……」

と、どう説明すべきか思い迷うように言った。

「何をそんな、酷《ひど》いことしたっけ？」

「酷いことじゃないけど、……お母さんね、崇のことだけは、正直、ずっとよく分からんかったんよ。……今やけ、――良ちゃんやけ言うことやけど、……この子はもしかしたら、将来、とんでもなく恐ろしい人間になるんやないかとか、不安になることがあっ

たよ、……時々ね。」

「まさか。」

「本当よ。そうかと思ったら、ちょっと人が真似出来んような優しいところもあったし、……」

良介は、唐突に始まった母のこの告白の真意を測りかねて、黙って次の一言を待った。しかし、和子もまた、息子の反応を気にしていた。それを見極めてから、話を続けるかどうかを決めるつもりだった。

良介は、

「そうねェ、……」

と言いながら立ち上がると、冷蔵庫の方に向かい、

「冷たいお茶でも淹《い》れようか？」

と出来るだけ自然な調子を心がけて言った。和子は、その間の取り方に、喉《のど》の袖《そで》に控えていた言葉を、そっと押し止められたように感じた。それで、

「ああ、……ごめんね。」

と、礼を言うつもりが、ついそんな言葉になってしまった。

「ううん、僕も飲みたかったけ。」

二人の間で、テレビから発せられる声が急に高くなった。

〈シリーズ・あれから一年②〉という特集のタイトルが、映像の右上に出ている。昨年、アメリカで起こった同時多発テロを「多角的に検証する」という、一ヶ月に亘《わた》る企画の第一回目を、和子はたまたま先週の同じ曜日に見ていた。

画面は、とある絵画展の風景だった。若い、いかにもアートに関心があるといった服装の大学生らしいカップルや、つまらないものを見せられたという憤《いきどお》りを、なんとかその表情で示そうと渋面を作っているジャケット姿の老齢の男、どこかで評判を耳にして、たまたま足を運んでみたというような人の良さそうな中年の女など、敢えて選び取られたらしい、様々なタイプの観客の姿が映し出されてゆく。そして、これもまた、些《いさ》か露骨な中立さを衒《てら》っていたが、作品に対する彼らの賛否両論の反応が短く取り上げられていった。

一点ずつ大映しで紹介されてゆくそれらの作品は、和子の目には、奇妙というよりも、酷く不謹慎なものとして感じられた。

《東京都庁》というタイトルの１３０号のキャンヴァスに描かれた油彩は、都庁舎が爆発し、崩壊する寸前の様子を、写真と疑われるほどの精密なリアリズムで描き出している。次いで、《電通本社》という、今度は１００号のアクリル絵具の作品。これはむしろ、ハリウッド映画のポスター風である。最後は《東本願寺》で、やはり１００号の油彩であり、炎の中で半ば骨組みだけとなった寺院が、今にも崩れ落ちそうになっている。

和子は、眉《まゆ》を顰《ひそ》めた。会場内で立ったままなされたインタヴューでは、丁度、崇と同じくらいの年齢の、明らかに自分で脱色したと分かるような色の金髪の青年が、締めつけるように固く腕を組んだまま、苛々《いらいら》しながら自作について語っていた。

――だから、……そういうのじゃないんですよ。丹下健三も、ジャン・ヌーヴェルもどうでもいいですよ、ホント。反権力とか何とか、そういうの、好きでしょうけど、古い世代の人は。別にね、その辺の家でもいいけど、そんなの描いても、誰も知らないでしょう？ 何だっていいんですよ。単なる破壊衝動っていうか。……僕はね、都知事のあの目のパチパチがイライラするんですよ。はは。だから、都庁を吹っ飛ばしてやった。それだけですよ。あの某大手広告代理店はね、僕が就職試験で落とされたからですよ！ ムカつきましたよ、もちろん！ プッ。――本願寺？ あれも、うちの実家が浄土真宗でね、僕は法事の度に脚が痺《しび》れるまで正座させられるのがイヤなんですよ。だからぶっ壊してやった。それだけのことですよ。暴力の衝動っていうのはね、善悪の彼岸ですよ。どんな些細な感情だってビル一個吹っ飛ばすのに足りないということはないですよ。

……

画家のコメントに対して、昔から若者文化に理解があると定評の初老のキャスターは、ジャーナリスティックな関心というより、もっと生真面目《きまじめ》な興味から、苦心してもう少し深みのあるコメントを引き出そうとしていたが、そうなると画家の方はますます頑《かたく》な

になって、小馬鹿《こばか》にしたように笑いながら、

——意味なんてないんですよ。そんなもんじゃないですか？

と繰り返した。

和子は、その様子に、いよいよ顰蹙《ひんしゅく》させられた思いでテレビの電源を切った。

良介は、グラス二つを片手に持って、冷蔵庫から和子が作り置きしておいた麦茶を取り出し、ソファに持ってきた。テレビの音は、ほとんど聞いていなかった。

「ああ、ありがとう。」

注がれた麦茶を、和子は一口だけ飲んでテーブルに戻した。良介は、一度に半分ほどを飲んで、

「あー。最近は市販の烏龍茶《ウーロン》ばっかりで、麦茶はあんまり飲まんくなったけど、久しぶりに飲んだらおいしいね、香ばしくて。なんか、懐かしい味がするよ。……」

と笑ってみせた。和子も頷《うなず》いて、もう一度グラスに口をつけた。

「良ちゃんたちが子供の頃は麦茶ばっかりやったもんね。」

「うん。夏休みなんか、兄貴と遊んだあと、よく飲んだよ。」

「そうそう。あの頃は毎日、2リットル作りよったよ、お茶を。良ちゃんたちだけじゃなくて、お友達もよく連れて来よったし。」

「あの頃は、兄貴があんなふうに外で真っ黒になるまで遊びよったんやけね。今からは

考えられんけど。」

「ホントねェ。いつからあんな運動嫌いになったんかねェ？」

「さァ、……でも、あの頃だって、本当は僕につきあってくれよっただけかもしれんよ。僕が子供会のソフトボールで、レギュラーになれるかどうかのギリギリの時とか、いつも特訓してくれたし。」

そう言うと、彼はまたグラスに手を伸ばして残りを飲み干した。そして、間を持て余したように、乾いて額に落ちてきた髪を掻《か》き上げると、俯《うつむ》き加減で、急に考え込むような表情を見せた。それが、先ほど咳《せき》の発作を我慢していた時の良太の顔とそっくりで、和子は目を奪われた。

やがて、革張りのソファに音を立てて身を預けると、

「兄貴は、……やっぱり優しい人よ。」

と呟《つぶや》いた。しかし、それだけでは、どうも収まりがつかない気がして、更に間を置かずに、

「……きっと。」

と言い添えた。

和子は、その「きっと」という言葉の色形を見定めようとするかのように、息子の眸《ひとみ》の奥を探った。良介は、それに気づくと、神経質な瞬《まばた》きをして顔をやや背けた。和子の

言葉は、そのあとを追った。

「そうね。……でも、崇の優しさは、良ちゃんとか、佳枝さんとかが普通に優しいような感じとちょっと違うんよね。……どう言ったらいいか、お母さんも分からんけど、……」

「でもね、」

と彼は、その母の言葉に即座に反応して身を乗り出した。

「最初は兄貴のこと、そう言う人もおるよ、確かに。昔、兄貴が保育園に入った時も、若い保母さんが兄貴のこと怖がって担当を変えてもらったとか母さん言いよったけど、」

「そうよ。本当よ、それ。」

「それだって――大体、そんなこと言う方がおかしいと思うけど――、卒園の時に笑い話みたいにして聞かされたんやろう？」

「そう。今だから言いますけど、とか言ってよ。でもね、最初は本当に担当が変わったんよ、崇が怖くて。そう言ったけ、その先生。……崇もその時隣におったし、お母さんが『えっ？』っちあんまりビックリした顔したけ、さすがに悪いと思ったんか、いや、あんまり賢過ぎて、とか言いわけしよったけど、――でも、うっかり本音が出たような感じやったね。……お母さんも、ショックやったよ。自分の子供が、そんなふうに気味悪がられとったとか。……」

「でもそれは、——結局、向こうの勝手な思い込みやったんやろう？ 母さんがそのあとで、なんで兄貴のことをいつまでもヘンに思い続けると？」

「……ヘンに思うわけやないんよ。お母さん、もちろん、崇のことは良ちゃんと一緒で誰よりも大切よ。……けど、どう言ったらいいんかね、……崇はやっぱり、ちょっと違う感じがするんよ。繊細過ぎるところがあるし、あと、……そう、——良ちゃん、崇の六年生の時の担任の先生、覚えとう？」

「うん、えっと、……ああ、阿木《あぎ》先生？」

「そう、確かそんな名前やったと思うけど。——崇ね、お母さんも知らんかったんやけど、ずっとあの先生に目の敵にされとったみたいで、中学の最初の個人面談の時にね、お母さん、担任の先生から、崇の内申書について聞かされたんやけど、本当に『どうして？』と思うくらい、ヒドかったんよ、その内容が。」

「そう？」

良介は訝《いぶか》しそうに言った。

「それは初耳だけど、……よく合格したね、それで？」

「だってあの子、一番やったけ、入試の成績が。それに、内申書があんまりヒドかったけ、これは書いた教師の方に問題があるんやろうっちなったみたいね。何百通も見よったら、やっぱりあるみたいよ、そういうのが。」

「あるやろうね。……僕は学年が違ったけ、そんなには知らんかったけど、なんか、ヒステリックな感じやったもんね、確かにあの先生。」

　良介は、思い返すふうに言った。

「丁度、今の僕と同じくらいの歳《とし》やったと思うけど、そう考えると、やっぱりちょっと病的な感じがしたね。つまらんことで、よう叩《たた》きよったし。本当に。なんか、手加減がない感じで、怖かったよ。子供相手に、ようあんなふうに殴ったり蹴《け》ったり出来たなと思うけど。……」

　和子は、「まァ、……」というふうに顔を顰《しか》めた。

「やっぱり、そう？」

「うん。気に入らん生徒に対しては特に執拗《しつよう》やったしね。あの先生のクラスになったら、必ず不登校の生徒が一人か二人、出よったし。」

「そうっちね？　お母さんも、あとから他の父兄さんから聞いて知ったんやけど。崇も何も言わんかったし。」

「僕が一回見たのは、……全校朝礼かなんかの時に、体育座りの仕方が横着《いい》とかいって、後ろからいきなり、頭をバチーンっち物凄《ものすご》い音がするくらい叩かれた子がおってね。みんな驚いて振り返ったんやけど、僕はたまたま側《そば》におったけ。——それも、普通の子はさ、体育座りの時にこうやって、」

と、左手の甲を右手で握って、

「手を持つやろう？　けど、その子は両肘《りょうひじ》を抱えとったんよ、こんなふうに。たったそれだけのことよ。それで、ビックリしたその男の子が顔を上げたら、『なんかその目は！』っち言って、また力一杯ビンタして。……叩き方がね、とにかく、異常やったよ。」

「ああ、……」

と、和子は、思い当たったふうに、

「それが上野君ちいう子？」

「あ、そうそう。一度、兄貴が庇《かば》ってやった、とかいう話があったやろう？　その子よ。よく覚えとうね？……アレからやないと、兄貴が阿木先生に嫌われるようになったのは？」

「そうね、多分。……それまでは、家庭訪問でも、父兄懇談会でも、ベタ褒めやったし。――良ちゃん、その話、詳しく知っとう？」

「……うん、……なんとなくはね。」

良介は、思い出そうとするかのように、眸を上に押し上げながら言った。

「……ずっと登校拒否になっとったんよ、その子。あの先生にイジメられて。もう、徹底的にね。……なんか、今思い出したら、その上野君って子、いつも同じ、ちょっと汚れたような紺のジャージを着とったし、……あの頃は子供やったけ、あんまりそういうことも考えんかったけど、家が貧しかったんやないかね。そういう子供をイジメよったんやけ、質《たち》が悪いよ。――それで、その子がしばらく学校に来んかったあと、また登校し始めたんよね。兄貴も、それこそ学級委員やったけ、不登校の間は、連絡物とか、給食のパンとか、色々家まで持って行ってやりよったよ。僕も、その子の団地の下まで一緒に行ったことあるもん。」

「あら、そう？　それも知らんかったねぇ、お母さんは。……」

「そう。――それで、登校二日目くらいやったかな。……はっきり覚えてないけど、確か、宿題を忘れたとかいうことを、先生に事前に自己申告せんかったとかで、それが授業中に見つかって、またメチャクチャに殴られ始めたんよ、その子が。卑怯《ひきょう》だとか、狡《ずる》賢《がしこ》いとか、ヒドいこと散々言われて。……」

「うん、……」

和子は、良介の口調に、抑えられてはいるが、何か極端な昂揚《こうよう》の気配を察し、それを奇異に感じた。まっすぐに母を見つめてはいたが、その目には、訴えかけるような力が籠《こ》もっていて、まるで実際に、その場に居合わせたかのように暗い色に耀《かがや》き始めた。

「……みんな怖くて、黙って下を向いて、――そういう時には、誰も助けてやらんかったね。僕のクラスで同じように先生が誰かを叩き始めても。今なら新聞沙汰《ざた》やろうけど、昔はねぇ、……そういう教室での暴力も日常茶飯事やったし、先生の言うことは何でも聞かんといけんと思っとったしね。——それで、その子が殴り飛ばされて、ほっぺたを真っ赤に腫《は》らして、泣きながら床に這《は》い蹲《つくば》ったんよ。」

「そこまで？」

和子は目を大きく見開いた。

「そう。それでもまだ足りんで、もっと殴ろうとして、先生がその子のところに近づきかかったんよね。——そしたら、しんと静まり返った教室の中で、突然兄貴が、ガラガラッとゆっくりとやけどイスの音をさせながら立ち上がって、黙ってその子に向かって歩いて行ったんよ。で、多分、母さんも知っとうと思うけど、そのまま先生に背中を向けて、何も言わずにその子の前に跪《ひざまず》いて、抱きしめたんよ！——もちろん、先生は怒って、なんで悪いいい人間を庇うんか！とか言って、三つ隣の教室まで聞こえたくらいの大声で怒鳴り散らして、狂ったみたいに騒ぎ出したけど、……兄貴はそれを無視して、ずっとその子を抱きしめてやっとったんよ。……」

良介は、言葉が途切れた後も、自分で何度も頷きながら母の顔を打ち目守《まも》っていたが、和子の方が、「うん、……」と先に視線を外すと、ようやくテーブルにあった空のグラスに手を伸ばした。

和子はそれを見て、麦茶を注いでやりながら、

「それで、……崇もその時に殴られたんやか？」

と尋ねた。

「いや、——ああ、ありがとう、——多分、兄貴は殴られんかったんやないかね。……僕も人から聞いただけやけ、なんとも言えんけど、それでも学校中の噂《うわさ》になっとったけね、その話が。……先生たちもソワソワして、よく神妙な顔で立ち話しよったの覚えとうよ。僕の姿が目に入ったら、ドキッとしたように、『沢野君、お兄ちゃんから何か聞いた？』とか尋ねてきよったし。」

「崇は、良ちゃんには何か話しとったと、その時？」

「ううん、何にも。」

「そう？……お母さんもね、余所《よそ》の奥さんから聞いて初めて知ったんよ。それで、ビックリして崇に尋ねたんやけど、知らないの一点張りで。——お母さんが分からんっち言うのは、ああいうところよ。友達を庇ってやるにしてもね、……ちょっと、子供が思いつかんような方法やろう？　大人でもドキッとするような。……そういう時に、崇がどんな気持ちやったんかが、どうしてもね。——それに、ちゃんと話してくれれば、お母さんだって、あの子を褒めてやったと思うんよ。方法はどうであれ、そういう優しい心をあの子が持っとうっち知ったら、親として、やっぱり嬉《うれ》しかったと思うし、誇らしいよ、それは。……けど、あの子は言わんけね。……今、良ちゃんが話してくれるまで、詳しいことは何も知らんかったけ。……」

和子はちらと時計を見遣《みや》って、十時五十分という時刻を確認した。そして、会話があまり深刻な調子を帯び過ぎてしまったことに気がついて、

「なんかね、……照れ臭いんかね？」

と笑ってみせた。良介は、それに反響したように微笑《ほほえ》んで、

「どうかね。……言っても分かってもらえんと思うんかもよ。」

「そう？」

「それか、単に言いたくないだけなんか。……うまくは言えんけど、兄貴には、昔からそういうところがあったよ。本当に子供の頃から。――兄貴自身は、一を聴いて十も二十も知る人やったし、普通に人と喋《しゃべ》っとっても、調子が合わんのやないかね？　誰と一緒におっても、本当にその場を楽しくするし、それこそ優しいけど、本人はどうなんやろうっち、時々僕も思ったもんね。僕みたいにデキの悪い弟に対しても、冗談みたいにいつも一生懸命になってくれたけど、……それでも、本当に子供の頃はね、やっぱり時々イライラしよったよ。」

「良ちゃんのデキが悪いもんか！」

和子は、息子の自嘲《じちょう》的な言葉にやや過敏に反応した。

「あんな立派な大学まで出とって、何言いようんね！――崇はね、……そうね、やっぱ

り頭が良過ぎるんかね？　勉強だけじゃなくて、色んな意味で。自分の子供のはずなのに、遠い感じがすることがあるよ、時々。……」

そう言うと、彼女は徐《おもむろ》に天井を気にするように見上げ、しばらくするとまた下を向いて、溜息《ためいき》を吐《つ》きながら麦茶を飲んだ。良介は、その仕草の意味が分からずに、「ん？」と首を傾《かし》げたが、彼女はそれに気づかなかった。

「崇はそれに、良いことばっかりやなかったけね。イジメの主犯格とか言われて、学校に呼び出されたこともあったし。……お母さん、後にも先にも、あんなに悲しかったことはなかったよ。自分の子供が、余所のお子さんをイジメよったとか。——あの時も、あの子は何にも言わんかったけど。……」

良介は、最初母が何の話をしているのか分からなかったが、やがて思い当たった様子で、「ああ、……」という顔をした。

「あれも、……まァ、兄貴も悪いんかな。……ちょっと、変わった子やったけね、その子も。——机の角に足ぶつけただけで大袈裟《おおげさ》に包帯巻いて学校に来て、これ見よがしに足を引き摺《ず》って歩いて回ったり、とか。……兄貴は多分ね、単にその子が嫌いやったんやと思うよ。それで、その子がそういうことを始めたら、無視しよったんやけど、——兄貴がそうするとね、結局みんなが真似するんよ。休み時間に野球するにしても、サッカーするにしても、いつも兄貴が中心やったけ。それで多分、その子が自然と仲間外れになっていって、挙げ句にイジメとかもあったみたい。……だけ、最後の方は、むしろ兄貴が、その子を庇ってやりよったんよ。僕も、一緒に遊んだことあるもん。」

「そういうこと？」

和子は、二十年も前の謎が、今更腑《ふ》に落ちたというように大きく何度も頷《うなず》いた。

「いや、お母さんね、それでその時、学校に行ったら、先生だけやなくて、向こうの親御さんと、その子と、それに崇とが校長室におったんよね。――で、向こうの子に、親御さんが『誰に仲間外れにされたんね？』っち訊《き》いたら、『沢野君』ち言うやろ。それで、崇にお母さんが確認したら、何にも言わんのよ。そうしたら、今度は先生が、『誰か、仲間に入れてくれるような子はおらんかったと？』っち尋ねたら、その子がまた、『沢野君』ち言うんよ。それで、向こうの親御さんも、『あんた、沢野君に仲間外れにされたんやろう？　仲間に入れてくれたのも沢野君ち、どういうことね？』とか言って問いつめたんやけど、そしたらその子、もうワンワン泣き出してね。説明しきらんのよ。崇は崇で、一言も喋らんし。なんか、サッパリ分からんかったね。……お母さん、それでも平身低頭で相手の親御さんに一生懸命謝ったんやけど、崇はその間も、黙ってじっと相手の子の顔を眺めとっただけよ。怒って睨《にら》みつけたりするわけでもないし、……どう言うんかねぇ、……能面みたいに無表情で。……お母さんね、さっき酷《ひど》い言い方したけど、あれ見た時に、ちょっと気味が悪くなったんよ。この子の心の中はどうなっとうんやろうかと思って。……保育園の先生やないけど、時々、怖いような感じがしたね、崇は。……今ほら、変な事件を起こす子供たちのことで、ニュースとかでよく、『心の闇《やみ》』とか言うやろう？　お母さん、あれ聞くとね、ドキッ！とするんよ。崇にも、なんか、そういうのがあったんかねと思って。——それを考えたら、グレもせずに、よう立派にあそこまで育ってくれたと思うけど。……」

和子は、いつの間にか胸の奥に溜《た》まっていって、重たく控えていた息を、最後に少し苦しそうに押し出した。良介は、しばらく黙っていた後に、声もなく何度か頷いた。何か言いたかったが、考えがうまく纏《まと》まらなかった。

和子は、会話が途切れたのを機に、

「さてと、……」

とまた時計を見て、

「お母さんも、お風呂《ふろ》に入ってこようかね。」

と立ち上がった。

「もう十一時過ぎやね。——ゴメンね、先に入ってしまって。」

「全然。それより、たっくん、大丈夫かね？」

「うん、ちょっと見てこようかな。」

良介は、麦茶をさっと注いで飲み干すと、和子に付き従って居間を出た。

階段の下で、和子はまた、先ほどのように上を気にする仕草を見せ、今度はそれに言葉を添えた。

「崇は、……やっぱり、お父さん似かもしれんね。……」

良介は、立ち止まって母親の顔を振り返った。その真意を測ろうと、「どうして？」と問おうとしたが、彼女はただ、先ほどよりももっと小さな溜息を一つだけ残して、目も合わさずに浴室へと姿を消した。

廊下に立ち尽くして、彼はしばらく、今し方の会話のことを考えていた。そして、階段に一歩足をかけた時、彼の心中を、不意にまた件《くだん》の言葉が、見知らぬ客のように過《よ》ぎっていった。

『……なぜだろう？……』

二　沢野崇の帰郷

1

二度目の事を終えて、千津《ちづ》は、腕枕《うでまくら》というよりも、もう少し胸の深いところに頭を乗せ、半ば身を預けるようにして眠りに落ちていた。寝物語の相槌《あいづち》が、少しずつ間遠になっていって、やがて静かな寝息へと変わってゆくのを、崇《たかし》は邪魔せずそっとしておいた。

時計に目を遣《や》ると、22:37と表示されていた。先ほど、居間のバッグの中から、どちらのものともつかない〈マナーモード〉の唸《うな》るような振動音が聞こえていたが、気がついたのは彼だけだった。すぐに止《や》んだので、電話ではなくメールだろう。彼女を起こすべきだったが、今の状態を去り難い気持ちもあって、もう一度鳴ったら、確認しに行こうと思い直した。

その音をじっと待っているというのでもなかったが、彼は耳を別室へと向けたまま、ぼんやりと天井を見ていた。美菜が泊まりに来ていた二日前の深夜、彼は、今と丁度同じような格好で、そこに小さな三日月を眺めていたのだったが、ベッド・ライトに仄《ほの》かに照らし出された室内には、もうその跡はなかった。

三日月の正体は、火災報知器だった。遮光《しゃこう》性のカーテンに包まれて、室内には一切光がなかったが、ただ、その合わせ目のほんの僅《わず》かな隙間《すきま》から差した月明かりが、プラスチック製の丸いカヴァーの縁に反射して、むしろ眉月というべきほどのほっそりとした、小さな弧を浮かび上がらせていた。

北青山の住宅街にあるこのマンションの八階の一室に、彼はもう一年ほど住んでいたが、そんなものを目にしたのは、この時が初めてだった。

翌朝、美菜が起きたら、彼はこのささやかな発見を話そうと思っていたが、一眠りすると、朝日が月を消し去ってしまい、彼自身も曖昧《あいまい》な夢に紛れてその話題自体を取り逃がしてしまっていた。そうして、今頃になって思い出してみれば、別段、話して聞かせるほどのことでもなかったという気がした。

崇は、千津を抱く左手で、肩口から背中にかけての形を確かめるようにしてなぞった。骨格は小作りで、その凹凸を失わせないほどに薄く脂肪が覆《おお》っていたが、肩の落ちる辺りの丸みにはやや意外な手応《てごた》えがあった。肌は白くしっとりとしていて、触れた手には産毛《うぶげ》の気配すらない。その印象が、同じように掌《てのひら》で触れた美菜の体の記憶を喚起した。

千津とは対照的に、美菜の心持ち張った肩には、本人の言う通り、成長期に取り組んでいた水泳の名残が仄めいていた。それが、彼女独りしか泳いでいないプールの縁に小さく寄せる波のように、手の中で乱反射していた。彼は、耳を澄ますようにして、その響きの距離を探り、それが決して遠くはないことを改めて感じた。美菜の若い肌は、掬《すく》い上げられたコップの水の表面張力のように、彼女を包む輪郭を微《かす》かに外へと向けて押し広げていた。そのふくらみの分だけ、響きは繊細な震えとなって伝わってきた。

美菜とは違うと、彼は感じた。そして、彼が現在関係を持ち、過去に関係を持った誰一人とも、その手の中に確かめられたところは違っていた。そうした単純な事実が、なぜこの瞬間に、これほど鮮明に自分の意識の中で冴《さ》えたのかと、密《ひそ》かに怪しんだ。彼は今、何か物と物との違いを比べるように、彼女たちの色や形の違いについて考えていた。その確実さを、彼女たちの固有名詞の手触りと考えることは容易《たやす》かった。〈羽田千津〉という一人の人間がいて、〈小曽根美菜〉というまた別の一人の人間がいる。彼女たちは、それぞれに気密性の高い個性的な集合で、この世界の十分に広い空間にあって、決して重なり合うことはない。ただ遠くから見れば、ぼんやりと似ているというに過ぎない。そうしたことを、今自分は、その手触りの中に探り当てたのだろうか？　それとも逆に、彼女たちそれぞれと接する自分の内面の分裂こそが、一塊の物としてそこに触れられたと感じ取ったのだろうか？——しかし、彼を訪れていた、明らかに官能とは別種の悦《よろこ》びは、むしろ、そうした違いが、今腕の中にある人間の実在を生々しく保証し、且《か》つ、翻《ひるがえ》って自分自身の実在をも保証してくれるという、もっと単純な事実によっていた。

彼はもう一度、手の中の感触に立ち返った。そして、はっきりと、自分が一人の人間に触れていることを自覚し直した。ここに自分がいて、その傍らに別の人がいる。それはなにか、救《すく》いのように熱を帯びている。そう感じた。

その思いが、肩を抱く手に、幾分、不用意な力を籠《こ》めさせた。千津は、「……ううん、」と、もう一段と深まろうとしていた眠りから辛うじて逃れ出たように声を発した。そして、ハッと心拍の音を高くしながら体を強張《こわば》らせ、両目を無理にも見開くと、すぐにまた大きく鼻で息を吐いて脱力した。

「あぁ、……寝ちゃってた。」

「うん。寝てたよ、気持ちよさそうに。」

崇は、彼女の照れ笑いを爽《さわ》やかに感じた。

「今、何時？」

「十時半過ぎだよ。」

彼女はゆっくり体を起こして、枕元に外しておいた腕時計を手に取った。

「本当だって。」

そうしてわざわざ確認する彼女に、彼は、冗談らしく怒ってみせた。

「本当だった。」

時計を元に戻すと、彼女は、手で顔を押さえるような仕草をして、そのままベッドに倒れ込み、また彼に擦り寄った。二人の体が、丁度、重なり合った時、その真ん中で短く尾を曳《ひ》くような音が鳴った。

「お腹空《なかす》いたの？」

彼女はそれが、彼の方から聞こえてきた音だと微塵《みじん》も疑わないふうに言った。

「違うよ、そっちだよ。」

崇は、驚いたように笑って言った。

「え、違うよ。——ホントに違うって！」

「でも、俺でもないよ。」

「うそぉ。ホントに？」

「ホントだよ。」

「えー。なんで分かんないんだろうね、お腹の音って？」

「ねぇ？……まァ、じゃあ、俺ってことで。」

「だって、ホントにわたしじゃないもん！」

彼女は、悪戯《いたずら》っぽく彼の肩口を噛《か》んだ。崇は、

「うぅ、食べられるーっ。やっぱり、お腹空いてるんだ？」

と戯《おど》けて彼女に覆い被《かぶ》さり、長い時間をかけて口づけをした。そして、ゆっくりと顔を引き離すと、

「起きようか？」

と体を起こした。

「……うん、じゃあ、そろそろ。シャワー借りてもいい？」

「もちろん。」

ベッドに腰掛けると、彼女は、前屈《まえかが》みになって床に散らばった衣服を拾い集めた。脊《せき》椎《つい》を浮き立たせた白い背中が無防備に上下して、肩に掛かるくらいの短い髪が、崩れるようにその顔に掛かった。

衣服で前を隠しながら、彼女は裸のまま浴室へと向かった。崇は、黒いボクサー・タイプのパンツだけを身につけ、携帯の着信のことを教えようとあとを追ったが、バッグは既に、彼女の手に握られていた。

浴室でタオルを出してやり、給湯器の電源を入れると、彼女は、

「ありがとう。」

と、また少し背伸びをするようにキスをした。

居間に戻ると、一旦《いったん》、浴室を出てトイレに入ったらしい彼女を気遣って、音楽をかけ、心持ち音量を上げた。外食後、部屋に戻ってしばらくレイディオヘッドが好きだという彼女と、〈PARANOID ANDROID〉がカヴァーされているブラッド・メルドーの《LARGO》を聴いていたが、今はむしろ、室内の静寂を強調するようで、あまり効果的でない気がした。停止ボタンを押し、トレイを出すと、手近にあったクィンシー・ジ

ヨーンズの《BODY HEAT》とCDを取り替えて再生し直した。

崇は、寝室に戻って黒いポロシャツを着、ブーツ・カットのジーンズを穿《は》くと、ベッドの下に散乱していたティッシュを集めてキッチンのゴミ箱に捨てに行った。そこで、手を洗うついでに口許《くちもと》を濯《すす》いで、濡《ぬ》れたままの指で簡単に髪を整えると、冷蔵庫のペリエを開けて二口ほどを飲んだ。

浴室では、シャワーの音がしていた。

ソファに戻って腰を下ろし、テーブルに缶を置いて天井を見上げると、彼は、一曲目を最初から再生し直して最後まで聴いた。歌の背後で、蛍光塗料の細いラインを描くように揺れる単音のシンセサイザーの旋律が心地良かった。それから、テーブルに残ったコーヒー・カップのどちらが自分のだったろうかと見比べ、口紅のあとで思い出して、すっかり冷めてしまった残りを飲み干した。

テレビをつけて音をやや絞ると、暗い室内に、ニュース番組の映像が光を放った。画面の右上には、〈シリーズ・あれから一年②〉という特集のタイトルが出ている。

——僕はね、都知事のあの目のパチパチがイライラするんですよ。ははは。だから、都庁を吹っ飛ばしてやった。それだけですよ。……

崇は、そのインタヴューに応じている青年の顔を、おや、と懐《なつ》かしく眺めた。昨年の夏までの三年間、彼は国会図書館から外務省に出向して、一年目はブリュッセルの大使館に、残りはストラスブールの領事館に赴任していたが、そのストラスブール時代に、人を介して会ったこの同い年の画家――壬生実見《みぶさねみ》という名前で、丁度パリのギャラリーで個展を開催していたところだった――を、グリューネヴァルトの《イーゼンハイムの祭壇画》を観《み》せに、コルマールのウンターリンデン美術館まで案内していた。

――暴力の衝動っていうのはね、善悪の彼岸ですよ。どんな些細な感情だってビル一個吹っ飛ばすのに足りないということはないですよ。……

途中で立ち寄ったアルザス・ワインの醸造所で、二人とも少し酔っぱらっていた。崇は、壬生があのペスト患者のような磔刑《たっけい》のキリストに関心を寄せることの意味がよく分かる気がした。

まだ東京芸大の絵画科の学生だった頃から、彼は、《滅亡》というタイトルの、世界遺産から都心の商業ビルに至るまで、規模も年代も異なる様々な建築物の破壊シーンを描いた連作で、美術ジャーナリズムの注目を集めていた。彼が一躍、世間で名を知られるようになったのは、その中の一枚が、阪神高速の倒壊をモティーフとしていて、その光景が殆《ほとん》ど予言的だというので、阪神淡路大震災の後、テレビや週刊誌が挙《こぞ》って作品を取り上げたためだった。

崇が壬生の存在を知ったのも、この時だった。彼には、キャンヴァスの中央に横たわっている橋桁《はしげた》の様は、ちょっと、ダリの〈偏執狂的批判的方法〉を想《おも》わせるような、明らかに擬人化されたものと感ぜられ、実際に画風も似ていたが、それでも、オタク的記号の取り込みで如才なく更新されたジャポニスムを武器に、海外マーケットの攻略に目覚ましい才能を発揮する今時の画家の作品などよりも、こちらの方がずっと共感される気がした。

《イーゼンハイムの祭壇画》を見ながら、崇は壬生が、どうして直接に、有名人の殺害場面をモティーフとする絵を描かなかったのかを考えていた。思いつかなかったのだろうか？ あるいは、抑圧されたのか、退《しりぞ》けられたのか？ このあとに、そのテーマが続くというのであれば、順序としては正しいのだろうと彼は思った。しかし、いずれかを選ぶのならば、本当は、後者だけで良かったのではないだろうか？ 各国の政治家から歴史上の偉人、ハリウッド・スターやアイドル歌手、その他有象無象のセレブに至るまで、題材には事欠かないはずだった。どうして都庁舎の破壊ではなく、都知事の殺害場面ではなかったのだろう？「どんな些細な感情だってビル一個吹っ飛ばすのに足りないということはない」と彼は言う。そう、あの時も、同じようなことを言っていた。そして、こうもつけ加えていた。

「善意と悪意とがあって、善意の方に平和があり、悪意の方に暴力があるなんて考え方は、完全に間違っていますね。時には、善意の方が暴力に近いんですよ。」

崇は、その話を面白く聴いて、彼にハンナ・アーレントの《暴力について》と《革命

《について》という二冊の本を紹介しておいたが、それに対してはアーティストらしい嘲笑《ちょうしょう》で報いられただけだった。

多分、読んでないだろう、と、彼は今、テレビを見ながら考えた。それにしても、壬生が「吹っ飛ばしたい」と語る時、求められている手応えは何なのだろうか？　実際の建築物の物としての堅牢《けんろう》さだろうか？　それとも、その記号で十分なのだろうか？

テレビと音楽とに同時に耳を傾けながら、バッグを漁《あさ》って、先ほどの携帯電話の着信を確認していたところに、服を着て、化粧を直した千津が戻ってきた。

彼女自身よりも、彼女のいつもつけている〈allure〉の方が先に彼の元に駆け寄って来て、膝《ひざ》に乗り、彼女はまずしないような抱擁をした。彼の方は、匂《にお》いが移ることを気遣って、彼女と会う時には香水はつけていなかった。

「ありがとう。タオル、あっちにかけておいたけど、いい？」

「うん。」

頷《うなず》くと、崇は腕を伸ばして、「ほら、」と携帯の画面を見せた。

「さっき送られてきたの。」

「え？　わァ、見せて。——かわいいね！　誰なの？」

千津は、傍らに腰を下ろした。

「弟の子供。甥《おい》っ子だよ。名実ともにオジサンだから、俺も。」

「弟さん、結婚してたの？」

「そう。俺より二つ年下だけど。」

「仲良いのね。こんなの、送ってきてくれるなんて。」

「ううん、送ってきてくれたのは、奥さんの方だよ。義理の妹だね。」

「そうなの？　それも珍しいね。――メールのやりとりなんてするの？」

「ん？　ああ、……たまにだけどね。妊娠してた頃に、彼女がよく弟と喧嘩《けんか》してね。相談っていうか、まァ、愚痴を聞いてあげるくらいだったんだけど、……丁度今、弟と一緒に実家に帰省してるから、それでじゃないかな。」

「そうなの。……」


千津は頷いてみせたが、自分が夫の家族と、そんなふうにメールのやりとりをすることを想像してみて、まずあり得ないと感じた。それは、普通の家では当たり前のことなのだろうか？　そして、一瞬空いた間が、彼にこうした物思いを、いかにもあからさまに伝えてしまった気がして、それを誤魔化すように、視線をテレビの方へと向けた。

画面では、どこかの私立美大の若い助教授が登場して、シニカルな口調で、壬生の作品についてコメントをしているところだった。声は半ば、音楽に埋もれかかっていたが、下に表示される字幕がそれを補った。

――技術的にも、主題に関しても／古風な作品です。逆説的ですが、破壊を描く彼の確かな画力は、非常に保守的で、根気強いものだという印象です。一見、現代風の刺激的なテーマに見えますが、17世紀にイタリアで活躍したモンス・デジデリオという画家が、既にこれと近いスタイルで作品を残しています。

ここで、《偶像を破壊するユダ王国のアサ王》という、黄金めいた光に照らされて崩れ落ちるゴティック教会を描いたその作品が映し出された。

――個人的には、アントニオーニの映画《砂丘》の最後の場面の方が、怪しいかなという気もしますが。／こういう作品は、オウム事件や阪神大震災、あるいは神戸の連続児童殺傷事件といった世紀末的な出来事を経験した若い人たちの／アナーキーな心情に訴えかけているんでしょう。／作者も言っていますが、建築物というのは、建てるのには莫大《ばくだい》な資金と技術力、それに労力とが必要で、背景には長い時間をかけた複雑な文化的コンテキストがあります。しかし、破壊は誰にだって、瞬時に簡単に出来ます。そういうもの一切を必要としません。／それがテロの強みでしょう。……

最後にまた、画家本人が映し出されると、千津は、

「あ、この人、……」

と呟《つぶや》いた。

「知ってる？　なんか、建物が壊れる絵ばっかり描いてる人だよ。昔ちょっと、向こうで会ったことがあるんだけど。」

「そうなの？　やっぱり、変わってるの？」

「うん、まァね。芸術家だから。繊細そうな感じもしたけど。」

崇は、自分の感じた印象を素直に言葉にした。オーディオのスピーカーからは、その映像とは無関係に、フェンダー・ローズをアンニュイに響かせながら、《Everything Must Change》が流れていた。

——There are not many things in life you can be sure of…, except rain comes from the clouds, sun lights up the sky, and hummin' birds do fly…

彼は、テレビを消すつもりでリモコンに手を伸ばしかけたが、彼女が見入っている様子だったので、少しそれを待った。が、その気配を察すると、千津は、

「あ、……ゴメン。行こうかな。」

と立ち上がって振り向いた。画面に半分残したままの顔が、蒼白《あおじろ》い光に染められて落ち着きなくちらついていた。

「うん、そうだね。」

彼はリモコンを二つ手に取って、ＣＤとテレビとを両方消した。室内は、寝室と廊下との両方から僅《わず》かに差し込む明かりだけになった。

千津は、消えると思って見ていた画面に一瞬意識を引かれて、自分がその場に取り残されてしまったように感じた。ＣＭらしいその最後の映像が何だったのか、彼女には分

からなかったが、抜けるように青い空に何かの影が兆《きざ》しかけたところだった。

腕時計に目を凝らして時間を確かめ、玄関に向かって歩き出そうとした彼女は、「あっ、」と立ち止まって、

「CD、……借りていってもいい？」

と尋ねた。

「ああ、そうだった。もちろん。」

崇は、屈託なく応じたが、彼女に、その反応を見極めようとする意図のあることは敏感に察せられた。聴きたいというより、持っていたいのだろう。そのいかにも彼女の趣味らしくなく、女友達が貸してくれたとも思えないCDを、夫のいる自宅に持ち帰る危険に対して、自分がどう反応するかを見ている気配だった。

彼は、そうした思惑に、敢《あ》えて無頓着《むとんちゃく》であるようにCDプレイヤーへと向かい、「えーっと、……ケイスは、……」と周囲に視線を巡らせた。彼女は、彼のそのそつのなさが、今は思いがけず、試みようとした自分の態度の大人げなさを際立《きわだ》たせてしまったように感じて、

「あ、……やっぱり、自分で買おっかな。」

と声をかけた。

「ううん、……ああ、あった、あった。」

トレイから取り出したCDをケイスに収めると、振り返って、「はい、」と渡しかけたが、

「あ、ゴメン。こっちじゃないね。ブラッド・メルドーだった。」

と苦笑しながら、改めて《LARGO》の方を渡した。

「聴いてみて、良かったら買えばいいじゃん？　俺の聴き古しだけど、気に入ったら、ずっと持っててもいいし。」

「本当？　じゃあ、そうしよっかな。もちろん、返すけど。……ありがとう。」

千津は、ケイスを受け取って、バレンシアガのエディターズ・バッグの中に収めた。その様子を見ながら、彼は先ほどの推察を幾分補足した。提案を受け容《い》れてもらうところから、何か進展を求めているというのではなかった。そうした気持ちがないとは言えぬはずだったが、夕食時、京都旅行の計画を話し合っていた時にも感じた通り、もう終わりにしようと考えている様子だった。彼女に、夫との生活を立て直す意思のあることは、これまでにも会話の端々から察せられていた。自分にそれを促すような態度があったからかもしれないが、それ以上に、彼女にはまだ夫への愛が冷えきれぬまま残っているふうだった。長く続く関係でないことは、互いに雰囲気から知っていた。その上で、彼女が今、むしろ別れるために、最後にこの関係の意味を確かめたがっていることに彼は気づいていた。

彼女と知り合って、半年近い時間が流れていた。その間二人は、殆ど淡々とと言って良いほど静かに、時折会っては体を重ねた。それでも彼は、彼女がこの情事を、単なる肉体的な結びつき以上のものと考えたがっていることを知っていた。自分たちが相手を求め、互いに結び合う動機には、利己的な性欲とは別の何かがあるはずだ。——実際にそうだろうと、彼は乾いた気持ちで考えた。彼女よりも、もっとそれだけという感じの美菜との関係に於《お》いてさえ、性欲には単純に帰することの出来ないものが残った。しかしそれが、千津の望んでいるような幸福な何かであるかと言えば、そうとは思えなかった。それで彼は、彼女が、「愛情」とは彼女自身も呼ぶことを躊躇《ためら》っていたが、何かそれに類する感情を彼との間に確認しようとする際には、総じて冷淡だった。露骨に顔に出すわけではなかったが、曖昧《あいまい》な素振りでやり過ごすのが常だった。

そうして今、彼女が最後に、初めて彼を試みようとした時、彼は、京都旅行の提案を受け容れた時と同じ気持ちで、彼女の期待に寄り添っていた。既に関係の先が見えているというのは確かにあった。それで彼女が満たされるのならば、構わないと思った。彼には、彼女を引き留めたいという強い気持ちがなかった。精々、続くならば、それでもいいが、という程度である。しかし、そうして取り交わす感情に、彼女よりも、もっと夢見がちな期待が潜んでいるのかもしれないことを、彼自身が疑わないわけではなかった。そして今、その夢見がちな期待が、彼の胸の裡《うち》でいつもよりも冴《さ》えているとするならば、それは先ほどの彼女の肩の手触りのせいだと彼は感じた。

玄関で、ミュールを履きながら、千津は、

「ここって、広さ、どれくらいなの？」

と、興味があるというより、沈黙からそれとなく身をかわそうとするかのように尋ねた。

「60㎡くらいかな、確か。」

「すごいね。家賃は？」

「八万円。」

「えっ？　そんなに安いの？」

「うん、ここ、親戚《しんせき》が持ってるマンションなんだよ。バブルのあと、投資のつもりで買ったみたいなんだけど、なかなかいい値段で売れなくて、パリから帰ってきて、管理がてらという名目で格安で貸してもらってるの。」

「そうなんだ？　いいね、こんないい場所で、こんな広い部屋。」

「うん。でも、下に女の子がいて、今度、東京の大学を受験するみたいだから、出なきゃいけないいんじゃないかな。俺が入る前はね、そこの上の男の子が住んでたの。もう結婚して、地元に帰ってるけど。——だから、家具とか半分くらいは備えつけなんだよ、ここの。そういうのもあって、手放さなかったんだと思うけど。人に貸すにしても、家具の処分とか大変だし、アカの他人じゃなんとなく……みたいな。そのツナギだね。明日、実家に帰った時に、そんな話にもなると思うんだけど。」

「毎年ちゃんと帰ってるの？」

「ううん、初盆《はつぼん》だから、今年は。母方の祖母が今年の初めに亡《な》くなっちゃって。――まァ、三年も向こうにいて、親孝行も出来なかったから。」

「偉いね。」

「偉くないよ、全然。」

「国会図書館って、お盆休みはあるの？」

「図書館自体は開いてるけど、休みは取れるよ。一応、公務員だから。」

そう言って笑うと、彼は彼女を先に出して、玄関に鍵《かぎ》をかけた。そして、

「でもまァ、一度こんなところに住んじゃうと、次が堪《こた》えるだろうね。八万相当の部屋に住めば、身のほどを知るよ。」

と苦笑した。

「じゃあ、……そうなったら、わたしがまた、そこに通ってご飯作ってあげる。」

崇は、エレベーターのボタンを押しながら、少し微笑《ほほえ》んだ。そして、ドアが開くと、彼女に先を促し、乗り込んでからようやく、

「……ありがとう。」

と言った。

一階に着くまでの数秒を惜しんで、どちらからともなく抱き合ったが、普段は挨拶《あいさつ》程度の口づけが、今日に限ってはそのままた深入りしてゆきそうだった。

到着して、ドアが開くと、二人で顔を見合わせて少し笑った。

「口紅、とれちゃったね。」

「うん、いいの。会社の送別会に行くって言ってあるから。あんまりキレイにお化粧して帰ってもおかしいし。」

「そっか。」

彼は、彼女のそうした受け答えに、相手の男に対して、今更、取ってつけたような気の毒な思いに駆られた。それを察してか、彼女はもう一度軽く唇が触れる程度にキスをした。

外苑《がいえん》西通りまで、手を繋《つな》ぐわけでもなく、時折腕が当たるというような距離で歩き、その口実のように、「暑いね。」と二人で言い合った。

やがて、路地が尽きかけた辺りで、千津が徐《おもむろ》に呟いた。

「ねぇ、崇くんは誰に対してもそんなに優しいの？」

「……ん？」

「ううん、……そうなのかなと思って。」

「どうなんだろう？……優しい？」

「うん。……」

崇は、顔をやや横に傾け、千津の表情に目を据えた。そして、曖昧に視線を逸《そ》らすと、通りに出たところで、

「タクシー……だよね？」

と歩みを留めた。彼女は、いつもしているカルティエの腕時計に目を遣《や》って、

「どうしようかな？……でも、うん、タクシーにする。」

と頷《うなず》いた。

崇が通りに身を乗り出すと、すぐに〈空車〉の赤い表示を灯したタクシーが見つけて、ハザード・ランプを点滅させた。

「すぐ来たね。」

「うん、ありがとう。」

「……気をつけて。」

停車した車のドアが開くと、千津はいつものように、最後にもう一度キスしようかと迷ったが、乗車の慌《あわ》ただしさにそれを諦《あきら》めて、ただ振る手を僅かに触れ合うだけで、せめて表情で名残惜しさを表そうとした。

「また連絡するね。」

「うん、気をつけて。おやすみ。」

「おやすみ。……」

閉ざされたドアの向こうで、「汐留《しおどめ》まで」と行き先を伝える彼女の横顔を、崇はじっと見つめていた。運転手が頷きながらウィンカーを出し、後ろを確認して車を発進させると、彼女は彼に手を振り、去ってからもシートの上に顔を覗《のぞ》かせて、辛うじて出ている指先を動かし続けた。彼もまたそれに応じて、彼女の顔が前を向くまで、手を振り続けていた。

2

マンションへと戻りながら、崇は、去り際に千津が残した、「優しい」という言葉のことを考えていた。夜の闇《やみ》が、隙《すき》を見て少しずつ浸食し始めたかのように、その表情には曇りが差していった。直接には、それは、先ほどのCDのやりとりを巡ってのことなのだろうと彼は思った。彼女は、期待した反応を期待通りに受け取ったことに、却《かえ》って意外な感動を覚えていたのかもしれない。そしてそれが、彼との別れを念頭に置いた、いわば最後の試みであったならば、「優しい」という印象は、単に一度の行為《ヽヽ》によるのではなく、彼の人格《ヽヽ》を総括して導き出され、語られたのであろう。

その上で、彼は彼女が、その「優しさ」を、何か不自然な、本当らしくないものと感じていることに気づいていた。その違和感がなければ、どうして敢えて尋ねる必要があるだろうか？　彼女の問いかけには、極遠慮がちな、むしろ好感が持てるほどささやかなアイロニーがあった。そして、それを弄《ろう》した彼女の心の微細な動きを、彼は指先で直に触れるようにして辿《たど》っていた。

千津は今、帰りのタクシーの中で、なぜ相手が、自分に対してそんなに「優しい」のかを、改めて考えているかもしれない。しかしそれは、本当は、なぜそんなに思い通りになるのかと疑われるべきではなかったろうか？　体のためだろうか？　その相手を態《てい》良く捕まえておくために？　それにしては、些《いささ》か過剰ではなかったか？——それに、別れが迫っていることは、既に互いに察しているはずだった。今もまだ、「優しい」理由は何だろうか？　別れてからも、いつまでもよく思われていたいという、男のあの見苦しい、単純な願望のせいだろうか？　その過剰分を引き受けるような強い関係が、本当に二人の間にあったのだろうか？　ないとするならば、彼の「優しさ」とは一体何だろう？　それは、さほど長いつきあいでもなかった自分には窺《うかが》い知ることの出来ない、彼の性格なのだろうか？　つまりは、誰に対してもそんなに「優しい」のだろうか？……

部屋に戻った崇は、そのままトイレに行き、丁寧に閉じられた上蓋《うわぶた》を便座と一緒に持ち上げて小便をした。先ほど飲んだペリエがそのまま出てきたかのように透き通った、濁りのない尿だったが、最後に精液の名残らしく、細く糸を引く感じがあった。二度の性交で性器はまだ少し充血していて、乾いてはいたが、陰茎には彼女の体液に直接に触れたあとが感じられた。

居間のソファに座ると、飲みかけのペリエをまた少し口にした。静かだった。先ほどと同じように、背中のクッションに身を預けて目を閉じると、彼はその静かさを強く身に感じた。

少し汗ばんだポロシャツが、冷房の風に急速に冷やされていく。CDをかけようかとリモコンに手を伸ばしかけたが、止《や》めてまた元の姿勢に戻った。

崇は、この半年ほどの間に、二人に起こったことのすべてを信じられないと感じていた。最初に会った時から、結末に至るまでの過程がすべて予感されていて、実際にそれと何も違わなかった。彼は、その分かるという実感の鮮明さに表情を強張《こわば》らせた。そうした錯覚が、ずっと自分の過《あやま》ちだったのではなかったか。――しかし、彼がそこからどうしても逃れられないのは、彼の知る他者が、現実の他者と少しも矛盾しないように感ぜられることだった。

『……俺はもう、ずっとこんな奇妙な錯覚の薬漬けにされている。――俺を誤らせているのは、結局、言葉だろうか？　まだ本当に小さかった頃から、俺は自分の周囲に、言葉が猛烈な勢いで生い茂ってゆくのを感じていた。俺自身が、その蔦《つた》にすっかり絡《から》め取られてしまって、自由な身動きなんて、一つもないんだ。それがいよいよ密になって、俺にはもう、世界の影しか見えない。いいや、きっと、言葉の向こう側で何か動いているらしい、気配くらいしか察していないんだ。俺はただ、その影とばかり四六時中戯《たわむ》れている。ところがだ、そこに、まったく乱暴に肉体が出現する。それも裸体が！　千津ではなく、千津の裸体が。――その結果はどうだ？　俺は、俺には知る由《よし》もない気配が、まったく俺が戯れている影と一体であったという錯覚を手に入れる。ああ、しかし、影という隠喩《いんゆ》自体が、既に恣意《しい》的だ！　俺はそれが、精々歪《ゆが》み程度しかない、絶対に切り離せない、一対一の対応物だとこの期《ご》に及んで信じ込もうとしているのだから。千津はこんな女で、こう考えているに違いない。――その俺の勝手な思い込みの帳尻《ちょうじり》合わせがセックスだろうか？　つまり俺が、この世界と、その一点を通じて良好な関係を結んでいるという錯覚の単純な砦《とりで》として？　しかし、それはつまりは、一種の贋金《にせがね》造りなんだ！　俺はただ、子供銀行みたいなママゴトめいた金を自由に使っては、同じようにママゴトをしにきた女と金持ち気分に浸っているに過ぎない。セックスがいつも、子供じみた邪気のない楽しみであるのは、そういうことじゃないのか？　俺はただ、そのママゴトへの誘い方が自然で、誘われ方が自然なだけなんだ。そうして俺の言葉は、下賤《げせん》で、堕落している！　俺の生は植物的に静かだ。何の破綻《はたん》もなく、調和に満ちた静止的な世界だ。俺は女たちと、想像上の原始人たちのように互いを隈なく理解し合っている！

さて、その実、そうしたママゴトが必死で覆《おお》い隠そうとしている事実は何だ？……』

崇は、息苦しさに、襟のボタンを乱暴に二つ外した。その時ふと、何か人の気配のようなものを感じて目を開けた。ソファの前に立っていたのは、全裸の千津だった。

彼は、ギョッとして、身を強張らせた。

『どうしたんだろう？　いつ戻ってきたんだろう？』

千津は、不思議そうに下を向いて彼の顔を眺めていた。

『あのあと、戻ってきたのか？　それで黙って家に上がり込んで、服まで脱いで、……一体、どういうつもりなんだろう？』

彼女の体は、先ほどまで、ベッドで直に触れていたのとは違って、酷《ひど》く混濁していた。どこか別人めいた印象で、咄嗟《とっさ》に彼は他の女の裸体を想《おも》ったが、むしろそれは、先ほど意識した夫の存在のせいなのだろうと考え直した。この体が裸なのは、自分の前だけではないはずだった。前屈《まえかが》みになって、乳房が窶《やつ》れたように下がっていたが、それが三十四歳という彼女の年齢を改めて感じさせた。

少し微笑むと、彼女は、何も言わずにオーディオの方に歩いて行き、ＣＤの棚を物色し始めた。

『……いいや、違う。今、シャワーから出てきたところなんだ。俺はずっと、このソファで寝てたのか。……』

彼は、先ほど彼女を外まで見送りに行ったのは、夢だったのかと考えた。そして、彼女にかける最初の言葉を思い迷った。

立ち上がって側《そば》に寄ろうとしたが、それもなんとなく億劫《おっくう》だった。そのままソファから彼女の背中を見つめながら、彼は、寝室を出て行く時の彼女の背中を思い出していた。

『ひょっとすると、これも夢なんじゃないだろうか？　俺はまだ、ベッドに寝たままなんじゃないのか？……』

「いつ戻ってきたの？」

敢《あ》えて曖昧《あいまい》な問いかけをしたつもりだったが、言ったあとで、それをやはり不自然だと感じた。千津はＣＤを手に持ったまま振り返って、

「ん？……ずっといたよ。」

と小首を傾《かし》げながら答えた。

「崇くん、寝てたから。」

「ごめん、……あれ、シャワー浴びてたんだっけ？」

「……え？」

彼女は、怪訝《けげん》そうな顔をした。

『違う、……やっぱり、戻ってきたんだ。……』

「あ、いや、送って行ったんだよね。なんか、寝ぼけてて。……いつ戻ってきたの？」

「すぐによ。」

「そう？　ごめんね、気がつかなくて。——あ、玄関、開いてた？」

「だって、崇くんが開けたままにしてくれてたんでしょう？」

「……ああ、」

崇は、段々と不安に駆られ始めた。

『どうしたんだろう？　夫との間に何かあったんだろうか？……その連絡をもらってい
て、俺が自分でドアを開けてやったのか？……酔ってるんだろうか？　夕食のアレで？

どうして何にも覚えてないんだろう？……』

彼は、継ぐべき言葉をなくして、とりあえず、

「大丈夫？」

と笑顔で声をかけた。彼女はやはり、『何を言ってるの？』というような顔をしたま
ま、こちらをじっと見ている。その沈黙が、彼を慄然《りつぜん》とさせた。

『いや、この女は、俺がこれまで思ってもみなかったような、何か破滅的なことを考え
て、ここに戻ってきたのかもしれない！』

彼はとにかく、何か弁解しなければならないように感じて、口を開いた。

「いや、だけどね、僕が優しいって言っても、それは結局、俺たちが一対一の関係じゃ
ないからじゃない？——第一、一対一なんて、俺たちじゃなくても、誰でももうありえ

ないよ。そうじゃない？　みんな、色んな自分がいる。あっちではあんな自分。こっちではこんな自分。昨日はあんな自分で明日はこんな自分。誰といる時はこうで、別の誰かといる時はこうって、とても収拾がつかないよ！　大学時代の友達と、高校時代の友達とが鉢合わせしたらさ、なんか、気まずくない？　だってそれぞれ、違うキャラじゃない！　戸惑うよ。恋愛だって、そうだからさ！　僕はもうね、一人って数えられるのを止めてもらおうと思ってる。いつもね、沢野さんたちって複数形で呼んでもらおうかと思って。ははは！　冗談だよ。だからさ、千津ちゃんの中には、旦那《だんな》に対応する部分もあれば、俺みたいな人間に対応する部分もあるんだよ！　分かる？　僕もそう。千津ちゃんで満足出来る部分もあれば、不満なところもあるよ、言わないけどね。勿論《もちろん》だよ！　でもさァ、そういう複雑さをね、一人の人間に求めるのは土台無理じゃない？　それぞれに対応する人間を見つければイイじゃん！　友達だってそうだよ。釣りが好きで、音楽が好きなヤツがいるよ。そいつは、釣りの話は釣り仲間と、音楽の話は音楽仲間として、それで幸せだよ。釣り仲間に無理に音楽の話を分かってもらおうとする？　無意味だよ、そんなの！　ああ、だからね、恋愛なんて呼ばれている関係もね、それが本当なんだよ。何から何まで同じ人間なんているはずないんだから、せめて同じ部分でだけ繋《つな》がり合って、残りは他の人間とそれぞれに繋がってればいいんだよ！——納得した？　この説明、単純だから、みんな納得するんだよ。ははは。第一ね、時が経《た》てば、自分自身の組成も変わってくるんだから！　十年前の俺の中にあった色々な要素と、今のラインナップとは一緒じゃないよ！　ラインナップって、プッ、おもしろい言葉だねェ。いい言葉思いついたよ！……」

　崇は、自分が奇妙なことを言っていると感じた。

「……だけどね、結局、千津ちゃんが夫の元に帰るっていうのはね、動物行動学的な観点からすると、正常な雌の繁殖行動として、まったく正しいんだよ。だって、私とは、子供が作れませんから！……」

『いや、……俺は、奇妙どころか、酷《ひど》く下劣なことを言ってるじゃないか！　どうしてそんなことを言うんだろう？』

「……そもそもね、男女の一対一の恋愛って言うのはね、一神教の影響だよ。なんで神が一者か知ってる？　信じる方が一人だからだよ！　神がたくさんいてだよ、あっちからはああ言われ、こっちからはこう言われ、それを一々守ってたら、とても一人じゃ間に合わないよ！　命令が絶対ならね。『誰も、二人の主人に兼ね仕えることは出来ない！』そう、一人の人間は一人の人間である！　ああ、このトートロジーを守るためにね、神は唯一《ゆいいつ》無二の存在なんだよ！　千津ちゃんは、《谷間の百合》を読んだことがある？　バルザックだよ！　フランス文学の初歩の初歩。leçon 1だよ。国会図書館に新潮社版の全集がある。私が御案内しましょうか？——あそこに見られるような恋愛の美徳はね、みんな、近代になって、カトリックの信仰観が世俗化したものだよ。ああ、でも、その対象が女だってのは、明らかに倒錯だけどね。ユダヤ教では起こりえない話だよ。いや、しかし、バチカンが聖母崇拝を正式に認めたのは、二〇世紀になって、ピウス十二世の在位の時ですが。だって、神は一人じゃなきゃダメだから！……ふん、だけど、こんな知識はどうでもよろしい。こんなクズみたいなことが僕の頭の中にはいっぱい詰まってて、それが僕の人生を、こんな愚にもつかないものにしているんだよ！　ああ、ヘドが出る！　オエッ。ところで、フローベールは読んだことがある？　leçon 2は、《ボヴァリー夫人》かな。千津ちゃんみたいな女が出てくるよ！　あはは、失礼失礼。あれになるとね、もう、福音の言葉も遠くなりにけりだ！　でも、フローベールは、サドこそは、カトリシズムの最後の言葉だって言ってるけどね。サドはSMのSだよ！って言っても、僕が千津ちゃんを、ちょっと目隠しして、両手を縛ってみたくらいのことは、遊び半分だけどね。――閑話休題。そう、あの小説になるとね、一人の人間は一人の人間じゃないんだよ！　驚くべき発見じゃないか！　恋愛はね、あれでお終《しま》い。だけどね、日本じゃそもそもの昔から八百万《やおよろず》の神だよ。《源氏物語》だよ！　一人の人間は大勢だ！　大勢の人間はその何倍も大勢だ！　大変だね！　ああ、しかし、ホメロス時代のギリシア人だってそうだな。ね？　そうじゃない？　まったく、大変だよ！」

崇は最後に哄笑《こうしょう》した。しかし、呼吸する間もなく、声を嗄《か》らしながら喋《しゃべ》ったので、やはりひどく息苦しかった。

『……なんなんだろう？　これは？　夢か、やっぱり。……だとすれば、恐ろしく絶望的だな。……』

「……ところでイスラームはどうだろう？……いや、そんなことはどうだっていい！……俺は知ってるよ、なんで黙ってるか！　ねぇ、今黙ってるよね、一言も喋らずに！分かってるよ。馬鹿《ばか》みたいなこと言って、俺が誤魔化してるからだろう？　俺がただ、セックスしたいだけだと思ってる？　どうして？　そんなに自分の体に自信があるの？だって、もっといい体だったら、他に幾らだってゴロゴロしてるよ！　『求めよ、さらば与えられん！　捜せ、さらば見出《みいだ》さん！』出会い系だって風俗だっていいんだから！……分かってるよ、そんなことじゃないって。俺はこの問題について、さっき一生懸命に考えてたんだから！　そう、僕は何にも信じてないんだ。私という人間は、一人ではなく大勢だ。――ああ、耳触りのいい言葉だね。だけどね、僕はもう、そんなことだって信じちゃいないんだ！　俺は、千津ちゃんと一緒にいて、――もう、この際だから言ってしまうと、沙希《さき》といて、香織といて、美菜といて、……それから誰だったっけ？由紀か、……とにかく色々だよ、その誰といてもね、僕はその楽しいという自分の感情を信じたことがないよ！　快感だって、本当は疑ってる！　何を俺は気持ちいいと感じてるんだろう？　そうして分析を始めるとね、言葉がシロアリみたいに、俺の快感を喰い荒らして、見るも無惨《むざん》なものにしてしまう。ゾッとするよ！　だからさァ、分からない？　ううん、バカになんかしてないよ！　なんでみんな、そう言うんだろう？　千津ちゃんといて、心地いい俺が俺の中にいるなんてウソだね。そんなのは、ああ、ヘドが出る。大ウソだよ！　ウソウソウソ！　じゃあ、なんでいるんだろうね？　ママゴト？　いや、こっちの話。でも、僕はきっと、ロマンチストなんだよ。ははは。いいかい、オンボロ車で夜景を見に行って、星空の下で愛を告白するようなバカがロマンチストじゃないよ！　俺はね、知ってる？　きっと、自分で思ってるよりも、もっとずっと古い病に罹《かか》ってるんだよ！　ポストモダンだとか何だとか言う以前の問題だな、これは。……そう、だから、俺は千津ちゃんと会うんだ！　本気だよ。ね、聴いてる？　本当のことを言おうか？……僕は君のことを愛してる！　心から、……」

崇は急に泣き出して、次には腹を立てた。どんなに声を張り上げても、千津がただCDの棚にばかり気を取られて、こちらを振り向かないことに苛立《いらだ》っていた。

「ねェ！　だって、そうだろう？　だから、戻ってきたんだろう？」

『夢なんだ、これは。……嫌な夢だな、それにしても。……』

「本当は、千津ちゃんも、僕を愛してるんじゃないの？　違う？」

彼女は、ジャケットに、誰だかよく分からない顔写真が印刷されたCDを何枚も手にして——その内の一人は壬生のようだった——、すっと振り返ったが、その顔は、ずっと同じ仮面を被《かぶ》っていたというように、最初と何も変わらない、不思議そうな表情のまだった。

「違うの？　訊《き》いてるんだよ！　どうして何も言わないの？　ああ、でも、野暮かな、こんなこと訊くの？　それより、……そうだね、ベッドにでも行く？」

「みんなに言われたから、……」

千津はここで、ようやく口を開いた。崇はギクリとして、

「え？」

と問い返した。

「崇くん、今から自殺するんでしょう？　みんながそう言ってたから、引き返してきたの。」

「……。」

崇は、呆然《ぼうぜん》として言葉を失った。

「まだしないの？」

彼女はまた、小首を傾げた。その仕草を、彼はいつも取り分け愛らしいと感じていた。

「そっか、……それを見に戻ってきたんだね、……」

崇は無力な笑みを漏らした。彼女は、

「うん、」

と、優しく微笑《ほほえ》んで、

「みんな噂《うわさ》してたよ。」

と言った。

「みんなって、誰？」

「誰って、みんなよ。」

「みんな？――まぁ、いいよ、誰だって。……そっか。……そう、僕は時々ね、そこのベランダから、下を眺めてるんだよ、独りで。大体夜かな。それでね、多分、誰かが見てたんだな。――あ、携帯が鳴ってるよ。俺の方？　まァ、いいや。……あ、そっか。良介か。――それにしてもね、いつも思うんだけど、八階っていう高さは独特だよ。分かる？　そこのフェンスから顔を出して下を覗《のぞ》き込む度に考えるんだよ。これより短い距離だったら、俺は万に一つの可能性で、死に届かないかもしれない。だけど、これ以上の長さは必要ないんだってね。――そう、この距離はね、図らずも人間が死へと至るための必要十分な距離なんだよ。聴いてる？　それはね、今日より後、死に至るまでに俺が過ごす時間の圧縮なんだよ！　何十年だか知らないよ、その時間がね、微塵《みじん》の狂いもなく、この落下の数秒へと押し約《つづ》められるんだよ！……ねぇ、俺の体は、その時、どこが一番初めに地面に触れるんだろうね？　頭かな、やっぱり？　要はね、そこから死ぬってことだよ！　ああ、でも、そんなことも、あんまり意味はないね。衝撃はだって、俺の全身に瞬時に取り憑《つ》いて、たちまちのうちに破壊し尽くすんだから！……その一瞬が来たって、みんなが言ってたの？　ねぇ？――ねぇ、母さん！　いつからそこにいたの？　千津ちゃんじゃなかったんだ？……こんなところに来ちゃダメだよ。……明日きっと、実家に帰るから。……」

『……夢だ、……起きなきゃ、……』

崇は、ぱっと目を開いて、しばらく天井を見つめていた後、ゆっくりと周囲を見渡した。薄暗い室内には、ただ彼独りしかいなかった。汗に濡《ぬ》れたシャツの下で、激しい心拍が胸を震わせている。目尻《めじり》から落ちた涙は、首を伝って肩口の辺りでベタついていた。

時計を見ようと、携帯電話を開くと、メールが三通届いていた。一通は沙希からで次に会う日の確認のメール、もう一通は、良介の写真が添付された佳枝からの二度目のメール、最後は、帰宅を知らせる千津からのメールだった。

《無事到着！　今日も会えてたのしかったね(^o^)/　しっかり親孝行してきてね。おやすみなさい。。。》

崇は、本文を一読すると、携帯を閉じてソファの上に放り投げ、裸足《はだし》のまま、ジーンズの長い裾《すそ》を引き摺《ず》りながらベランダに出た。そして、排気ガス塗《まみ》れの手すりに両腕をかけると、それに凭《もた》れかかりながら、沈めるようにして顔を伏せた。

夢は、既に大半が失われてしまっていたが、所々、殆《ほとん》ど覚醒《かくせい》していたような鮮明な記憶があった。

　彼は、少し頭を擡《もた》げると、西新宿方面のいつまでも暗みきれないいいいいような空を眺めた。赤く点《とも》った警告灯が、掲示板のピンのように、物々しく聳《そび》え立つ高層ビル群の影を夜の表に貼《は》りつけている。その心拍めいて規則的に繰り返される明滅が、彼の胸に軋《きし》むような微《かす》かな昂進《こうしん》を忍び込ませた。

　遠くで、金粉のように小さなものが、音もなく落ちていった気がした。暗がりの中で、眠りと死とが取り違えられてしまったかのように、時間がそこでゆっくりと、壮麗な崩落を開始する。赤い点滅が一斉に闇《やみ》に沈み、窓からは光が失われていった。崇は小さく呻《うめ》き声を上げた。海淵《かいえん》のような闇が起こって、刻々とそれが深まってゆく。

　身を乗り出すと、息を呑《の》んで、真下を覗き込んだ。垂直方向の遠近感には、予《あらかじ》め速度が備わっていた。アスファルトで舗装された地面は、底に控えるその固い感触を、むしろ距離によって増幅しながら、奇妙に生々しく彼の肉体へと届かせた。

　崇は色を失って、崩れ落ちてゆく目の前の世界に怯《おび》えた。握り締められた手摺の感触が、手の中で強張《こわば》ってゆく。ずっと、いつでもいい気がしていた。しかし、だからこそ、その瞬間には、なぜ今のこの時なのかと不思議に感ぜられるのかもしれない。躊躇《ためら》いはあったが、それに抗して内から後押しする力があった。

　先ほどから、何者かが不意に肌に触れるように、幾度となく、戦慄《せんりつ》が全身を駆け抜けていた。地上には、既に彼の破砕された肉体があった。一帯に流れ出した夥しい血は、その重たく鮮烈な色で、衝撃の瞬間には、決して間に合わないはずの痛みを耀《かがや》かせていた。

彼は、熱せられたアスファルトの感触に、何か微細な、郷愁めいた刺激が潜んでいるのを感じた。それは恐らく、彼がまだ歩くことも覚束《おぼつか》なかった頃に、大人たちに見守られながら、何度となく転んでは地面に体をぶつけた時の記憶だった。

『……あれと、一つになるだけのことだ。……』

手摺を摑《つか》んだまま汗を掻《か》いた手を、苛立たしげに何度も握り締めた。あの場所に触れる。ここから降りて、ただどこでもいい、体の端から、あそこに触れさえすればいいんだ。あそこに横たわっている死体と一体となりさえすれば！――大きく息をして歯を食い縛った。足を半歩、躙《にじ》り寄るようにして前に踏み出した時、突然彼は、不意に腹部を強く殴られたように、体をくの字に折った。そしてそのまま、押し潰《つぶ》されるようにしてしゃがみ込むと、体を反転させ、フェンスを背に項垂《うなだ》れて、しばらくそこから動くことが出来なかった。

『……バカげてる、……まったく、バカげてる！……』

ベランダのガラス戸は、人一人が通れるよりも、ほんの少しだけ大きく開けられていた。

崇は、壁際《かべぎわ》のスタンド・ライトに照らし出された仄暗《ほのぐら》い部屋に目を遣《や》った。そこには、確かに誰か人のいいいた痕跡《こんせき》があった。彼は、テーブルの上に置かれたペリエの缶を、ソファの背中越しにじっと見つめた。そして、それがそこにそうしてあるということに、中座された生が静かに澄んでゆくのを感じた。

『……俺は、この生に執着している。こんな芝居じみた無様な自殺の真似事《まねごと》に縋《すが》りついているのも、結局は、死を怖れているからなんだ！　俺は痛みとともに自己像を破壊して、俺自身の破壊から逃れようとしている。――だが、それだけだろうか？　俺は、俺の死体をむしろ人に向けて差し出したかったんじゃないのか？　俺がこの俺の生の失敗を十分に知っていて、しかもそれに自ら決着をつけた証《あかし》として。俺はそれを、人が深い憐憫《れんびん》と愛情とを以《もっ》て受け取る様を夢想しているんじゃないのか？……なぜそうしないんだろう？　俺が今、生きようとしている理由は何だろう？　ここから落下するための数秒では足りなくて、更に数十年が必要な理由とは、一体何だろう！……』

搔き毟《むし》るようにして頭を抱え込むと、彼は煤《すす》に覆《おお》われたコンクリートの上に涙を落とした。

『……俺はただ、捏造《ねつぞう》された自殺の苦痛を、新鮮に保ち続けることでしか、生き続けることが出来ない！　痛みはつまり、ダイモーンの声だ。そうして死に背を向けて、立ち戻った先に、しかし一体、何があるというのだろう？……』

崇は、こうした思いを、自嘲《じちょう》がもう、常のようには扱いきれなくなっていることを感じた。そうして改めて、先ほどの衝動に、単なる自己像の破壊という欲求以上のものが潜んでいたことを知り、戦慄した。

熱帯夜の不快な暑さが、そこで彼をいつまでも抱き竦《すく》めていた。マンションの真下には、まだ彼の無惨な死体が放置されている。そうして開かれたガラス戸の向こうには、手をつけかけたままの生活が、微動だにせず静止していた。

『あの水を、一口飲みさえすればいいんだ。そうして缶をテーブルに置けば、ともかくも、俺の生は再開されるはずだ。……』

小さく息を吐くと、彼は手首を折って、手の甲で額を支えた。しかし、立ち上がって、部屋に戻るまでには、まだ少し時間が必要だった。

3

玄関の呼び鈴が鳴ると、良太は、「あっ、」とソファに立ち上がって、大人たちに笑って見守られながら、居間から駆け出していった。裸足のまま玄関のタイルの上に飛び降り、背伸びをしてドアの鍵《かぎ》を開けると、取っ手に摑まるようにしてそれを押し開けた。

熱気とともに、蟬《せみ》の鳴き声と、太陽の光とが、我先にとその隙間《すきま》を目がけて詰めかけたが、肝心の人の影はなかった。良太は、ふしぎそうに一旦《いったん》後ろを振り返って、母親の顔を見た。

「あれー？　おかしいねぇ？」

佳枝は事情を察して、戯《ふざ》けたように笑って言った。

「だれもいないよう？　どこにいっちゃったんだろうねー？　かくれてるのかなー？　ドアのむこうかな？」

促されて、良太がドアを更にもう一押ししようとしたその時、突然、陰に隠れていた崇が飛び出して、「わっ！」と脅かすような身振りをした。

良太は、「わぁーっ！」と声を上げると、また佳枝を振り返り、今度は崇の足許《あしもと》に飛びかかっていった。両手の荷物をその場に置くと、彼は良太の脇《わき》に手を差し入れて、「ほーれ。」と笑って一気に天井まで抱え上げてやった。

「こらこら、たっくん、だめよ、もう。おにいちゃん、つかれてるんだから。」

佳枝は、良太に注意するというよりも、むしろ崇を意識しながらそう言うと、笑顔で彼を見遣った。

「おかえりなさい。」

「あ、ただいま。」

「騒々しくてごめんなさい。朝からもう、ずっと、まだかまだかって待ってたんです、お義兄《にい》さんが帰ってくるの。」

「そう？」

崇は、良太を廊下に下ろしてやりながら笑顔で応じ、ドアを締め、施錠すると、スニーカーを足で脱いで自分も上に上がった。良太はまだ物足りない様子で、せがむようにして足に纏《まと》わりついた。佳枝は、崇の白いTシャツの胸元についた汚れに目を留めて、「あっ、」と指差した。崇は、その視線を手繰り、良太の足が触れたらしい土埃《つちぼこり》のあとに気がついたが、

「ああ、いいよ、別に。」

と、気にする様子もなく首を横に振った。

「大丈夫ですか？　すみません。——ほら、たっくん、あしふかないと、よごれちゃってるよ。」

良太の体温とその柔弱な感触とから、崇は一瞬、昨日の情事の記憶を呼び醒《さ》まされた。シャワーを浴びて床についたのは、結局、明け方のことだった。数時間の眠りで、出来事からは遠ざけられた感じがしたが、体はまだ重かった。その気怠《けだる》さが、ここにきて彼を当惑させた。不適切なものを実家に持ち帰ってしまったような気分だった。

居間からは、良介と和子とが出てきて、それぞれに、

「おかえり。」

と彼を迎えた。

「ただいま。あー、涼しいね。」

「暑かったやろ？　ゴメンね、迎えに行けんで。」

「ううん、全然。一人だし、久しぶりに鹿児島本線に乗りたかったから。」

居間に戻ると、彼を取り囲むようにして皆がソファに腰を下ろした。ウェット・ティッシュで足を拭《ふ》いてもらった良太は、透かさず、その膝《ひざ》の上に陣取った。

「こぉら、おりなさい。」

佳枝は、先ほどよりも少し語気を強めて言った。良太は、母親の本気の度合いを確かめるように振り返ると、今度は、加勢を求めて崇の顔を見上げた。

「あ、いいよ、平気だから。――たっくん、大きくなったね？」

「そうなんです。もう、抱っこしても重くって。母子手帳で見たら、丁度平均くらいなんですけど。」

「そう？　子供の頃は、親戚《しんせき》の伯父さんたちに会う度に、やたらと『大きくなった』って言われて、なんか不思議だったけど、自分が逆の立場になると、やっぱり言いたくなるね、そう。」

崇は、顔に悪戯《いたずら》されそうになるのを仰《の》け反《ぞ》って避けながら言った。

「それに元気そうだし。」

その一言に、良介たちは目配せしながら苦笑した。そして、「ん？」という顔をした彼のために、佳枝が手短に昨晩の喘息《ぜんそく》騒動の顚末《てんまつ》を語った。

「ああ、そうだったの？　あらら、かわいそうに。」

崇は、小猿のように首にしがみついている良太の顔を覗き込むと、指先で軽く触れる程度にその頭を撫《な》でた。それから、思い出したように尋ねた。

「あ、そう言えば、――父さんは？」

和子は、良介がその問いをすぐに引き取る様子のないことを認めて、

「夏バテみたい。上で寝とうんよ、ずっと。」

「そうなの？　珍しいね、父さんが寝つくなんて。……まァ、この暑さだし、しょうがないのかな。――酷《ひど》いの？」

「ううん、微熱があるくらいよ。それがなかなか下がらんみたいで。」

和子は、続けて何か言うのを急に億劫《おっくう》に感じたように、「よいしょ、」と立ち上がると、彼のために麦茶を取りに行った。

良太は、もう飽きたのか、ゴソゴソと崇の膝から下りると、今度は佳枝の傍らに座った。

「ああ、ありがとう。」

手渡されたコップの半分ほどを一息に飲むと、崇は、良太の重みからも解放されて、

ほっとしたような顔をした。

「法事は、何時頃から行くの？」

「二時くらいの予定だけど。お昼ご飯をここで食べてから行こうと思って。今、十一時前やけ、そろそろ準備せんとね。素麺《そうめん》とかでいい？」

「もちろん、何でもいいけど、――そっか、……じゃあ、その前にちょっと、父さんを見てこようかな。……」

崇がソファを立つと、良太がまた、付いて行きたそうにしたが、佳枝は今度は、

「だめよ。」

と、明らかに先ほどとは違った厳しい口調で言った。崇は、その場に立ち尽くした良太に、

「まっててね。」

と小さく笑って合図した。

二階の両親の寝室をノックしたが、返事がないので、そっとドアを開けて、中を覗《のぞ》いてみた。カーテンはすべて閉め切られており、治夫は黄土色の縞《しま》模様のパジャマのまま、俯《うつむ》き加減でベッドに腰掛けていた。

「あ、起きてたの？――ただいま、父さん。」

崇が声をかけると、治夫は、

「……ああ、おかえり。」

と振り返って返事をした。

治夫の視線は、外れるというよりも、保たないといった感じで、すぐに崇の面から落ちた。それを認めると、崇は、眸《ひとみ》だけをさっと動かして周囲の様子を窺《うかが》った。

部屋の底には、薄手の朽ち葉色のカーテン生地に漉《こ》された光が、降り注ぐ力を失って、静かに堆積《たいせき》していた。室内の暗さには、人があまり動いた気配のないような澄んだ落ち着きがあって、不用意に歩き出すと、底に沈んだ澱《おり》が舞って、その色を濁してしまいそうだった。

治夫はその真ん中で、どうにも身動きが取れなくなってしまったかのように、振り返ってこちらを見るほんの些細《ささい》な動きの中にも、不安げな様子が看《み》て取れた。

「体調はどう？　熱は？」

そう言いながら、崇は父の前を横切り、親切らしい様子でカーテンを開いた。堰《せ》き止められていた光が、急に流れ込んできたかのように、ベッドの上の顔を容赦なく照らし出した。治夫は、何事かを暴露されたかのように、思わず顔を伏せて、苛立《いらだ》たしげに眉《み》間《けん》に皺《しわ》を寄せた。

「眩《まぶ》しい？……暑いし、閉めとこうか？」

「……ああ、閉めとって。」

「うん。……」

崇は思い迷ったが、レースのカーテンだけを閉めて、ベッドに向かい、父の傍らに腰を下ろした。こうしたやや乱暴なやり方が、もう父には不適切であるらしいことを察知して、彼は動揺を禁じ得なかった。

髪の乱れ具合と鈍く艶《つや》を帯びた肌、それに不活性な粘り着くような臭《にお》いとから、父がもう何日も入浴を怠っていることに彼は気がついた。

「熱はあるの？」

息子が横に座ったことに、治夫は落ち着かない様子を見せた。最後に会ったのは、二月に和子の母照子が亡《な》くなって、崇が帰省した時だった。その際に、ここで会話した時のような表情を、どうして取り戻せばいいのかが分からないというふうだった。言葉よりも、その後に続いた、さして長いわけでもなかった沈黙の方にむしろ耐え兼ねたように、二度、不自然に力の籠《こ》もった瞬《まばた》きをした。一度強く瞼《まぶた》を閉じ、開いた後に、何か彼にしか分からないような加減の不足があったらしく、つけ足すようにしてもう一度閉じた。それから、急にまるで息子のいることを忘れてしまったかのように、俯き加減で考え込む素振りを見せた。

「きついの？」

崇は、意識して方言を遣った。

「……いや、……体が重い感じで、……」

「そう、……病院は行ってみた？」

「いや、行っとらん。ただの夏バテやろ。」

「……そうかもしれないけど、長いんだったら、行った方が良いよ。抗生物質でも飲めばすぐに治るんだし。母さんも心配してたよ。」

治夫は頷《うなず》くと、何か一言発せられる程度に息を吸ったが、結局そのまま、声にもならずに吐き出された。言葉は、さほど遠くないところに見えていた。しかし、手を伸ばそうとするのが、どうしても億劫だった。

崇は、問いを発する時機と口調とに慎重になった。やや首を折って、父の視野に自分の姿をそっと差し入れると、

「どうかな？　体っていうより、気分の問題なんじゃない？　前に少し話してくれたけど、……」

と、先を結んでしまわずに曖昧《あいまい》に止めた。治夫は首を動かしたが、目の端に息子の影を留める程度だった。

それからしばらく、崇の言葉の手触りを確かめている様子だったが、やがてやや表情を険しくして、

「ただの夏バテやけ。心配するな。」

と会話をそこで断ち切るように言った。

崇は、彼に対するポウズのように乱暴に頭を掻《か》いてみせる父の姿を見ながら、それでむしろ事情を把握したように感じた。

「そう？　ならいいんだけど。」

立ち上がりながら、彼は少し微笑《ほほえ》んでみせた。

一階では、何かまた駄々でも捏《こ》ねたのか、良太が佳枝に叱《しか》られて、大声で泣く声が聞こえてきた。治夫は、その賑《にぎ》やかさを恨むかのように、崇が締め切らぬままにしておいたドアの隙間を気にした。

「今日の法事は、――どうする？　家で大事にしておく？」

「……ああ、……すまんけど。もう少し、寝とくけ。」

崇は、父が既に、自分への関心を失っていることに気がついた。息子の目も憚《はばか》らず、巣穴にでも戻っていくような動きでタオルケットを引っ張ると、ベッドに横になろうとした。手伝おうとしたが、その隙がなかったというより、そうした父に対する接し方に、彼自身がまだ躊躇《ためら》いを感じていて、結局ただ、黙って見ているだけだった。

窓辺に歩いていくと、カーテンを閉めて、父を振り返った。レールを引かれるその音に、治夫は一瞬目を上げたが、特に何も言わなかった。それから、枕元《まくらもと》に歩み寄ると、

「じゃあ、ゆっくり休んで。……またあとで。」

と声をかけた。去り際《ぎわ》に、もう一度父の姿を顧みて、部屋から出て行った。階段を下り始めてから、崇は自身の動揺と初めて正面から向かい合った。そして、半年間、何も手を下さなかった自分を責めた。

途中で足を止めると、大きく息を吐いて口許に手を宛《あて》がった。俯いた額に思念が凝ってゆくように、彼の眉間は憂鬱《ゆううつ》な曇りを帯びていった。

和子の実家のある戸畑区の本田の家には、二台の車に分乗して行った。少し窮屈なのを我慢すれば、治夫の車に五人で乗れないこともなかったが、チャイルド・シートの移動が面倒だというので、和子のヴィッツには良介が家族とともに、治夫のカローラには、東京で車に乗らない崇が、「練習がてらに」と運転を買って出て、和子と一緒に乗ることとなった。

和子は、長く動かしていなかったので、カローラのバッテリーを心配していたが、二三度試みて無事にエンジンが掛かると、些《いささ》か過剰なほどにそれを喜んでみせた。崇は、それほど長い間、父が運転もしていないということに改めて驚き、母がそれをどう思っているのか、車をバックさせさせながら考えていた。

良介は、運転を始めてしばらくすると、後部座席で良太の隣に座った佳枝に、

「さっき、廊下で兄貴と何喋《しゃべ》ってたの？」

と、唐突に尋ねた。

「え？……別に何も。」

佳枝は、驚いたように顔を上げた。

「いや、二階から降りてきたあと、何か喋ってたのが見えたから。……」

「喋ってた？」

「喋ってたよ。見たもん。」

「ああ、……喋ってたっていうか、ただ擦れ違った時にちょっと、……」

「ちょっと何？　今、何にも喋ってないって言ってたのに。」

良介は、深刻な調子を帯びないようにと、無理にも笑ってみせた。佳枝は、その引き攣《つ》ったような表情をバックミラー越しに目にした。そして、いつにない夫の執拗《しつよう》さを不審に思いながらも、なにか、これまで知らなかった彼の嫌な一面を見せられているようで、逆に頬を強張《こわば》らせた。

「どうしたの？　たっくんもいるのに。」

「いてもいいやん、別に何も隠すようなことがないなら。」

良介は、妻の示すそうした驚きに、胸を締めつけられるような痛みを感じた。そして、次第に苛立ちを抑えられなくなってきた。

「別に、大したことじゃないもん。」

「何？」

「ただ、トイレに行く途中で会って、……お義父《とう》さんの様子を訊《き》いただけよ。」

「父さんのこと、大したことじゃない？」

「そういう意味じゃないでしょう？　どうしたの？」

「いや、別に。……なんか、コソコソしてる感じがイヤだったから。」

「コソコソって、何？　隠れて悪いことでもしてるみたいに。」

「そんなつもりじゃないけど、……ゴメン。」

　二人の会話の刺々《とげとげ》しい響きに、それまで何が起きているのか、よく分からないような顔をしていた良太が、この時到頭泣き出した。

　佳枝は、

「だいじょうぶよ、たっくん。よしよし。……」

　と、チャイルド・シートに寄り添って良太をあやしてやりながら、良介に対してまた少し腹が立った。それでも、崇との会話が、彼の憶測通り、義父のことなどではなく、いいいいいいいい大したことじゃないとも言えないことは事実だった。

　彼女はそれを、いっそのこと、ここで言ってしまおうかと考えた。しかし、それはこんな移動の途中などではなく、もっと別の機会に、もっと慎重に切り出されるべきだった。彼女は継ぐべき言葉を失って黙り込んだ。良介は、何か音楽でも掛けるつもりで、

CDの再生ボタンを押した。スピーカーから聞こえてきたのは、和子の韓国語会話の教材だった。

　良介たちが先を走ったが、二度の信号で、思いの外距離が空いてしまったので、走り出してしばらくの間、崇と和子との会話は専《もっぱ》ら道順の確認だった。

　高校を卒業して以来、ずっと県外に住んでいる崇は、広い北九州市の道路事情をまるで知らなかった。和子は助手席に座って、出来るだけ、昔から馴染《なじ》みのある場所を目印に方向を指示したので、崇には、変化よりもむしろ、その変わらなさが印象に残った。

　十代の頃、よくウロついた黒崎駅前の商店街は、すっかり凋落《ちょうらく》していたが、記憶にある店やビルが、古びこそすれ、看板や外装など、意外なほど当時のままの姿で残っていることに、彼はこれまでの帰省ではあまり感じることのなかった郷愁を覚えた。その理由が、一つにこうして傍らに母が付き添っているからだろうということを、彼はぼんやりと考えた。

　中央町に出て、戸畑バイパスに乗ってしまうと、和子も安心して、

「乗ってない割に、意外と上手ねぇ。」

　と笑った。

　崇は、母の体がシートの背に深く沈んだのを見て、老眼のせいで身を乗り出していたという以上に、恐らくは不安で硬くなっていたのだろうと苦笑を漏らした。

彼は、弟の家族との分乗を好都合に思っていた。家を離れている間に、彼は母と、父のことについて話したかったが、良太がそれを聴いているのは、いいことではあるまいと考えた。佳枝に聴かせる必要もないのかもしれない。それで、法事の行き帰りにそれとなく話してみようと考えていたのだが、事が事だけに、もっと落ち着いた場所で話すべきだと、先ほどから思い直し始めていた。良介にも、意見を訊くべきだろう。そうなると、佳枝も同席させた方が良いのだろうか？　良太の様子次第で、それは考えてみる必要がありそうだった。

帰りにお茶でも飲んでいかないかという崇の提案に、和子は少し意外そうな顔をしたが、

「そうねぇ、どっかで、おいしいケーキでも食べようかね。」

と、にこやかに同意した。そうした明るさは、気晴らしの悦《よろこ》びからきているはずだったが、当の話題がそれを裏切ることが明らかなだけに、彼は心苦しい思いを抱いた。

和子はそれから、母照子が亡くなって、六ヶ月が経《た》とうとしていることを、「早いねぇ。……」と、独り言《ご》ちるようにして振り返った。照子は、崇が今、東京のマンションを借りている本田家の長男象一の病院で息を引き取った。最期《さいご》は乳ガンだった。この病院は、象一の父邦男の代に建てられたもので、彼は六年前に胃ガンで亡くなっていた。

和子は象一、文子《ふみこ》に続く三人目の子供で、下に淳《あつし》という弟がいるが、崇は、象一の家

族を除いては、ほとんどつきあいがなく、海外生活の無音《ぶいん》の挙げ句、年賀状のやりとりすらも絶えてしまっていた。それは、文子や淳の家族が、それぞれに佐賀と愛媛という遠地に住んでいたからだったが、同時に父の治夫があまり本田家の人たちと交わりたがらなかったからでもあった。

　治夫の父栄治は、二十九歳の時に徴兵されて、翌年フィリピンで戦死している。崇は、二月に帰省した時にも、父とそういう話をして、自分が既にその年齢を過ぎていることに動揺を覚えた。治夫と妹の峰子とは、それで、中学校の教員をしていた母の房江に女手一つで育てられた。治夫は地元の工業大学を出ているが、学費は全額、自分で稼いだと何度か本人から聞いたことがある。

　治夫が和子と結婚したのは、人の紹介ということだったが、こうした家柄の違いが、当時にあっても障害とならなかったのは、和子が次女で、また本田家の人が鷹揚《おうよう》だったからだろうと崇は考えていた。むしろ卑屈になっていたのは、治夫の方だった。加えて、同居していた房江と和子との折り合いの悪さも、治夫を本田家から遠ざける遠因となっていた。治夫は和子が、ふらりと一人で実家に立ち寄ることも、面と向かっては言わないながら、好んではいなかった。そこで自分とその母とが、どう語られているのか、不安を抱いているふうの父の姿を、崇は幼心に記憶していた。

　治夫が新日鐵《しんにってつ》を退社し、その子会社の顧問となった年に、房江は浴室での心筋梗塞《しんきんこうそく》で亡くなった。それが一昨年のことで、崇はストラスブールにいて、葬儀にも出られなかった。

義母が亡くなって、母に多少、清々した気持ちのあったであろうことは忖度《そんたく》された。介護の必要もなく、あっさりと死んでしまったことに不謹慎な安堵《あんど》を禁じ得なかったことを、彼は已《や》むを得ないと感じていた。

治夫は、妻のそうした心情に敏感だった。それが延《ひ》いては、照子の死に対する父の冷淡さに繋《つな》がっているのだろうというのが、彼の推察だった。

しかし、今日の会話の中で、こうした見方を披瀝《ひれき》することは、うまい方法ではなかった。父が今陥っている危機は、直接には、無為によるものである。それは、治夫本人が自覚し、二月に彼に語っていた。しかし、その無為を耐え難くしている要因が、こうした事情であることは疑い得なかった。それを家族と治夫自身とに納得させることは、問題の解決のためには、迂路《うろ》である以上に不可能だった。その道順がないとは言い切れないが、自分にそれを示すことが出来ると、崇は考えていなかった。……

象一の家には、小一時間ほどいただけだった。それぞれに線香を上げ、簡単に祈りを済ませたが、和子は流石《さすが》に涙ぐんで、しばらく仏壇の前を動かなかった。良太も見様見《みようみ》真似《まね》で手を合わせ、木魚は佳枝に指示を仰ぎながら喜んで叩《たた》いた。

近くの寺で墓参りを済ませると、しばらく広い応接間で歓談した。象一夫婦の他に、良介と同い年の長男浩一夫婦とその一歳の子供、長女理江夫婦とその六ヶ月の子供がいて、次女の理沙は予備校の夏期講習に行って留守だった。今年に入ってから、崇は何度か、理沙からメールで英作文の添削を頼まれていた。

途中、象一の隣に座っていた彼は、耳打ちするほどの小声で東京のマンションの話をされた。まだ未確定だが、理沙がやはり、来年から東京の大学に行くことになりそうなので、年明けを目処《めど》に他に移って欲しいという話だった。崇は、最初に借りる時にその条件を聞かされていて、むしろ帰国後の仮の宿くらいのつもりだったので、勿論《もちろん》と快諾したが、そのいかにもすまなさそうな様子に却《かえ》って気を遣った。

和子は何度か、崇を「伯父さん似」だと評したことがあるが、彼自身は、象一の飾らない善良さを、自分からはいかにも遠い資質だと感じていた。そして、母がそう言うのは、同様に「父親似」だとも語る通り、自分に対する、それはそれで素朴な異質感の表明なのだろうと感じていた。

良太は、最初こそ二人の赤ん坊に関心を示していたが、やがて早く帰りたいと佳枝にせがむようになって、それを潮に和子たちも帰り支度をした。崇は、良太の様子から、佳枝だけ先に帰してはどうかとも考えたが、治夫もそれを不審に思うであろうし、彼女も居辛《いづら》いだろうと、思いきって良介に相談した。

話があるからと伝えると、良介は、「何？」と訝《いぶか》ったが、それならとにかく、佳枝と良太も伴って行くという返事だった。

4

迂闊《うかつ》にも車を走らせ始めてから気がついたが、店はどこも盆休みで、崇たちは、何度も駐車場に頭を突っ込みかけては道に戻るということを繰り返して、ようやく、八幡西区役所近くにある、昼間は昔ながらの焼きそばめいたナポリタン・スパゲッティを出しているような喫茶店を見つけて中に入った。客は、常連なのか、休日の従業員なのか分からないような中年の女が一人カウンターにいるだけで、他は誰もいなかった。窓辺に席を作ってもらい、大人四人は腰掛け、幸い眠り込んでしまった良太は、抱きかかえたまま連れてきて、奥のソファに寝かせた。

店内には、有線放送らしい音楽が流れ、カウンターの脇《わき》ではテレビがついている。

崇は、場所探しに手間取ったことで、皆がすっかり身構えてしまっていることを具合悪く感じた。適当な場所にさっと入って、出来ればもっと自然に話を切り出したかった。

水が出てきて、みんなでアイスコーヒーとケーキとを注文すると、良介は一間置いてから、

「——で、一体何事なの？」

と尋ねた。それで、車中で談笑していて、もう少し気楽な様子だった和子までもが居住まいを正した。佳枝は、そもそも自分がこの場にいても良いのだろうかというような顔をしていた。

崇は、「うん、……」と、しばらく言葉を探していたが、良太のこともあり、あまり時間もかけられないので、

「父さんのことなんだけど、——一度病院に連れて行った方がいいんじゃないかと思って。」

と隣に座る母を見ながら言った。

その言葉に、和子は顔色を変えた。

「どうして？　何かの病気なの？」

「もうずっとあんな感じ？」

「寝ついたのは、この四五日のことよ。……何？」

「それまではどうだったの？　やっぱり、元気なかったんじゃない？」

「……そうねぇ、……」

「いや、……父さん、鬱《うつ》病じゃないかと思って。」

「ウツ？」

丁度ここで、コーヒーとケーキとが運ばれてきたので、和子は警戒するように口を閉

ざした。一同がテーブルから体を離し、その真ん中で固く縛められつつあった空気が、一旦《いったん》緩んで隙間《すきま》から漏れていった。白い紙のコースターに乗ったグラスを、それぞれに手前に引き寄せようとしていた家族の耳に、誰のものともつかないような溜息《ためいき》が一つ触れた。

中年の女の店員が伝票を置いてその場を去ると、崇は、一口コーヒーを飲んで話を続けた。

「もちろん、断言は出来ないけど、……多分。いずれにせよ、早い方がいいと思うよ。」

佳枝は下を向いて、良太を気にしながら、ストローを袋から出すのに集中するふりをしていた。良介は、兄の言葉をどう受け止めるべきか、黙って考えている様子だった。

和子もしばらく、口を開かなかったが、やがて、

「違うよ。そんなんじゃないっちゃ。……」

と首を横に振った。崇は、その反応に表情を曇らせた。

「……違う？」

「精神病とか、そんな大袈裟《おおげさ》なことじゃないけ。」

「精神科って言うと、……まぁ、確かに響きが大袈裟だけど、僕の周りでも、今は結構いるし、みんな気楽に相談に行ってるよ。内科だって、ガンから鼻風邪まで色んな患者さんを看《み》るわけだし、それと同じで、精神科も、本当に深刻な統合失調症の人とかから、

ちょっと気分が優れないっていう人まで、ピンキリなんだから。——だけど、拗《こじ》らせると、小さなことが大きくなってしまって、取り返しがつかなくなるよ。ストレスで胃が痛いだけでも、潰瘍《かいよう》にまでなって穴が空いたら、もう放っておいても治らないんだし、その先は、お祖父《じい》ちゃんみたいに胃ガンになってしまうとか、……とにかく、何もいいことはないんだから。母さんだって、今の父さんのだるいっていう感じが、普通だとは思わないでしょう？」

崇は、説得するというよりも、どこか宥《なだ》めるような調子で、極狭い隙間にだけ通るような言葉を、一つずつ慎重に、しかし、素早く確認しながら口にした。母の示した抵抗から、彼は、病状を正確に認識させることは、父本人よりもむしろ母の方が難しいかもしれないと感じた。それで、幾分声色を明るくしながら、

「できものみたいなものだよ、今のパッとしない気分も。治療して取ってしまえば簡単なことだけど、放っておくと、知らない間にできものに父さんが乗っ取られてしまうよ。それこそ、ガンみたいに。」

「違うっちゃ。……そういうんじゃないけ。お母さん、もうお父さんと三十年も連れそっとうんやけ、分かるんよ。」

「兄貴の考え過ぎじゃない？」

良介がここで笑って口を挟んだ。崇は、ちらと目を遣《や》ると、

「もちろん、考え過ぎなら、それに越したことはないんだよ。ただ、心配だから、念のためにね。」

　と言った。

「だけど、父さん、絶対そんなとこ、行かないよ。」

「だから、話してるんだよ。ああいう病気は、家族の理解が大事なんだから。説得しないと。」

「理解って、……だって、兄貴が急にそんなことを言い出しただけだよ。兄貴の方こそ、誤解だよ。どうしたの、一体？」

　良介は、ぎこちなくまた微笑《ほほえ》んでみせた。崇は、弟のそうした言葉が、昨晩以来、感情的に過敏になっている箇所に無遠慮に触れたことを感じた。そして、努めてその苦痛を表さないようにして、

「責任を感じてるんだよ。二月に父さんと喋《しゃべ》った時に、そういう気配があったから。その時よりも悪くなってると思う。放っておくと、もっと症状が進行してしまうよ。」

　と言った。

　和子は、苛立《いらだ》ったふうにやはり首を振ると、コーヒーではなく水を飲んで、

「崇の考え過ぎよ。そういうことじゃないんよ。言ってなかったけ、分からんのも無理はないけど、……お母さんたちね、今ちょっとうまくいってないんよ。」

と言った。

「え？」

良介は、驚いて目を瞠《みは》った。

「この数ヶ月くらい、もうずっとよ。お母さんとお父さん、ほとんど真面《まとも》に言葉も交わしてないけ。……喋ったら喋ったで喧嘩《けんか》ばっかりよ。……お父さん、お母さんのすることなすこと、一々が気に入らんみたい。……」

「なんで？　何かあったん？」

「さァね、……」

「だって、一緒に韓国語習っとうとか言いよったやん？」

「最初の何回かだけよ。お母さん、今、独りで行きようし。……なんかね、お母さんと一緒におるのが嫌みたい。……良ちゃんたちが帰って来とうけ、我慢しとうけど、……最近は昼間っから独りでビール飲んでみたり、……」

良介は、愕然《がくぜん》とした。

「全然知らんかったよ。……どうしたんやろう？　兄貴は知ってたの？」

「いや、そこまでは。——けど、父さんは、今ちょっと難しいところに落ち込んでしまってるんだと思う。母さんは辛いかもしれないけど、優しく見守ってあげないと。……」

「崇には、何か話した？」

「今日は何にも。ただ、二月に帰った時に、少しだけね。新日鐵を辞めて、出向した頃から元気がなかったんじゃない？　僕はあっちに行ってたから分からなかったけど。子会社の顧問だからね。……父さん、仕事のことは家で全然話さないから、分からないけど、労災の問題で、親会社の昔の若い部下にかなり酷《ひど》く吊《つる》し上げられたみたいで、それがやっぱり堪《こた》えたみたい。責任を感じたっていうのもあるだろうし、まァ、一緒に仕事してた人にそんな態度を取られればね。今まで自分がしてきたことは何だったんだろうって感じるのも無理はないし。……三十年以上も溶鉱炉に携わってきて、父さんには、何て言うか、高度経済成長を下支えしてきたっていうような気概もあっただろうから。……それに、溶鉱炉って、一度反応が始まると、もうコントロール出来ないようなちょっと奇妙なものだよ。鉱炉は生きものだって、父さんもよく言ってたけど、……」

崇は、続けて何か口にしかけたが、考え直してそれを言わずに済ませると、

「……とにかく、そういう掛替えのないものから切り離された挙げ句に、これまでと全然違った仕事のプレッシャーを感じることになってしまって、……そこに悪いことに母親の死が重なったでしょう？　これは飽くまで僕の見立てだけど、そういう幾つかのことが複雑に絡《から》み合ってるんじゃないかな。……」

「それなら、なんでお母さんに相談してくれんと？　何のための夫婦なんね？」

和子は直接、治夫に向かって語りかけるかのような強い口調で言った。その問いが、自分がうまく回避したつもりでいた問題を正確に目がけて発せられたことに、崇は一瞬、言葉を詰まらせた。実際に、隠居生活が父にとって静養とはならず、むしろ症状の悪化へと導いたことの理由の一つは、母の存在のせいだろうと彼は感じていた。

『それに多分、この数日、特に症状が悪化しているのは、俺や良介の帰省のせいなんだろう。……』

崇は、やりきれない気持ちでそう考えながら、しかし、不用意に間を空けぬように注意して言った。

「母さんのその気持ちは分かるよ。──ただ、そういう状態じゃないんだよ、今は。……鬱病は、思考力も低下するし、ちゃんと人と向き合おうっていうような意欲も低下してしまうから。素人《しろうと》の所見だから、アテにならないけど、父さんは、今はもう、心療内科なんかに行っても、あんまり意味がないかもしれない。カウンセリングは、なんでこんなことになったのかっていう原因を突き詰めていくわけだけど、今みたいな状態だと、自分を責めるばっかりで、症状を悪化させかねないから。それより、通院しながら投薬治療をした方が効果的だと思う。もちろん、その必要がないなら、それに越したことはないけど。──それで、症状が改善されてからだよ、話し合いは。とにかく、父さんを今の症状から救い出してあげないと。それを一番に考えようよ。」

和子は眉間《みけん》に固い皺《しわ》を刻んで、口を噤《つぐ》んだ。佳枝は、ようやくここで言葉を挟む機会を得て、遠慮がちに、

「わたし、たっくん連れて、小倉に買い物にでも行ってこようか？」

と良介に言った。

「ん？　ああ、……そうする？」

「うん、……たっくんも起きちゃうかもしれないし、その方が良くない？」

良介は、良太の寝顔に目を遣ると、

「うん、……じゃあ。」

と頷《うなず》いて車のキーを渡したが、思い直して立ち上がると、外まで送っていくつもりで良太をそっと抱き上げた。

「すみません、じゃあ、少ししてから、直接家の方に戻りますんで。」

「……ごめんなさいね、ヘンな話になっちゃって。」

「いえ、全然。」

和子は、蒼褪《あおざ》めた顔のままで詫《わ》びを言った。崇はただ、佳枝に目配せしただけだったが、その仕方が気になったのか、良介がそれを見つめているのに気がついて、思わず振り返った。良介は一瞬、眸《ひとみ》に力を込めたが、すぐに目を逸《そ》らしてしまった。

佳枝と良太とがいなくなってから、三人は改めて顔を突き合わせたが、和子はむしろ、

中断してしまったせいで、もう一度この話題に立ち返ることを厭《いと》う様子だった。

最初に口を開いたのは、やはり崇だった。

「——母さんが傷ついてるのはよく分かるし、それに気づいてあげられなかったことは、僕も悪かったと思う。そういうのが全部、病気のせいだったんだからしょうがないっていう言い方も、ちょっと乱暴だったね。——ごめんね。……だけど、母さんとはこういう話がきちんと出来るから、僕も敢《あ》えて言ってるんだよ。父さんはね、今はそういう状態じゃないんだよ。」

「違うっちゃ！……どう説明すればいいんかねぇ、……とにかく、崇が考えとうようなことじゃないけ。お父さん、昔からお母さんに対して、思いやりがなかったよ。……二人きりになってみて、それがよく分かったけ。」

「……まぁ、長く一緒に暮らしてきて、母さんも、色々と我慢することも多かっただろうけど、……でも、それと今の状況とを結びつけちゃ駄目だよ。そういうことをきちんと一度、時間をかけて話し合うためにも、まずは父さんに元気になってもらわないと。」

崇は、テーブルに組んだ両肘《りょうひじ》の上に身を乗り出して、それまでまっすぐに母へと向けていた目を曖昧《あいまい》に落とした。医者の家庭に育った割に、母が、病によってもたらされた変調を、飽くまで夫の人格に由来するものと見ようとすることを彼は少し怪しんだ。

確かに母に、今日まで被《こうむ》ってきた夫の言動を、夫自身に帰せしめたい気持ちのあることは事実だろう。具体的に何を言われたのかは分からなかったが、母の素直な心配に対して、罵倒《ばとう》に近い言葉が投げ返されたことも十分に想像された。そうした反応を、彼は病のせいだと納得させたかったが、それを受け容《い》れ難いという母の心情に対して、父にはやはり長い結婚生活を通じての責任があるはずだった。

同時に、現状を過大視しないふうの言葉とは裏腹に、母に夫が、病人となってしまうことへの怖《おそ》れがあることは察せられた。それは恐らく、夫が別人になってしまうという根源的な不安と、看病のための現実的な不安との両方に由来しているはずだった。

崇が今、母に理解を促していたのは、病人ではなく、病を見るべきだということだった。取り分けそれは、父の肉体ではなく、精神に於《お》いてこそ、しかも一時的に発現している。今、父の言動の主体は、父本人ではなく病である。病が父に言葉を与え、行動させている。彼はそれを、脆《もろ》い理屈だとは感じたが、母のためには説得的だと判断した。母は、自分でも気がつかないうちに、病人と戦い始めていた。しかし本当は、病とこそ戦うべきだった。彼は、鬱の症状を腫瘍《しゅよう》に喩《たと》えて、実体的に対象化させようとした最初の説明の仕方に、もう一度、立ち返るべきだろうかと考えたが、その時ふと、別の考えが芽生えて、むしろそちらの方が可能性がありそうだと、話の道筋に修正を加えた。

「逆の可能性だってあるよ。夏バテかどうか分からないけど、本当に体調が悪くて、今みたいな状態になってるのかもしれない。腎臓《じんぞう》とか、そういうところが悪くなると、倦《けん》怠感《たいかん》が酷いみたいだから。……うん、僕も思い違いをしてるかもしれないし、とにかく、内科にでも一度、連れて行ってみようよ。それでよく検査してもらったらどう？　まだ、父さんもこの先長いんだし、健康診断のつもりでさ。母さんだって、もう随分と長い間、検査なんてしてないんじゃない？　ついでに二人で看てもらったらどう？」

和子は、まだ言葉を発しかねていたが、表情から今までよりも幾分態度を軟化させたことは察せられた。恐らく内科では、ただ精神科に行くことを承知させるためだけのポウズのような検査が行われるだろう。どこにも悪い箇所は見つからない。その時に、初めて父も母も、医師の勧めによって精神科に行く必要を納得するはずだった。迂路《うろ》を辿《たど》るようではあるが、そうした手順を経る方が遥《はる》かに着実であろう。それを最初から思いつかなかったことを、彼は秘《ひそ》かに反省した。

「もちろん、とりあえずは父さんだけでもいいし。母さんが気が進まないんだったら、僕が説得して連れて行くから。何でもなければ、それでいいんだし。」

「だったら、僕が連れて行くよ。」

ここで、良介が急に口を挟んだ。

「だって、本当に通院が必要だってことになったら、――どうするの？　兄貴はすぐにまた東京に戻っちゃうんだし。僕だったら、車でいつでも帰ってこれるし。」

良介は、兄の顔を正面に見据えた。崇は、その真意を測りかねて、言葉を発するのを躊躇《ためら》った。

「うん、……もちろん、実際に父さんの治療が始まれば、良介にも協力してもらわないといけないと思う。俺も可能な限り、帰ってこようとは思うけど。」

「でも、そんな必要はないよ、きっと。兄貴の考え過ぎだよ。帰って父さんに話したら、ビックリして笑うんじゃない？」

「ビックリさせないように話さなきゃ駄目だよ。」

崇は、良介が冗談のように、幾分シニカルな口調でこの話を伝えて、父が態度を硬化させてしまうことを最も怖れていた。それで事態は、一層困難になるはずである。しかし、家族を説得しようとする自分の言葉に、こうした心情的な反発を招かざるを得ないような、強権的な響きのあることは彼も自覚していた。それは彼なりに、切迫した危機を感じていればこそだったが、家族がただちにその認識を共有出来ないとしても無理はなかった。

「いや、……やっぱり、僕から話すよ。母さんや良介の違和感もよく分かるし、家族が寄って集《たか》って病院行きを勧めるよりも、僕からサラッと言った方がいいかもしれない。僕が気になってることなんだから、僕の意見として伝えてみるよ。何でもないんだったら、崇が心配してこんなこと言い出したっていう笑い話で済むんだから、……ね？　そしたら母さんも、父さんがあんまり部屋に閉じ籠《こ》もってるからよって、苦情の一つも言えばいいんだし。そこから、思ってることを少しずつ話し始めればいいよ。——良介も、明日には発《た》ってしまうから、……そうだね、今晩にでも話してみようかな。」

「……まぁ、……崇がそう思うんなら、そうしてみなさい。お母さんにはよく分からんけ。……」

和子は、納得しかねた様子のまま、しかし最後にはそう呟《つぶや》いた。良介は、小さく嘆息して、手つかずのまま置かれていたケーキのフィルムを剝《は》がすと、急いで片づけてしまおうとするかのように、ぶっきらぼうにその頭にフォークを突き立てた。

5

崇は、父の説得という気の重い仕事に、心情的には家族と一緒に取り組みたかったが、現実的に考えれば、自分独りの方がうまくいくであろうことをよく理解していた。取り分け彼は、父の病に対して、兄弟が互いを牽制《けんせい》し合いながら、奪い合うようにして迫ろうとする事態をどうしても避けたかった。

彼にとって幸いだったのは、この日の父の症状が、前日よりも明らかに良好だったことである。母には、夫が体調の不良を訴えているのを、法事に出たくないことの子供じみた口実と疑っている節があったが、実際に、本田の家に行かずに済んだことが父の気分を軽くさせたらしいことは感ぜられた。留守中治夫は、何日かぶりにシャワーを浴びて、さっぱりとした様子でパジャマから気楽な部屋着へと着替えていた。

母の三面鏡の前に独り座っていた父と、崇は、ベッドの端に腰掛けて、三十分ほど話をした。自分のいないところで、家族がこっそり何やら相談事をしていたという不安を与えたくなかったので、最初に簡単に法事の報告をして、それからようやく本題を切り出した。

父の示した抵抗は、予想していたよりも、遥かにおとなしいものだった。事前に話し合った通り、まずは内科の診療を受けるように勧めたことも功を奏した。総合病院の内科に、予約の段階で相談しておけば、必要に応じて精神科の紹介もしてくれるはずである。

崇は、その最初の診断で、すべてが自分の杞憂《きゆう》に過ぎなかったと判明したならば、そこから更に、別の医師に相談するように家族に働きかけることが出来るだろうかと、父と話しながら考えた。それは、父というよりも、自分にとって決して小さくはない意味を持つ結果であるように感じた。父の症状に対する判断には、ある程度、自信を持っていたが、たとえ正しかったとしても、それに対する拘《こだわ》り方に、家族を訝《いぶか》らせるような過剰さが仄《ほの》めいていることは、自分でも意識していた。彼はそれを、むしろ良介に認め、警戒していたのだったが、こうして父を独占的に説得することになってみると、自分の姿が、この時急に戯画めいて感ぜられてきた。

治夫は、定年後の長い人生のためにも、大きな病院で一度きちんと体の具合を検査してもらうべきだという崇の根気強い説得に、次第に手繰り寄せられていった。彼は、父がもう、現状について正確な思考を巡らせることが出来ないようであるのを看《み》て取って、今はそれ以上の話はしないつもりだった。

話が尽きかけた頃に、階段を踏み締めて下から近づいてくる跫音《あしおと》が聞こえてきた。崇は咄嗟《とっさ》に、良介じゃない方がいいと考えたが、ドアをノックして入ってきたのは、夕食の準備の途中で、濡《ぬ》れた手をエプロンで拭《ふ》きながら様子を見に来た和子だった。

「お父さん、……どう？」

和子は、心配そうに声をかけた。崇は、その母の様子に心を動かされて、改めて、

「とにかく、ちょっと一緒に行ってみようよ。予約は僕がしておくから。三十年以上も働いてきたんだし、この辺で一度、ちゃんと体のメンテナンスをしておかないと。」

と父に微笑《ほほえ》みかけた。

治夫は、顔を上げると、帰省して以来、初めて崇を真面《まとも》に見て、

「……なら、そうしようか。」

と言い、またすぐに目を逸らした。

「うん、良かった。大丈夫とは思うけど、一応ね。」

崇は今度は明るく笑って、母を振り返った。彼女はそれにどう応じて良いか分からず、ただ、幾分頬を緩めて、

「今日は、お食事、どうします？　ここに持ってくる？」

とだけ尋ねた。治夫は、

「ああ、……まだちょっと頭が痛いけ。」

と応じた。崇はそれでいいと思った。

「まァ、じゃあ、明日にでも。騒がせて悪かったね。少し休む？」

と立ち上がった。

「そうだな。……」

治夫は、目を逸らしたまま、小さく二三度頷いた。崇はその時ふと、父が今日、初盆で本田の家を訪れたがらなかったのは、医師である義兄の象一に、自身の現状を見抜かれたくなかったからでもあったのだろうかということを考えた。


夕食の際に、崇は良介に、父の説得に成功したことを告げたが、彼はそれに対して、「そう、……」と応じただけだった。食事を終えると、和子は早々に入浴を済ませて、寝室に下がった。崇は、佳枝が日中買ってきた、動物の絵柄がピースになった木製のパズルでしばらく良太と遊んでいたが、良介が風呂《ふろ》から上がると、佳枝たちに先を譲って、

一旦《いったん》、自室に携帯電話をチェックしに行った。その間ずっと、彼は父のことを考えていた。

二月の会話で、治夫がやや唐突にフィリピンで戦死した祖父栄治の話をしたのを聴いて以来、彼は、父の守ろうとしていた些《いささ》か古風な家父長らしさを、以前よりも複雑なものとして理解するようになっていた。

父にそうあるべきだと教えたのは、祖母の房江だった。教師らしく、面と向かって諭しもしたし、父もまたその思いを察しているふうだった。晩年まで、息子と共に毎朝、仏壇に手を合わせる習慣を捨てなかった義母に対して、和子は見て見ぬふりといった態度だったが、そうした母の微妙な心情は、良介はともかく、崇には敏感に察せられていた。

治夫にはそもそも、父の記憶がまったくなかった。出征の時の光景を覚えているといえばそんな気もしたが、はっきりとした姿は浮かばなかった。その命は、三十年という歳月を経たところで、遠い異国の地で突然絶え、後に続くべき時間を生きられないまま抱え込んでいつまでも生々しく、時折奇妙に間近に感ぜられた。

崇はずっと、父のどこかしら譲りものめいた威厳には、早世した祖父が生き残した生に対する想像が与《あずか》っているのだろうと考えていたが、それが、伝え聞く祖父自身の人格とはあまり合致しないものであることに注意するようになったのは、この半年のことだった。

　父の人格の細目には、確かに、祖母が言葉として語り伝えた祖父の特徴が、至るところに染《し》み亙《わた》っていた。崇もよく聞かされたことだが、祖父の好物で、戦地からの葉書にも懐《なつ》かしいと書かれていた水蜜桃を父が偏愛し続けているのは、祖母の言っていたように、似ているということではなく、その似ていることを喜ぶ母のために、自分でも気がつかないうちに似せているのだと思っていた。そういうことが、色々あった。しかし、祖母の話を聴けば聴くほど、祖父の人柄は温厚で、愛嬌《あいきょう》があり、父のような厳《いか》めしさからはいかにも遠い印象だった。

　男らしさという治夫の信じる美徳に、片親の頼りなさを埋め合わせようとする親子の思いが互いに結び合っていたことは恐らく事実だった。崇はそれを、繊細に思い遣《や》って理解した。しかし、その親子の思いに、何かそれだけでは収拾のつかない、過剰があったとするならば、それは祖父の死が、戦死であったことに外ならなかった。

　祖父栄治は、凡《およ》そ勇壮さからはほど遠い人間でありながら、戦場で恐らくは絶望的に無惨《むざん》な死を、一兵卒として勇壮に死んだ。少くとも、そう信じられていた。崇が今、父の無理の根源に予感しているのは、この無理だった。それはいつでも、戦地で発せられたであろう最期《さいご》の断末魔の叫びを、祖母房江の肉声に隠して、父の耳に響かせ続けていたのではなかったか？……

祖母の死んだ時に、父の住む世界に、一つの亀裂《きれつ》が生じたことは容易に想像された。和子は、彼女なりのいたわりの気持ちで夫を慰めたが、妻の存在が、その時、これまでとは違った、何か新しい、異質な出現として感じ取られたということが、崇にはよく分かる気がした。

父は今、その現実を受け止めるための支えを欠いている。恐らく父の中で、言葉は、水に浮かんで互いに結ばれることなく漂っている難破船の残骸《ざんがい》のような状態なのだろう。母のこの半年の努力は、それを集めては、これからどうにか、二人で生きていくための形に組み直すことだったはずである。語学の勉強などという柄にもないことを母が父に持ちかけたのも、その健気《けなげ》な手探りの表れに違いなかった。

父がそうした母の思いを受け容れることが出来なかったのは、房江の死に対する彼女の心境を、過敏に誇張的に憶測したからだろうと崇は想像していた。

彼は、父の鬱屈《うっくつ》の理由を、一方で、溶鉱炉から遠ざけられ、しかも、出向先で傷つけられたまま、現在の無為へと至ってしまったことだと考えつつも、他方でそこに実母の死が重なってしまったからだと考えていた。その二つの不遇の相次ぐ訪れを彼は父のために恨んだが、しかし、それらがまさに同時に起こり得るのが、人の初老という年齢なのだと思い直した。

かつての自室の机の上に置いたままにしていた携帯は、気がつけば電池がもう殆《ほとん》どなくなってしまっていた。沙希と美菜とからメールが一通ずつ、私大で講師をしている友人から着信が一件あり、メッセージ・センターに伝言が残されていた。

「――室田です。えーっと、メールにも書きましたが、来週辺り、軽くメシでもどうですか？……また連絡しまーす。」

室田秀則は、五年ほど前に知り合った同年の友人で、海外赴任中は最も頻繁にメールのやりとりをした一人であり、今でも二月に一度程度は顔を合わせる仲だった。飲み会の誘いは折々、他の友人からもあったが、定期的に二人で会って話をするというのは、最近では彼くらいのものだった。

伝言を聞いて、崇は折り返し電話したが、留守電だったので、明後日東京に戻ってからスケジュールを確認する旨《むね》のメッセージを残した。途中でいよいよ電池切れになったので、急いで充電器に繋《つな》ぐと、先ほど確認したメールの受信トレイに戻った。

美菜からのメールは、

《明日、親不知《おやしらず》抜くの(＞＿＜)嫌だなぁ。。。

痛くないようにお祈りしててくださいね☆

１５日に福岡から戻ってくるんですねぇ！！　１８日に会いたいです。

はぁ～、何だか最近野菜ばかり食べてるせいか…疲れやすくて。沢野さんはいかがお過ごしですか？》

というものだった。崇は手帳を取り出して予定を確認すると、同じ調子で、

《え、親不知!?　かわいそうに。。。

かなり腫《は》れるみたいよ～★　なんて、おどしてみたりして。

18日、了解です。なんか、おいしいものでも食べたいところだけど、食事、大丈夫なのかな？　リクエストある？？》

と返事を書いた。

沙希からのメールは、いつもより長かった。

《実家に帰省中かな？
世間はお盆休みだというのに、仕事でどーしても納得できないことがあって、上司に噛《か》みついちゃったよ。クビになったら、図書館司書の資格でも取ろうかな（笑）
今、帰りの電車の中なんだけど、向かいに座ってる家族のささやかだけど幸せそうな笑顔を見てたら、些細《ささい》なことで悩んでるのがバカバカしくなってきた。
明日もう一度、話し合ってみます。ゴメンね、グチこぼしちゃった(>_<)》

崇は、美菜との約束を手帳に書き込むと、これにもすぐに返事を書いた。


《おつかれさま。仕事、大変そうだねぇ。例の新しい企画の話？

まあ、愚痴くらいならいつでも聞くから、ご遠慮なく。16日、会えるの楽しみにしてるね。

明日も仕事、がんばって p(^0^)q　おやすみなさい☆》

丁度、入れ違いに美菜からの返信が来たので、彼はそれから、二度、極簡単なメールの往復をして、やりとりを切り上げた。それから、入浴のための準備をして、部屋を出ると、階段の途中で、良太を連れて二階に上がってくる佳枝と出会《でくわ》した。

良太は、崇を見ると、急に笑い始めたが、今にも飛びついてきそうだったので、

「ダメだよ、たっくん。かいだんだからあぶないよ。」

と咄嗟に制した。

崇は、静まり返っている両親の寝室と、テレビの音だけがしている居間とをそれぞれに気にしながら、佳枝に小声で、

「下に良介、いる？」

と尋ねた。

「います。」

「そう？——例の話、……今回は、父さんのこととか色々あって、話さない方がいいと思う。……もう少しだけ、待ってくれる？」

佳枝は、「ええ、……」と何か言いたそうにしたが、良太に腕を引かれて、

「はいはい、ひっぱらないの！……」

とまた階段を登り始めた。

「お義兄《にい》さんに任せます。わたし、どうしたらいいのか、分からなくて。……」

「うん、……慎重にやらないとね。」

崇はそう言うと、良太の頭を撫《な》でて、

「たっくん、おやすみ！　またあしたね。」

と言い、佳枝にも、

「じゃあ、佳枝ちゃんも、ゆっくり休んで。」

と声を掛けた。彼女は、少し微笑んで頷《うなず》くと、

「ええ、……おやすみなさい。」

とそれに応じた。

6

良介は、居間でビールを飲みながらドラマを見ていた。テーブルの上には、３５０ミリの銀色の空き缶が一つ、胴を凹《へこ》ませて立っている。酔いが少し現実を遠ざけたように感じたが、それに抗して、耳はテレビの音を搔《か》い潜《くぐ》り、今し方、階段の途中で止まった三つの跫音に集中していた。

居間に姿を見せると思っていた兄は、階段を降りると、直接浴室に向かった。それが一瞬、自分を避けているように感じられて、彼は心中に不穏な騒《さわ》立《だ》ちを覚えた。胃が張

って、ビールを受けつけたがらなかったが、缶を手放すことが出来なかった。上唇が、鋭利に開いた飲み口の縁に触れる度に、彼は恐る恐るそれを舌で探ってみたが、そのうちに、到頭一度、小さな痛みを感じて、手の甲を舐《な》めてみると、そこにうっすらと血が滲《にじ》んだ。

　時間に煎《い》られているように落ち着かなかった。

『兄貴は一体、何を考えてるんだろう？——いや、違う。これはきっと、僕自身の問題なんだ。……』

　崇はじきに、昔実家でよく見た古いTシャツに膝丈《ひざたけ》の短パンという格好で出てきた。良介はその懐かしさに、もう何年も、夏にこうして実家で兄と会ってなかったことを考えた。

　崇は、良介の手にしているビールを見ると、

「いいなァ。俺も飲もうかな。」

　と冷蔵庫を覗《のぞ》き込んだ。

「あ、ゴメン、これで最後じゃないかな？　ある？」

　良介は慌《あわ》てて言った。崇は、冷蔵庫の奥を探りながら、

「ホントだ。梅酒サワーしかないね。母さんのかな、これ。……ま、いっか。貰《もら》っちゃおう。」

と小さな缶を一つ持ってきて、ソファに座った。良介は、別に移動するわけでもなく、一度小さく腰を浮かせてから、深く座り直してL字に兄と向かい合った。

崇は、缶を開け、吹き出してきた中身に、うわっ、と親指と中指とだけで摘《つま》むようにして胴を持ちながら、急いで口をつけた。それから、溢《あふ》れた分だけを啜《すす》ると、改めて少し飲み、ウェット・ティッシュで手と缶とを拭《ふ》きながら、

「けっこう、ウマいね、これ。」

と良介を見た。良介は、兄のそうした振る舞いが、ポウズなのかどうか、判断しかねたまま、

「うん、そういうのも、バカに出来ないね、最近は。」

と応じた。崇は頷いて、

「夜、家で佳枝ちゃんと飲んだりする？」

とソファの背に身を預けながら言った。

「ん？　ああ、たまにだけど。……昔は全然飲まなかったのに、子供を産んでから少し飲むようになったよ。体質が変わったのか。……」

「へぇ、そう？」

崇は、目を見開いた。

「仕事ではどう？　会社の人と、よく飲みに行ったりする？」

「うーん、いや、あんまり。みんなそれぞれって感じで。僕もまだ、転勤して半年くらいだし。」

「気の合う同僚とかは？　いないの？」

「まァ、……千葉にいた時には一人いたけど、転勤が続くと、どうしても疎遠《そえん》になってしまうね。メールでたまにやりとりするくらいかな。――でも、男同士だから、そんなに頻繁には。」

「そりゃそうだな。俺も、帰国してまだ一年しか経《た》ってないけど、向こうでの人間関係は、もう薄れつつある感じがするよ。……言葉を忘れないようにっていうのもあって、最初はまめにメールを書いたりしてたけど、こっちの生活が忙しくなると、どうしてもね。……」

崇は、よく分かるというふうに言った。良介は、二人きりでの兄弟の会話が、どこか久しぶりに再会した友人同士のそれのように、かつての近しさを持て余して、必要以上のよそよそしさに陥っているのを感じた。その距離の感覚が、今は堪え難かった。

彼は、何か思いきったことを言おうとするように兄をじっと見つめながら切り出した。

「兄貴は、……今の生活に満足してるの？」

「ん？」

崇は、問いかけの唐突さに曖昧《あいまい》に笑って応じたが、咄嗟《とっさ》のことにうまく受け止めそこなって、その言葉を、心中の深いところにまで届かせてしまったことを感じた。良介は、兄の大人らしい、取り澄ました笑顔に反発して、改めて生真面目《きまじめ》な調子で続けた。

「ううん。ただ、日本に帰ってきてから、また元の仕事に就いてどうなのかなと思って。」

「そうだな、……まァ、やっぱり、停滞感はあるよ。三年間も遠ざかってた仕事を、前とまったく同じようにやってるんだから。人生が逆戻りしてる感じはするよ。」

「向こうに居続けることは出来なかったの？」

「向こうっていうのは、海外？　外務省？」

「ああ、……海外の方。いや、外務省かな。」

「そうね、……これは口外出来ないことだけど、実際、外務省に残らないかっていうことを、帰国間際《まぎわ》には、ストラスブールの領事に随分と熱心に言われてたんだよ。」

「そうなの？　どうしてそうしなかったの？」

良介は、驚いたように言った。

「興味がなかったから。海外勤務っていうと聞こえがいいけど、俺が向こうでやってた文化広報関連の仕事なんて、せいぜい、日本から来る国費留学生の世話だとか、お偉いさんの観光ガイドだとか、そんなようなことだったから。——といって、本省勤務なんかになっても、とても勤まらないだろうし、出世も望めそうにないしね。海外にいられたのは良かったけど、そういう生活を自分の生活だと考えることは出来なかったよ。」

「だけど、それで帰国して、図書館の調査員に逆戻りして、政治家の答弁のための資料なんかを作って、……もちろん、それだって立派な仕事だけど、兄貴はそれで満足なの？　それが兄貴のしたいことなの？」

崇は、良介の語気の強さに、

「――酔ってるのか？」

と少し笑みを浮かべた。良介は、兄のそうした態度にいよいよ苛立《いらだ》ちを募らせた。

「酔ってなんかないよ、ちっとも。真面目に訊《き》いてるんだよ。――兄貴の生甲斐《いきがい》は一体、何なの？　兄貴みたいに、やろうと思えば何でも出来るような人が、自分の能力を社会の中で全然発揮しないまま生きてる姿を見ると、僕は何て言うか、もどかしい気持ちになるよ。……兄貴は、自分の人生に対して真剣じゃないよ！　どうして一つのことに一生懸命に取り組もうとしないの？　今の話もそうだし、大学でもそう。研究者になるように、教授に熱心に勧められてた時でも、そんなふうにして自分を認めてもらった時点で満足して、途中で投げ出しちゃうんだ。だけど、それが何になるの？」

崇は、良介の顔から目を離さなかったが、その焦点の移ろいは乱脈だった。良介は、自分の頬が次第に火照《ほて》ってゆくのを感じた。

「買い被《かぶ》り過ぎだよ、それは良介の。自分にどの程度のことが出来るかは、俺自身がよく知ってるから。……それに、誰かに少しは見込みがありそうだと言ってもらって、それだけのことに満ち足りて幸せに生きていられるほど、俺だってさすがにおめでたくはないよ。——だけど、良介から見て、今の俺の生き様が、くだらなく感じられるっていうのは、よく分かるよ。」

「くだらないなんて言ってないよ。ただ、もったいないって言ってるんだよ。……」

「俺はそれを皮肉と取らないで感謝して胸に刻んでおくよ。そういうことを言ってくれるのは、結局、良介だけかもしれない。」

崇は、良介の酔いが思ったよりも深いことに気がついたが、その語るところを青臭い戯《ざ》れ言《ごと》とは聴かなかった。なぜ急に、弟がそうしたことを口にしたのかが、彼にはよく分かったが、それについて語ることはせずに、今はただ、自分の心情を率直に語りたい気分だった。

「だけどね、……正直に言えば、俺は良介が察知しているらしい俺の生活の空虚——いや、俺の生そのものの空虚を満たすための欲望を、自分で信じられないんだよ。何て言うか、意識した途端にね、胸の内で、それが蜘蛛《くも》みたいにくすぐったく這《は》い回り始める。するともう耐えられないんだよ。……俺は昔から、人に褒められるっていうことが苦手だった。子供の頃は、照れ臭いからだと思ってたけど、それだけじゃない。俺は、自分のしたことが、そうして人を喜ばせることに、どうしようもない居心地の悪さを感じたよ。だったら、感情的な反発はもちろんあるけれど、貶《けな》される方がまだ安心出来る。」

良介は、怪訝《けげん》そうに眉《まゆ》を顰《しか》めた。

「どうして？」

「人間は、生きている限り、何かの活動をする。そしてその活動が他人から評価されて、延《ひ》いては活動した当人が評価されるわけだね。しかし、その評価というのは、本当のところ何なんだろう？……どれだけ有り難がられるかということか？　だとすれば、人間はみんな、どこか幇間《ほうかん》みたいなもんだろうな。人前に表れたどんな言動にも、必ず評価への期待が潜んでいる。だけどね、その評価を喜びと感じられなくなったとすればどうなる？　自分の活動が引き起こす現実を、つまりは、こんなものかと感じてしまうなら？　誰かが喜んでいる。しかし、その喜びとは何だろう？　必要が満たされることか？——結構。俺もそうして、自分の必要を他人に負うていて、そのお返しに、せいぜい図書館あたりでサーヴィスに努めているよ。俺はそれで、最低限の社会的なギヴ・アンド・テイクの輪の中に参加する資格だけは維持している。人間相互の依存関係に、平均的な個人として結わえつけられているよ。その意味で、俺は今流行の〈引きこもり〉の連中とは違うけれど、しかしね、その距離は些細《ささい》なものだよ。……俺が何かをして、人がそれを評価し、俺を評価する。繰り返すけれど、それは一体、何だい？　俺の中にも、賞賛を喜ぶ気持ちはあるよ。けれど、すぐにどうでもいいことのような気がしてくる。ネガティヴな評価を下されれば、人はこう考えるものだよ。まァ、それぞれに考えることはあるからってね。自分自身とは関係のないことだと信じようとする。だけど、それを言うなら、ポジティヴな評価にしたって同じことだよ。にも拘《かかわ》らずね、そういうことこそが、人間の生の中心的な活動を促している。――もし俺が、俺の全人格的な表現と信じられるような仕事をしていたとすれば、事情は違うだろうか？　俺が芸術家だったり、スポーツ選手だったり、起業家だったり、……何でもいい。俺は、他人の社会的な生存に対する貢献以上の価値を、他人からの評価として与えられるかもしれない。それでも、俺は考えるだろう。俺の活動が、ある人間の中に、一種の快楽を引き起こす。そしてその喜びを、俺に向けて表現し、俺を価値ある存在として承認してくれる。いいかい、それは一体、何なんだろう？――仕事は仕事で、そんなものだと割り切ってみてもいい。しかし、仕事を離れた活動の中で、俺は俺の人格的な承認のために、何をして、何を喜びと感じるのだろうか？　俺は、他人の欲望を解析するのが得意だよ。言動からね、すぐに分かってしまう。その結果、俺自身の欲望の見当もつく。それで立派な、愛されるべき人間として生きていけるよ。――それがある時、急に嫌になる。すると俺は、巧みに他人の欲望をコントロールし始めるよ。意識的、無意識的に、俺の全言動を通じてね。俺が身につけた言葉の能力というのは、そういうイヤらしいものだよ！　俺はどうしても、他人との交わりの中で、その当事者になれない。間に立って、双方の言葉を調整してしまう。そうして、俺はやはり、愛すべき人間であり得る。さて、それが何なんだい？　それが人間の生きる喜びなんだろうか？　俺は名声には興味がない。しかし、その考えを突き詰めれば、たった一人から蒙《こうむ》る評価だって、捨てなきゃならないだろう。他方で、名誉はどうか？　名声は量的な評価で、名誉は質的な評価だと言う。しかし、俺にはその違いが分からない。誰に褒められるかに拘《こだわ》ってみせることは、実は軽薄なんじゃないかと思う。――いいかい、良介。俺は煩悶《はんもん》してるんだよ！……分からないかい？」

　崇は最後に、ニヤッと笑ってみせた。良介は、その表情を不可解に感じた。

「兄貴は、人を愛してないの？」

「そういうことを、何かの拍子にふと意識することがあるよ。」

「……誰かを愛してるってこと？」

「そう。だけど、あまり深くは考えないことにしている。俺はその内実を知ることが怖いんだよ。」

「どうして？　兄貴は、人を愛する気持ちまで信じられないの？」

「ねぇ、良介、俺はこんな話はしたくなかったんだよ。語れば語るほど、惨《みじ》めじゃないか？　これはしかし、俺だけの独創的な惨めさじゃないよ。俺はね、口で言ってるほどクールでもない。人に喜ばれると、実際は当たり前に嬉《うれ》しいと感じるからね。だけどね、自分という人間が、そういう他人からの承認の束を支えとして存在しているという考えには、救われないんだよ。愛するっていうけど、それは要するに何だろうね？　相手と一緒にいたいってこと？　だったら、どこまでも利己的だな。――違う？」

「違うよ！」

「どうして？」

崇は今度は、先ほどよりも静かに、幾分寂しげに笑ってみせた。

「気持ちの問題だよ。心から、そう思うんだから。」

「どうして一緒にいたいの？」

「好きだからだよ。」

「堂々巡りだね。だけど、俺はこういうことを考えるのが嫌なんだよ。突き詰めるとね、最後は必ず、功利主義に足下を掬《すく》われるよ！　辛《つら》い時に自分を支えてくれる人が欲しい。喜びを分かち合ってくれる人が欲しい。自分を理解してくれる人が欲しい。自分を自分として認めてくれる人が欲しい！――だけど、みんなこれは、自分のためだよ。相手のためなんかじゃない。代わりに自分もそうしてあげるから、お互い様ということだろうか？　恐ろしいな。そうした対価を求めずに、一方的に相手のために自身の存在を供するのが愛だろうか？　だけどね、功利主義的に考えれば、どんな献身だって――殉死《じゅんし》だって！――、みんな自分の利益のためだよ。この理屈は、絶望的に強固だね。誰も決定的には、このシニシズムからは逃れられないと思う。そうした利己的な欲望の中で、人間は他者と交わりながら生きている。それはどうやったって否定出来ないよ。『自然は人類を苦痛と快楽という、二人の主権者のもとに置いてきた。』——吐き気のするようなベンサムの宣言だが、これは俺にとっての頭痛の種だよ。一人の人間と向かい合うことを考える時にはね、何を言って否定してみても、いつもこれにつきまとわれてしまう。まさかこれが、道徳及び立法の諸原理だとは思わないけれどね。……とにかく、ウンザリしてしまう。それはしょうがないことだよ。」

「兄貴は、頭で考え過ぎなんだよ、何でも。人を愛するっていうのは、そんな理屈ずくめの話じゃない、感情の問題じゃないか。」

「しかし、見えているものを見るなと命じるのは無茶だよ。良介だって、色々と自分なりに考えることはあるだろう。」

「でも、人を好きになるとか、愛するっていうのはまた違うよ。」

「そう思いたいよ、俺も。だけど、もし愛を自己愛から切り離せるとすれば、絶対に愛し得ない人間を愛することだろうね。敵を愛せっていうキリスト教の教えは、そういうことだよ。それは、明らかに倒錯だけどね。しかし、功利主義者どもは、そこにも自意識と自己愛とを嗅《か》ぎつけて、迂遠《うえん》なパラノイア的な算段を見て取るだろうがね。」

崇は、少し気の抜けてしまった梅酒サワーを一口飲むと、その缶をテーブルに置いて、ちらと時計に目を遣《や》った。良介は、兄の言葉を不吉に感じ、それに対して、とにかく何か言葉を発しなければならない衝動に駆られた。

「だけど、……僕は家族を愛してるよ。佳枝ちゃんのことも、良太のことも。それに、父さんも母さんも、兄貴もだよ！……それも、僕が自分のために言うことだと思う？」

崇は視線を上げて、じっと弟の顔を見つめた。良介は、兄の頬が微《かす》かに震えているのを認めて、身を強張《こわば》らせた。

ほど経て、崇は言った。

「いや、俺はそれを信じるよ。良介も、そのことを少しも疑う必要はないんだよ。——少しも、ね。」

「兄貴は、……どうなの？」

「もちろん、俺だって、父さんや母さん、それに良介のことを愛してるよ。」

崇は、最後にもう一度、力なく微笑《ほほえ》んだ。

「愛している、……本当に。——なんだか、妙な話になったな。……明日は何時の飛行機なの？」

「……一時くらいだけど。」

良介は、不安を抑えられないまま、ビールの缶を強く握っていた。

「そう？　父さんの病院の件次第だけど、出来たら、荷物持ちがてら見送りに行くよ。」

「いいよ、電車で行くから。」

「うん、まぁ、……行けたらね。」

立ち上がると、崇は、流しに缶の残りを捨てて黙って居間の出口に向かった。良介は、心配そうな顔をしたまま、

「兄貴、……」

と、もう一度声をかけた。崇は、無言で振り返った。

「いや、……おやすみ。また明日。」

「ああ、おやすみ。」

良介の呼びかけに対して、崇は優しく応じた。しかし、その表情にありありと湛《たた》えられた疲労の陰に気がつくと、良介は慄然《りつぜん》として、廊下の暗がりへと姿を消してゆく兄の背中を縋《すが》るように見つめた。

三　秘密の行方

1

体育の授業で生徒の出払った教室は、遠ざかりつつある午前の光を窓際《まどぎわ》に辛うじて引き留めながら、無言のままで、その予定外の侵入者を受け容《い》れていた。二年三組の教室は、階段を上がって左手にぽつんと一つだけあって、廊下はその先で行き止まりとなっている。

白い体操服姿のまま、少年は、音を立てぬように細心の注意を払いながら、辛うじて自分独りが通れるだけの戸の隙間《すきま》から教室の中へと忍び込んだ。

何もかもが秘密のように静止していた。机や椅子《いす》には、男子生徒の白いカッター・シャツとグレーのズボンとが、乱雑に脱ぎ捨てられている。誰もいない教室を、自由に歩き回る興奮が心臓の鼓動を激しくした。階段を挟んだ一つ隣の教室からは、中年の女性教師が、英文を読みながら、生徒に質問している声が聞こえてくる。

狙《ねら》いをつけていた窓際の机に向かうと、しゃがみ込んで、急いで傍らにかけてあるバッグを漁《あさ》った。日差しが眩《まぶ》しかった。教科書や弁当箱、それにバスケット・ボール部のジャージなどを手で掻《か》き混ぜてみたが、探していたものはなかった。それから、椅子を動かして、今度は引き出しを探ってみた。人の所持品の整頓《せいとん》された様が、少年の胸を奇妙に掻き乱した。見つかったのは、筆入れと教科書の類《たぐい》だけである。舌打ちして頭を掻くと、脇《わき》と背中から急に汗が染《し》み出してきたのを感じた。

時計は、丁度、正午を回ろうとしているところだった。グラウンドを離れてから、もう五分以上が過ぎている。少年は、歯軋《はぎし》りしながら、太腿《ふともも》を拳《こぶし》で三度、続け様に殴った。それから、自分自身を落ち着かせようとするかのように乱暴に目を擦《こす》り、額の汗を拭《ぬぐ》うと、ふと、椅子の背に掛かっているズボンの膨らみに目を留めて、重たく垂れ下がったそのポケットに手を突っ込んだ。頬をヒクつかせて、荒々しく鼻で息をした。取り出したのは、オレンジ色の最新式の携帯電話だった。

磨《す》りガラスで下半分が覆《おお》われた廊下の窓を振り返り、改めて人気のないことを確認すると、彼は、震えの止まらない親指でボタンを操作しながら、急いでデータを検索した。幸い、ロックはされていなかった。画像の一覧が表示されると、彼は、目に飛び込んできた写真を喰い入るように見つめた。

口がひどく渇いていた。三枚の写真を急いで自宅のパソコンのアドレスに送信し、焦《じ》れつつその完了を待つと、履歴を消して、ついでに電話内とメモリー・カードの中のすべての画像データを削除した。それから、一旦《いったん》閉じかけた電話を急に思い出したようにもう一度開くと、アドレス帳を検索して、中の一つを自宅のパソコンに転送し、またその履歴を抹消《まっしょう》した。

指紋を消すつもりで、電話を体操服で拭《ふ》くと、ポケットに元通りに戻して、先ほどバッグの底に探り当てていた財布を取り出し、六枚の千円札の中から二枚を抜き取った。そして、財布をバッグの中に押し込むと、ジャージに唾《つば》を吐きかけ、立ち上がって上靴の底で踏み躙《にじ》った。

二枚の札を握り締めて、教室の反対の端の自分の席に向かう途中で、彼は足を止めて、一つの机に近寄った。そして、その椅子に腰掛け、机に覆い被《かぶ》さると、立ち昇る木の臭《にお》いを嗅《か》ぎながらそこに舌で触れてみた。それから、引き出しの中を覗《のぞ》き込み、筆箱を見つけると、中から一本、シャープ・ペンシルを盗んで元に戻した。少年は、再度廊下に目を遣《や》り、サッと今度は背後に目を遣ると、白い体操服のズボンを下げて、硬直した性器で机の縁に触れ、もう一度筆箱を取り出してその表面になすりつけた。

ズボンを上げ、立ち上がろうとした際、不注意にも椅子の音をさせてしまい、彼は緊張に身を強張《こわば》らせた。そして、急いで自分の席に走ると、カバンを開けて乱暴に紙幣を押し込み、シャープ・ペンシルをハンカチで包んで内ポケットの奥に忍ばせた。

深く息を吐いた。出口は開かれたままだったが、その向こうに伸びる長い廊下のことを考えると、急に足が竦《すく》んだ。窓際の生徒が、誰か一人でもこちらを見ていればお終《しま》いだった。走らず、何か用事があったらしく、堂々と出て行くべきだろうか？ 階段へと折れ曲がるそのほんの僅《わず》かな距離が、彼の視界を眩《まばゆ》い光で白く染めていった。心臓が痙《けい》攣《れん》的な速さで拍動して、全身を鳥肌が這《は》い回った。

昼休みを終えると、午後は、〈総合的な学習の時間〉を使って、全校生徒総出で清掃活動が行われた。四年前に赴任した校長の方針で、夏期休暇明けには、心機一転、新しい学期を迎えるためにと、これが恒例となっていた。

四階建ての校舎から伸びる広い日陰に避難して、グラウンドの隅で輪になって座った少年たちは、雑談しながら時折草を引き抜いてみては、ぶらぶらと揺すって土を落とし、面倒臭そうに竹籠《たけかご》の中に放り投げていた。

「オラァ、お前らぁ。口ばっかり動かしとらんで、手を動かせぇや、手を！」

見回りに来た紺のジャージに軍手という出《い》で立ちの国語の教師が、額の汗を拭いながら注意した。その仕草が、いかにもという感じだったので、彼が去った後で、皆で顔を見合わせて、

「マジ、ウゼぇ。」

とその背中に向かって、草をちぎって投げつけた。緑の葉は、風もない宙に虚《むな》しく舞って、数十センチほど先に散ってしまった。

「あー、マジでダルッ。ダルくねぇかぁ？」

誰も返事をしなかったが、そうして黙っていること自体が同意の印だった。そのうちに、ひとりが言った。

「北崎、あいつ、マジでキモイって。あいつがなぁ、夏休みの宿題で描いてきた絵、見たかぁ？」

「いや。どんなん？」

「絶対、病んどるって。なんか、血走ったでっかい目ん玉が何個も描いてあってなぁ、そんで、ヘンな触手みたいな赤いのがニョロニョロ出とってなぁ。所々それが切れて血が出まわって。」

「キモッ！　マジで？」

「絶対、ヤバいで、あれ。頭おかしいっど、あいつ。」

「なんかのパクリじゃねぇだかいや、どうせ。」

「うめぇけど、だらずだわい、あれ。」

「どこにおるだぁ、今？」

「あそこ。ほら、こっちに背中向けて、しゃがんどるがな。」

「ああ、……」

指差した20メートルほど先で、北崎友哉《ともや》は、独りで黙々と草取りをしていた。

サッカー・ボールに座っていた少年は、急に何かを思いついたように、プッと吹き出すと、二年の始めからサッカー部のレギュラーになっている少年にそれを渡して、

「お前なぁ、ここから蹴《け》って、あいつのケツに当てれる？」

と尋ねた。その問いかけに、その場にいた誰もが恐ろしく興味をそそられた。

「ムリだろう！」

「いや、カッチンならイケるけぇ、絶対。」

「頭に当たったらどうすっだい？」

「浮かすなよ！　２０メートルのＦＫ《フリーキック》で、ゴロで強いボール蹴れたらスゴイけぇ。」

「あいつ、今日も四時限目の体育の時間、クソしに行っとったし、ケツに当たったら漏らすんじゃねぇだかいや？」

一同は吹き出した。

「ヤバイで、マジで。ボールにつくし。」

「お前、それ、一年のボール磨きが泣くで。」

サッカー少年は苦笑しながらそう言うと、

「イケたら、あとでジュースおごれぇよ。」

「ええで。その代わり、ダメならオマエがおごれぇよ。」

「アホか、五人分もおごれるか！」

「まぁ、ええがな。やって出来たら、おごったろうや。やれぇ、やれぇ！」

囃《はや》されて立ち上がると、サッカー少年はボールを引き寄せ、二三度軽く足の甲でリフティングをして感触を確かめた。そして、助走をつけ、狙いを定めると、止まったボールをインサイドで強く蹴った。

「おっ！」

ボールは、砂煙を立てながら地面を這うようにして転がっていった。少年たちだけでなく、気づいた周囲の何人かの生徒も、そのボールの行方と、蹴ったまま、体を少し斜めにしながら結果を見守る少年の姿とを見遣った。

「おぉ、イクか？　イクか？」

球威は衰えず、真《ま》っ直《す》ぐ的《まと》へと向かって、最後は彼らでさえ考えてもみなかった光景が準備されていた。ボールは、やや前屈《まえかが》みになった少年の尻《しり》の下に、吸い込まれるようにして、スッポリと嵌《はま》り込んでしまった。少年は、体重を後ろに戻そうとして、そのボールの弾力に跳ね返され、一瞬前につんのめりそうになった。その姿が、見ていた彼らの笑いを爆発させた。

「スゲぇ！　マジで、スゲぇ！　ヤバイでぇ！」

腹を抱えて、みんな息も出来ぬほど笑い転げた。蹴った少年は、空手のミエを切るようなガッツポーズをして、

「よぉっしゃーっ！　ジュースだで、お前らぁ！」

と興奮気味に叫んだ。派手な騒ぎに、生徒たちは、何事かと彼らを振り返った。先ほど通り過ぎた教師は、別の生徒たちの輪に入って作業をしていたが、立ち上がると、

「オラッ、お前らぁ、ええ加減にせえよ！」

と注意した。

友哉は地面に手を突いた後、顔色を変えて立ち上がると、ボールを脇に蹴り、片手熊《くま》手《で》を握り締めて、笑い声の方へと歩き始めた。

少年たちのひとりが、

「おい、なんか、あいつ、こっちに来よっど。」

と言った。皆が一斉に笑い涙で霞《かす》む目を向けた。友哉は、駆け寄るというわけでもなく、ゆっくりと歩いて近づいてきていたが、やや斜視の気のあるその眸《ひとみ》は、熱を帯びたような暗い怒気に満ちていた。

声が届く程度の距離になると、少年たちの中から、

「何だいや？　怒んなよ、そんなことくれぇで。」

という不機嫌そうな声が上がった。友哉は無反応だった。更に数メートル近づいて、彼らの前に立ち止まると、

「蹴ったん、誰だ？」

と微《かす》かに身を戦慄《わなな》かせながら尋ねた。その表情は、人の目に刺すように浸《し》みる曇りを帯びていた。皆が顔を見合わせたが、サッカー少年は、進んで、

「オレだぁ、オレ。──ゴメンな。」

と笑って謝った。次の瞬間、友哉は熊手を振りかぶって、それを相手の顔を目がけて力一杯振り下ろした。

「わぁっ！」

サッカー少年は、咄嗟《とっさ》に身を翻《ひるがえ》したが、顔を庇《かば》おうと上げた右手を熊手が掻いて、一瞬、間を置いた後に、皮膚の裂けた四本の傷から血が滲《にじ》み出した。

「こらぁ！ 何しょうるだぁ！」

教師は、慌《あわ》てて駆け寄ると、

「止《や》めぇっ！」

と更に追い打ちをかけようとする彼を怒鳴りつけた。怪我《けが》をした少年は、止血するつもりで、無意識に傷口の少し上の辺りを押さえながら、

「……痛ってぇ、……」

と、怯《おび》えきった様子で後退《あとずさ》りした。周りにいた少年たちのうち、二人は間に入って友哉を制し、残りの二人は、飛び退《の》いたままその場から動けなくなっていた。

友哉は、熊手を持った手を下ろすと、くるりと背中を向けて、元の場所に戻ろうとし

た。そこで初めて、グラウンド中の視線が自分に向けられていることに気がついた。

ようやく現場に辿《たど》り着いた教師が、

「コラッ、待て！」

と制して、熊手を持った彼の右腕を乱暴に摑《つか》んだ。友哉はその力に、ビクリと反応すると、不思議そうな目で教師を見上げた。そして、急に落ち着きをなくしたように、キョロキョロと周囲を見回すと、声にもならないような言葉を二三、口の中で呟《つぶや》いた。

2

北崎友哉と少年たちとは、保健室で治療を受けたサッカー部の生徒を待って〈進路相談室〉に連れて行かれ、そこで担任と副担任、それに学年主任とを交えて事情聴取が行われた。

事の成り行きは複雑ではなく、双方の言い分にも食い違いはなかったが、むしろその単純さ故《ゆえ》に、教師らは友哉の激発に理解し難いものを感じた。友哉の負わせた傷は、辛うじて縫わずに済む程度の深さだったが、腕に幾重にも巻かれた包帯は、見た目にもかなり痛々しかった。

報告を受けた教頭は、ともかくも双方の父兄に連絡を取り、友哉の母親は学校に呼んで、注意も兼ねて経緯を説明することにした。

北崎志保子《しほこ》が、自宅から歩いて学校を訪れた時、四十手前の理科の教師である担任の尾田は、

「どうも、お騒がせしまして。」

と笑顔で明るく挨拶《あいさつ》され、思わず、

「あ、いえ。……」

と返事をした。そして、すぐにそれを不適当と感じて、生真面目《きまじめ》に表情を引き締め直した。

電話での説明が不十分だったのだろうかと、彼は私《ひそ》かに訝《いぶか》った。テーブルを挟んだ向かいの席に母子を座らせると、

「幸い、大事には至りませんでしたが、相手の生徒が咄嗟に避《よ》けなかったら、場合によっては命に関わる事態になっていたかもしれません。」

と両手を前に組み、友哉を一瞥《いちべつ》して言った。志保子は、目を丸くして、

「まさか。――たかが子供のケンカでしょう？　男の子は元気ですけぇ。」

と、先ほどの奇異な印象が、決して気のせいではなかったことを尾田に改めて感じさせるほど、今度は大胆に、屈託なく笑ってみせた。それに、彼よりも早く、副担任の木下菜穂の方が反発した。

「でも、これを顔に向かって振り上げたんですよ。子供のケンカの範囲を超えてると思いませんか？」

彼女は、熊手を手に取って強い口調で言った。志保子は、まだ二十代らしいその若い教師の言葉に取り合わないような様子で、息子の方に体を向けると、

「あんた、アホだなぁ。こんなんで脅したら、ビックリするだろうが、相手も。」

と失笑するように言った。友哉は、下を向いたまま何も言わなかった。

「学校側としましては、相手の生徒も、自分がからかって悪かったと北崎君に謝りましたし、北崎君の方もさっき彼に謝ってくれましたから、問題を大きくするつもりはありませんが、一応、相手も怪我をしていますし、その点に関しては、親御さんの方からも謝罪していただきたいのですが。」

尾田がそう言うと、志保子は急に険しい表情になって、

「あんた、謝ったん？　なんで？　向こうが先にちょっかい出してきたんだろうが？」

と息子を問い詰めた。友哉は、顎《あご》を引く程度に小さく首を縦に振った。

「そしたら、謝らんでもええだろうが？　どうして？　怪我させたけぇか？　お母さんの目ぇ見て。ほら、ちゃんと目ぇ見て言いんさい！」

友哉は、ゆっくりと顔を上げると、同じように無言で頷《うなず》いた。志保子は、俄《にわ》かに潤《うる》いを増した震えるような目でその顔を見つめた。

「でも、幾ら子供のケンカでも、限度がありますから。確かに、そもそもの原因は相手の生徒たちですし、学校側としましても厳重注意して、親御さんにもその旨《むね》伝えました。ただ、カッとなって、態手を振り上げたりするのはやっぱり、良くないことだというのをわたしたちも先ほどずっと指導していまして、それで友哉君も理解してくれて、謝ってくれたんです。ですから、その点につきましては、ご家庭でも、もう一度よく話し合っていただけませんでしょうか？　他に何か、友哉君の方で言いたいことがあるなら、いつでもわたしたちに相談してもらえればいいですし。」

木下は、尾田から見ればまだ若いだけに、幾分過剰に教師らしく、少し角のある丁重さでそう言ったが、果たして志保子は、これに憤然と反論した。

「そう言いますけど、先生！　先生は、副担任ですか？――ああ、そうですか。じゃあ、この子を受け持ってから、まだ半年でしょう？　その間に、授業以外で何回この子と口利《き》きました？　この子の何が分かっとですか？　友くんは、そんな、誰彼なしにこんなもん振り回すような子じゃないですよ！　気持ちの優しい子ですけぇ！　ただ口下手だから、時々言葉に詰まるんですよ。それはわたしが一番よぉく知っとりますから。この子の母親なんですよ！　それにつけこんで、小学校の頃から、この子に意地悪する子たちがおったんですよ。先生、そういうこと、みんなご存じでした？　何にも知らんでしょう？　友くんに、イヤなことされたら、ちゃんとイヤって言うように教えたのは、わたしですよ。自己防衛のためですから。違います？　何かあったら、学校がこの子を守ってくれっですか？　悪いのは相手の生徒でしょう？　そもそもの原因をきちんと考えてもらわないと困ります！」

「私たちももちろん、北崎君が、ボールをぶつけられて、それにカッとなったことはよく分かるんです。ただ、限度の問題ですけ。今回のことでも、もし間違いが起こっとれば、北崎君自身の人生が台なしになってしまうわけですけぇ。……」

尾田は、宥《なだ》めるように言った。志保子は、

「もちろん、行き過ぎはあったでしょうし、それは言って聞かせますよ。わたしは、この子を甘やかして育てとりませんから。どこの家庭よりも、厳しく躾《しつ》けとるつもりです。それだけは胸を張って言えますけぇ！　ええ。主人でなくて、わたしがいつも躾けてきたんです。今日のことだって、もちろん、分かっとりますよ。もちろん！　熊手を使ったことは行き過ぎですけぇ。そのことはちゃんと叱《しか》りますよ！」

そう言うと、彼女は突然、勢いよく立ち上がって、息子に向かって言った。

「友くん！　立ちんさい！」

友哉は無表情のまま、か細い動物の鳴き声のような椅子《いす》の音を立ててそれに従った。

そして、教師二人の目の前で、息子の顔に両手を当てると、

「ええか？　お母さんの心も一緒に痛いだけぇな。」

と、包み込むようにして撫《な》でたあと、二本の腕を大きく振り上げて、激しく両頬を挟み打った。その音のゾッとするような大きさに、尾田も木下も呆気《あっけ》に取られた。

志保子は、今度はまた息子の両頬に手を宛《あて》がって優しくさすって、

「よしよし、痛かったなぁ。お母さんはなぁ、友くんに人の痛みの分かる子になって欲しいだけなぁけぇ。そのために叩《たた》くだけぇな。分かっとるな？　お母さんの手も痛いだけぇなぁ。……」

と顔を見合わせて囁《ささや》き続けた。友哉は俯《うつむ》いて、やはり口を噤《つぐ》んだままだった。

職員室に部活の顧問を呼びに行く生徒たちの声が、廊下側の窓の磨りガラスに響いている。尾田は、言葉を失ったまま母子を眺めていたが、その気配を察したのか、友哉が一瞬、そうした母の目差《まなざ》しから逃れ出るようにしてこちらを偸《ぬす》み見た。丁度道端に落ちたサイド・ミラーの破片が太陽の光を反射したかのように、それが自分の眸に射るような像を残したことを、尾田はこの時、はっきりと感じた。

北崎英二は、勤め先の文具関係の取次会社から戻ると、台所で待ち構えていた妻の顔を一瞥して、

「ただいま、……」

と下を向いたまま言った。テーブルの上に置いた車の鍵《かぎ》の響きが、固い溜息《ためいき》のようだ

った。

「お父さん、夕方、携帯鳴らしただで。」

「そう？」

「そうよ、もう。友くんが学校で大変だったけぇ。」

「……どうした？」

英二は、余所《よそ》を向いたまま、スーツを脱いでいた。ワイシャツ一枚になって、体が軽くなった分、内に凭《もた》れた疲労が、重たく感じられた。続けて妻が何か喋《しゃべ》っていたが、言葉が耳許《みみもと》で崩れ落ちていくかのように、辛うじて意識に届いたその断片からは、話の内容はよく分からなかった。

夕食の支度は、すぐに整えられた。二階から降りてくると、友哉は父に、「おかえり。」とだけ一言言って、あとはずっと黙っていた。食事が始まると、代わりに志保子が、今日の顚末《てんまつ》を話して聴かせた。

「——若い、まだあんまり経験もないような副担任の女の子が大袈裟《おおげさ》に言い立ててなぁ、わたしも適当に聴いたフリだけしとったけど、あんな感情的な言い方されたら、生徒が言うこと聞かんのも当然だわ。失礼な先生だったけど、ヘンに逆恨みされて、友くんの内申書にいろいろ書かれても困るしなぁ、一応、相手の親御さんのとこにも挨拶に行ってきたけど、向こうもなぁ、別にそんな、謝って欲しいとかいう感じじゃなかったと思うけぇ。どうしたらええだかって感じだったし。大体、男の子だけぇ、元気なんはしょうがないがぁ。なぁ？　昔と違って、学校も過保護になったっていうか、子供同士でちょっとじゃれ合っとっただけなのに、なんであんなに大騒ぎするだろうかぁ。……」

食卓は静寂が領していて、そこにただ、箸《はし》の音、食器の音だけが響いていた。友哉が産まれたのを機に定めた英二の方針で、食事は家族のための時間として、テレビは一切、見ないことにしていた。志保子はこの習慣を誇っていて、町内会の行事などで、近所の母親たちに会ったりすると、よくこれを推奨していたが、意外に賛同者が少なく、「だって、テレビ見ながら、色々喋ったら楽しくない？　社会勉強にもなるし。」とやんわり反論されたりすると、驚いて、そんなに家族の間で話題に困るのかしらと内心かわいそうに思ったりした。

英二は、妻の話に頷きながら、それでも、

「でも、お前、熊手はやりすぎだろう？　本気じゃなくても弾みでどうかなることもあるしな。」

と、息子に向かって言った。友哉は、それに何か言おうとしたが、遮るようにして、先に志保子が反論した。

「そんなん、ちょっと脅しただけだがぁ。本気でそんなもん振り回すわけないだろうがぁ、もう。――フザケて振りかぶって見せただけだなぁ？　なぁ？　いやだなぁ、お父さんまでそんなこと言って！」

「まぁ、……そうだろうけど。」

英二は、その語気に圧《お》されて、あっさりと道を譲るように同意すると、好物の唐揚げに箸を延ばして、いつものように、それをまだ噛《か》んでいる間にご飯を口に詰め込んだ。そうして、自分のために設けられた会話の隙間《すきま》を曖昧《あいまい》にやりすごした。

友哉は、米粒一つ残さずに茶碗《ちゃわん》を空にし、両親が食べ終わるのを待っていた。彼は落ち着かない様子で首を左右に動かしながら、時折、母親の箸に目を向けていた。そのだぶついた軍手のような手が、妙に高い位置で箸を持って、器用に食べ物を摘《つま》む様がおかしくて、仕舞いには、下を向いて声を立てないように吹き出してしまった。

食事を終えると、友哉は、

「……明日の塾のテスト、ちゃんと準備しとるだか？」

という母親の言葉に、

「うん、しとるよ。」

と頷いて階段を駆け上がった。自室のドアに鍵をかけ、パソコンに飛びついて電源を入れると、画面の立ち上がるのを机を叩きながら待った。彼は、歯を喰い縛って笑いのない笑顔を作った。デスクトップからアウトルックを開くと、夕食前に既に一度確認していた〈広畑純也〉からのメールをダブルクリックした。受信日時は2002/9/5　11:56となっており、件名もメッセージもない代わりに、画像ファイルが三つ添付されている。いずれも、携帯電話のカメラで撮影された小さな写真だったが、被写体の像は鮮明だった。

一つ目のファイルを開いた。モニターの中央にセーラー服姿の少女が現れて、自室と覚しき部屋で、こちらを向いてピースをしながら笑っている。次いで二つ目。同じ少女が、今度はやや俯いて、やはり少しだけ微笑《ほほえ》みながら、薄い水色のTシャツをたくし上げ、ブラジャーのカップを下げて、水着のあとを白々と浮き立たせた乳房を、腕で挟んで少し中央に寄せている。そして、三つ目。クリックとともに開かれたのは、まだどこか、心許ないほどに薄っすらとしか覆《おお》っていない陰毛の谷間で、男女の性器が、体液に濡《ぬ》れながら繋《つな》がり合っている写真だった。

始業式の日の朝、いつものようにホームルームの始まる十分前に登校した友哉は、教室の片隅で、数人の生徒たちが、バスケット部の広畑という少年を取り囲んで、何かを必死に覗《のぞ》き込んでいる様を目にしていた。

生徒たちは、「見せて見せて！　おお、スゲぇ！」という興奮しきった声と、「しっ！うるせぇぞ、オマエ。」とそれを制する声とを交互に響かせ、押し合いへし合いしながら、その中心へと首を突っ込んでいた。あとから登校してきた生徒たちも、当然のようにそこに合流したが、二三人が許されただけで、あとは門前払いだった。

「見せてや、オレにも。いいがぁ、頼むわ。……」

そんな怨嗟《えんさ》の声が、教師が来る直前まで聞こえていた。

騒ぎが何であったのか、友達が知ったのは、放課後になってからだった。清掃の時間、彼は、担当をしている音楽室の片隅で、同じ班で今朝その輪の中にいた生徒の一人が、別の生徒に向かって、長い箒《ほうき》の柄に凭れて体を揺らしながら、両目を口のように大きく開いて、「ゼッタイ、ゼッタイ、誰にも言うなよ！　ゼッタイだぞ！」とヒソヒソ声で喋っているのを耳にした。

「分かったから、早く言えよ。」

「ハタさんな、夏休みに久賀とヤッちゃっただって。」

「マジで!?　ウソだろう？」

「マァジだって。オレ、[illegible]で久賀のオッパイ、見たし。」

「マァジぃ!?　あっ……ほんとマジで!?　写メ撮っとるだかぁ？」

「おう！　アソコも写っとったし。ハメ撮りだけぇ。」

「ウッソ！　オレ、あいつ探してくるけぇ！」

「バカ、オレが言ったってバレるだろう！」

「言わん、言わん。絶対、言わんって！　噂《うわさ》で聞いたって言うし！」

聴いていた少年が、箒を投げ出して走り去ったあと、笑ってそれを見送った少年は、ふと友哉の視線に気がついて、険しい表情で睨《にら》みつけた。そして、歩み寄ってくると、

「オイ、このボケ。おまえ、あとやっとけよ。」

と箒を渡して、自分も荷物を持って部屋から出て行った。友哉は、誰もいなくなった音楽室で、何度となく舌打ちしては、右往左往しながら何かを呟《つぶや》き続けていた。

三枚の画像を並べて見比べ、首を傾けながら、友哉はそれらを右に回転させたり、左に回転させたりした。それから、二つ目の写真を画面いっぱいに拡大してみたが、画素数が少なく、倍率を上げるにつれ、少女の姿はブロック状に崩れていった。

激しい貧乏揺すりに、モニターがずっと小刻みに震えていた。しばらくそうして、画像を弄《もてあそ》んでいた彼は、思い出したように椅子から跳ね上がると、床に投げ出したバッグの内ポケットからハンカチに包まれたシャープ・ペンシルを取り出して、ズボンと下着とを膝《ひざ》まで下げ、改めてパソコンの前に座った。そして、硬直した性器とペンとを右手で一緒に握って、少女の写真を眺めながら自慰を始めた。

ほとんど真面《まとも》な像は結ばなかったが、それでも彼は、ぼんやりと、いつも教室で眺めている彼女の姿を思い浮かべた。乳房の写真を拡大し、それが彼女に窃《ひそ》かに隠し持たれていたことを不思議がるように、しげしげと見つめた。それは、記憶の中にあるかつての同年の少女たちの、まだ何も兆《きざ》す気配のない、口を利く術《すべ》を知らなかったような幼い

胸とは、あまりに隔たっていた。彼は、ネット上で収拾したポルノ動画の映像の断片と重ねながら、少女の乳房に自身の手の指が喰い込み、その形を自在に変えられてゆく様を想像した。それから、彼女の中に半ば身を沈めた性器を眺め、軋《きし》むような血の充溢《じゅういつ》に総毛立った。両脚の筋肉が硬直した。シャープ・ペンシルの違和感に、快楽が棲処《すみか》を見つけて蟲《むし》のように蝟集《いしゅう》した。次の瞬間、踏むべき階段が、突然崩れ落ちてしまったかのように、性器はその昂進《こうしん》の内圧に自壊して痙攣《けいれん》的な射精を繰り返した。

重たい熱を帯びた息が、固く結んだ口からは逃れられずに、幾度となく鼻孔から吐き出された。少女のシャープ・ペンシルは、噴出した精液に性器とともに無抵抗に塗《まみ》れた。友哉は、内に固く閉ざしたようなそのしずくを親指で潰《つぶ》すようになすりつけ、滑《ぬめ》りの中で彼女の握った手の気配を探った。それから、ティッシュペーパーで、飛び散った精液を粗方拭《ふ》き取ると、下着とズボンとを穿《は》き直して、銃弾で撃たれた人を真似《まね》るように、ベッドに仰向けに倒れ込んだ。

早い心拍が、背中から落ちて、波紋のようにシーツの上に響き続けた。ゴミ箱の中から立ち昇るイヤな臭いが、彼の嗅覚《きゅうかく》に潜り込み、水に濡れた角砂糖のようになった意識に触れた。それは、この瞬間まで彼の肉体の内部に閉ざされ、誰にも嗅《か》ぎつけられることなく潜んでいた臭《にお》いだった。今この鍵を下ろされた部屋の内部には、その固い圧縮を解かれた臭気が広がり、横たわる彼を外側から包んでいた。彼はむしろ、内と外とを裏返されたかのようだった。

そのまま五分ほど、友哉は浅い眠りに落ちていた。意識が形を留めなくなってゆく中で、彼は耳の奥で、自分について語られる複数の囁き声を聴いた。

――北崎、カッチンにキレたんだって。――マジで？――もうちょっとでカッチン、殺されるとこだっただけぇ。――ウソ！――あいつ、キレさせたらヤバイだけぇ。普段おとなしいけど、キレたら誰も手がつけられんだけぇ。……

――北崎クン、キレたってホント？――うん、鹿島のバカらぁがからかっただけぇ。――うそぉ？　かわいそう。――これまでも、よっぽど我慢しとったんじゃないだかぁ？――なぁ？――っていうか、あいつら、ほんとバカ。死んだ方がええって。――安由実、慰めたれば？……

友哉は、ノート型パソコンの固唾《かたず》を呑《の》むような動作音で、また現実に連れ戻された。天井の明かりが、ずっと眠りを照らし続けていたことが、目覚めてからむしろ苛立《いらだ》たしく感じられた。

体を起こすと、脈打つような頭痛がした。搔《か》きむしるようにしてこめかみの辺りを擦《こす》ると、彼はまたベッドを降りて机についた。

スクリーン・セーバーの向こうで、久賀安由実は、裸のまま、服も着ないで健気《けなげ》に待っていた。友哉は、親指の爪《つめ》を嚙みながら、粗い画像の中に埋め込まれて、身動きが取

れなくなってしまった彼女と向かい合った。ほど経て、階段の下から、

「友くーん、お風呂《ふろ》入りんさーい。」

という声が聞こえてきた。様子を見に上まで来られることを嫌って、

「……はーい。」

と返事をした。耳を澄ましたが、階段を登ってくる気配はなかった。

マウスを動かして、一旦《いったん》、画像をフォルダに保存すると、ブラウザを開いて、彼がいつも閲覧している投稿型のポルノサイトの掲示板にそれらを貼《は》りつけた。写真の下には、次のようなコメントが書き添えられた。

《頼めばなんでもヤラせてくれる淫乱《いんらん》○学生。漏れもお世話になったよ（藁《わら》　メアドは、**happy-ayumi. 0523@ezweb. ne. jp**》

そして、サイトのＵＲＬをコピーすると、安由実本人に宛《あ》てて、ヤフー・メールで次のような内容を書き送った。

《君のこんな写真が出回ってるよ**w**　カワイソウ二。…削除の方法とか、相談に乗ってあげようか?》

送信完了の表示が出ると、彼は送信済みトレイでそれを確認し、裸像がまた増殖して、パソコンの至るところに散らばってゆくのを喜んだ。そして、宛先不明でメールが戻って来ないかを確かめるために、送受信ボタンを何度もクリックし続けた。メールは届い

たようだった。返信を待つ間、彼は、二ヶ月前にテンプレートから自分で作成したホームページにアクセスし、日記のページに飛んだ。黒一色に塗り潰された画面に、細かな白抜きの文字がぎっしりと詰め込まれている。上部に一際《ひときわ》大きく記されているのは、《孤独な殺人者の夢想》というタイトルである。

友哉は、顎《あご》を手で支えながら、前のめりになって前日の日記を読み返した。そして、キーボードに手をかけると、無表情のまま、途中、一度も滞ることなく、文字を入力していった。

《……なぜ、愚劣なる者どもは、私を追いつめようとするのか？

孤独な殺人者の手は、やはり、奴《やつ》らの血で穢《けが》されねばならない宿命なのか？……

今日また、孤独な殺人者は、賤民《せんみん》どもの劣悪なる迫害を受けた。無知で、無能で、虫けらほどの価値もないゴミども。…奴らは、孤独な殺人者の高貴なる正体を知らないのだ。

奴らを黙らせるには、やはり、思いしらせてやるしかないのか？　復讐《ふくしゅう》の裁きは、鋼《はがね》の剣によって下される。奴らは、腐りきった己の血の臭いを嗅いで、孤独な殺人者の足許に平伏《ひれふ》すだろう。

……夜、ａｙｕが突然家に来た。

孤独な殺人者は、何も言わなかったが、彼女は恋人の異変に気が付いたのであろう。自分から服を脱いで、抱いて欲しいと言ってきた。私はそんな気分ではなかったが、あとには引けず、望み通りにしてやった。ａｙｕは、狂ったように何度もイッた。セックスの最中、私に裸の自分を写真にとって欲しいと懇願した。それをお守りに持っていて欲しいというのだ。孤独な殺人者は、何枚か、写メをとってやった。本当は、こんなことはしたくなかったのだが。これも浮き世のさだめなのか。……

ａｙｕは、心に傷を負っている。昔つきあっていた男に虐待《ぎゃくたい》されていたからだ。孤独な殺人者は、ａｙｕのために、そいつに復讐することになるだろう。ａｙｕはきっと止めるだろうから、黙っておくしかないことだが。

隠し続けるのも、もう限界だ。ａｙｕには、近いうちに、私の正体を明かすことになるだろう。

……》

書き終わって読み返すと、友哉は変換ミスを訂正して、日記をアップロードした。画面に文章が現れると、彼はそれをしばらく鏡のように眺めていた。そしてまた、裸体の安由実の画像を開くと、モニターの上でその輪郭を人差指でなぞってみた。うっすらと覆っていた埃《ほこり》が、人の形に拭《ぬぐ》われていった。

下から再び、母親が呼ぶ声が聞こえてきたが、彼はそれに返事をしなかった。

安由実からの返信は、まだ来なかった。

3

夕方、仕事を終えて帰宅してから、崇はずっと、パソコンの画面に向かっていた。昨日までの晴天と打って変わって、今日は朝から、傘も役に立たないほどの豪雨だった。日暮れとともに、また一段と気温が下がって、部屋に戻って長袖《ながそで》のパーカーを着ても、少し肌寒いほどだった。

七時半から新宿で、友人の室田と会う約束をしていた。

崇は画面右下の時計をそれとなく気にしながら、昨晩更新されたらしいそのサイトの日記に、机に肘《ひじ》をついて、顔の前で組んだ両手の親指に顎を乗せた姿勢で、じっと読み入っていた。

室内の暗さは刻々と密になっていった。モニターの光に照らし出された彼の顔は蒼白《あおじろ》味《み》を帯び、眼窩《がんか》に深い影を落としている。前髪の奥に覗《のぞ》かれる広い額は冷たく張りつめ、眉根《まゆね》の狭間《はざま》はそれを砂時計のガラスの縊《くび》れのように絞って、まっすぐに伸びた鼻梁《びりょう》へと渡している。時折不意に、眸《ひとみ》がスタンドの光を反射すると、その繋ぎ目が緊張を帯び、崩れそうになりながら小刻みに震えた。

小さく息を吐いて、キーボードに手をかけようとした時、それを制するかのように、突然、傍らに置かれた電話の子機のプッシュボタンが点滅し始め、少し遅れて呼び出し音が鳴った。彼は一瞬、身を強張《こわば》らせたが、発信元を確認すると、受話器を手に取り、通話ボタンを押した。

「もしもし。」

「あ、もしもし、崇？　お母さんだけど。」

「うん。」

「今、大丈夫？」

「うん、……。」

ほんの数秒、目を逸《そ》らした隙《すき》に、画面がスクリーン・セーバーに変わっていたのに気がついて、マウスに触れて元に戻すと、時間を確かめた。

「いいよ。もうちょっとしたら出かけるけど。」

彼は、そこで再び目にした日記の言葉が、母との会話に混濁してゆくことを嫌って、椅子《いす》を立つと居間のソファへと移動した。

「そうね？　じゃあ、手短に。――今日ね、お父さんを三回目の診察に連れて行ってきたんよ。前回からまた二週間経《た》ったけ。」

「ああ、そうだったね。どうだった？」

「うん、まだボチボチやけどね、少しずつ良くなっていきようみたい。先生もね、若いけどすごく親切で、色々親身になって相談に乗ってくれるし、助かっとうよ。」

「そう？　良かった。」

「うん、本当に。最初の一週間はね、前も話したけど、薬が合わんかったんか、睡眠薬飲んだら朝ずっと吐き気があったりして、お父さんもイライラしとったけど、段々と治まってきてね。お母さんには分からんけど、不安な気持ちを抑える薬とかも処方してくれて、――そしたらね、お父さんこのところ、ちょっと調子がいいんよ。今日も、庭に出て植木を弄《いじ》ったりしよったし。」

「ああ、外に出たんだね？　良かったよ。……そっちは晴れてるの？」

「そうよ。東京は？」

「大雨だよ。」

　崇は笑って言った。

「うまくいってるみたいで、とにかく良かった。僕もちょっと安心したよ。」

「ねぇ。崇にも心配かけたけど。」

「ううん。でも、まだ焦《あせ》っちゃダメだよ。ゆっくり静養すればいいんだから。気がついたことがあれば、何でも先生に相談すればいいし。母さんも、ちょっと気が楽になったんじゃない？」

「そうそう。先生もね、おんなじこと言いよったよ、焦ったらいけんっち。鬱《うつ》病はそうみたいね。」

「うん、そうだよ。義務感とかね、そういうプレッシャーが良くないみたいだから。」

「ね、そうね。……」

和子は、ここで少し口籠《くちご》もった。崇は、母の方の近況を尋ねようと口を開きかけたが、その前にまた受話器の向こうから声が聞こえてきた。

「……本当に、崇に言ってもらって良かったよ。先生もね、連れてくるのが遅かったら、もっと酷《ひど》くなっとったやろうっち話されよったし。——お母さん、崇が急にあんなこと言い出した時には、ビックリして反対したけど、……ゴメンね。崇のお陰よ、これも。」

「いいよ、そんなこと。僕も唐突に言ったから。もっと上手に説明できれば良かったんだけど。」

「ううん。良ちゃんもね、この前帰ってきてくれて、二人で話よったんよ。やっぱり、崇がおってくれて良かったたっち言って。」

「良介が？」

「うん、そう。」

「そっか。……そっちに時々帰ってるんだよね？」

彼は、楽な姿勢で座っていたソファから体を起こして前屈《まえかが》みになった。

「うん、あれから二回くらいかね。この前の日曜日も。」

「そう?……どんな調子?」

「うん、別に、いつも通りよ。あの子もお父さんのこと心配しよったけ、僕も力になるっち言ってくれとうし。お父さんもお母さんも、ホント、孝行息子を二人持ったよ。」

彼は、気配だけが伝わる程度に微笑《ほほえ》んでみせた。

「まぁ、……良介は僕よりもそっちに近いし、色々と助けになってくれるよ。」

「そうね。でももう、大丈夫よ。崇も忙しいのに、気を遣わせたね。」

「それは全然、平気だけど、……」

「あ、そろそろ、出かける?」

「ん?　ああ、……」

と時計を見て、

「そうだね。父さんは、今は?」

「今はね、もうご飯も食べて、お風呂よ。」

「そっか。じゃあ、よろしく言っておいて。」

「はいはい。崇も、風邪引かんように。」

「うん、母さんも、気をつけて。何かあったら、僕にでも良介にでも相談してね。」

「はい、じゃあね。」

「うん、じゃあ。……」

電話を切ると、しばらく手の中の受話器を見つめていた後、彼は首をやや傾けて、思いつめたような表情で床に視線を落とした。そして、ソファの上に電話を転がすと、喰い入ろうとする思念を引き剝《は》がそうとするかのように、右手でゆっくり一度、前髪を掻き上げた。

室田からメールで場所を告げられていたのは、新宿駅東口近くの雑居ビル内の居酒屋だった。七時を少し回って店に着くと、靴を脱いで上がる奥の席に、彼の座っているのが見えた。照明は落とし気味だったが、向こうもすぐに気がついて、合図をするように軽く手を挙げた。

「――久しぶり。」

「メッチャ雨降っとるな。」

「ああ、すごいね。東京だけみたいだけど。」

「そう?」

「うん、さっき実家の親と電話で喋《しゃべ》ってたから。」

席に着くや、待ち構えていたかのように、店員がおしぼりを持って来たので、ついでに二人で中ジョッキの生ビールを注文した。

「雨と言えば、ヨーロッパの方はスゴかったみたいやな、洪水《こうずい》で。」

「ああ、ハンガリーとか、あっちの方ね。フランスは大丈夫だったみたいだけど。」

「あ、ほんま。……」

店内は、天気のせいもあってか、週末の割には混み合っていなかった。彼らの隣には、六人分ほどの空席に〈RESERVED〉の札が置かれていた。

「ここ、たまに来るの？」

「いや、ネットで調べとったらクーポン券がついとったし。」

室田は笑って言った。

ビールはすぐに来た。料理を注文して乾杯すると、どちらも続け様に二三口飲んで、ほっとしたように息を吐いた。お通しのきんぴらごぼうに箸《はし》を延ばしながら、室田は、

「どう、最近は？」

と尋ねた。崇は、知らぬ者が見れば、何かに驚いているのかと思うような彼のその表情に、いつものような親しみを感じた。

「ああ、……まあまあかな。そっちは？」

「うん、相変わらず忙しいけどな。子供の世話もあるし。」

「幾つだったっけ？」

「まだ七ヶ月やわ。」

「そう？　かわいいだろう？」

「かわいいな、ほんまに。我が子ながら。」

室田は、少しも嫌味のない口調で言った。崇は微笑んだ。それからしばらく、世間話程度の話をした。料理は次々と運ばれてきて、たちまちテーブルの上を埋め尽くし、二人ともすぐにジョッキを空けてしまって、富乃宝山のロックをそれぞれに注文した。

グラスが来ると、氷を指で掻《か》き混ぜながら、室田が言った。

「ああ、そう言えば、なんか、沢野のフランス語の講演録みたいなのがネットに出とったで。」

「フランス語？　何だろう？」

「なんか分からんけど、タイトルだけ見たら、ＭＩＳＨＩＭＡの話みたいやったな。」

「ああ、……あれか。」

崇は頷《うなず》いた。ウェイターが、ほっけの塩焼きを運んで来て、

「ご注文は以上でよろしかったでしょうか？」

と尋ねた。室田がそれに、ハイハイと煩《うるさ》そうに返事をするのを待って話を続けた。

「向こうにいた時に、丁度、三島由紀夫の没後三十周年でね。ストラスブールの大学でシンポジウムがあって、頼まれてちょっと喋ったんだよ。フランス人は好きだから、三島が。最近は、若い子なんかは村上春樹とかだけど。」

「そう？　文学の話？」

「いや、切腹の話だよ。《憂国》のヴィデオを見せながら。」

崇は笑った。

「ああ、あのスゴいヤツか？　観《み》たことないけど、噂《うわさ》では。」

「そう。もともと、なぜかあれが向こうの大学にあって、それで、この話をしようと思ったんだけどね。」

「へー。日本じゃ見られへんやろう？」

「今はね。今度新潮社から出る全集には入るみたいだけど。」

「そう？　で、講演の反応はどうやった？」

「まァ、感心したみたいに聴いてたから、最後にヴィデオを見せたら、ドン引きだったな。」

室田は、口の中にささみチーズフライを詰め込んだまま、さもおかしそうに笑った。崇も苦笑してみせた。

「フランスのロマン主義って、一八三〇年代がピークで、運動としては四三年っていうのが節目の年になるんだけど、そこで終わってるんだよ。ところが、ボードレールは、四六年のサロン批評で、突然、『ロマン主義を語ることは、現代芸術を語ることである』とか言って、それを熱烈に擁護するんだね。これはアナクロニズムというわけじゃなくって、要するに彼の言うロマン主義っていうのは、脱構築されてるんだな。そういうモダンな、ロマン主義の脱構築者としてのボードレールに目をつけたのが、ベンヤミンだよ。〈新しい戦慄《せんりつ》〉っていう、例の衝撃《ショック》の美学だけど、これが二〇世紀前半の芸術を決定的に特徴づけている。その議論をもっと体系的に洗練させたのがアドルノの美学で、彼が言ってるみたいに、近代の合目的的な社会っていうのは、世界が普遍的な同一性の呪縛《じゅばく》に捉《とら》えられた姿なわけだけど、芸術は、そこに、同一化不可能な非対象的対象をショッキングに、破壊的に出現させて、一矢《いっし》報いるわけだね。俺はそれが、戦後社会に対する三島の内臓だったと説明したかったんだよ。」

「なるほどねぇ。」

室田は頷きながら聴いていた。

「三島の徹底的に鍛錬された腹筋が切り裂かれて、腸が飛び出してくる瞬間のショックというのは、そうして考えると、よく分かるよ。あとで聴講者から、あなたは、三島の切腹を政治的なパフォーマンスというより、一種のパフォーマンス・アートとして捉えているのですかっていう質問が出たけど、その考えを退ける理由は、それで三島が死んだっていう事実だけだろうね。芸術が政治的意匠を纏《まと》うこと自体は珍しくもなんともないんだから。──実際のところ、破壊するために、わざわざ被抑圧者であり、かつ抑圧者としての腹筋をまず自分で作り上げるっていうのは、芸術家の振る舞いだよ。そういう形式主義はモダニスト的だね。敵が必要だから共産主義を敵にするっていうのと同じ、三島的な倒錯もあるんだろうけど。……三島は、最後にはロマンチックに日本回帰したけど、彼の血塗《ちまみ》れの腸《ガッツ》は、やっぱりちょっと、そうした文脈の中でも、象徴化しきれないものじゃない？　あれだけ言葉に長《た》けた人だっただけに、猶更《なおさら》それが際立《きわだ》つと思うよ。戦争的なるものというか。……《憂国》を見せたら、向こうの人はみんなゲッソリしてたけど、でもそれがこちらの意図だったからね。彼らも俺の話を聴いて、よく分かるって感じたことと、フェイクとは言え、あの切腹シーンを見せられたショックとは別物に感じたんじゃないかな。……」

「フーン。スッキリしとるなぁ。俺でも分かるわ。」

室田は、話の途切れたのを見計らって、急いで箸を延ばすと、汁をしたたらせながら、牛すじを二切れほど口の中に放り込んだ。そして、改めて頷き直した。崇は、その言葉に微《かす》かに聴き取れる皮肉な響きに、むしろ我が意を得たりという感じを抱いた。

「そう、スッキリしてるんだよ。」

彼は、冗談めかして言った。

「自殺の意味自体は、もちろんもっと複雑だろうけど、切腹の話だったからね。この時の話が面白がられて、このあとも、向こうの日本文学研究者たちと時々連絡を取ったりしてたんだよ。」

「ああ、それで、シンポジウムとかにも出とったんか？」

「そう。メールで書いたみたいに。CEEJAっていう——Centre Européen d'Etudes Japonaises d'Alsace の略だけど——日本文学研究の拠点みたいなのがストラスブールにあったから。あとは、……何をやったかな？……あ、そうそう、それこそ、室田もやってる〈身体論〉をテーマにしたシンポジウムがあって、《森鷗外《おうがい》と衛生学》みたいな話をしたな。」

「ほう、それはどんなんやったん？」

室田は、関心のあるらしい様子で目を見開いた。

「まぁ、フーコーだよ。鷗外みたいなエリートが、政府から、医学の中でも特に衛生学を学ばされたっていうのは、《知への意志》の例の生-政治《ビオ・ポリティクス》の概念を使うとよく理解できるからね。」

崇は、室田がもう少し聴きたいふうな顔をしているのを認めて、手短に補足した。

「封建制の権力が恣《ほしいまま》にしたのは、ご存じの通り、支配民を殺すか、生きるままにさせておくかっていう権利だったけど、明治政府は、どう生きさせるかっていうような、人間の身体を積極的に管理経営する近代型の権力のあり方に対して嗅覚《きゅうかく》が良かっただろう？　そこを権力の網目の結節点にしたし、翻《ひるがえ》って考えても、富国強兵を実現しようと思えば、国民が健康じゃなきゃ話にならないんだから、当然だけど。洋行先で公衆衛生を学ばされた鷗外なんて、そういうフーコー的な権力としての知の尖兵《せんぺい》だったわけで、あの人の身体感覚は、自然主義作家なんかが持っていたそれと、全然違ったと思うんだな。例えば、《キタ・セクスアリス》とか読んでも。……」

「まぁ、そうなんやろうな。そんなに森鷗外について詳しくないけど、文体からして、そんな印象やしな。」

「そう、本当に。鷗外の医学論文は、政治的な文脈で読みなおされる必要があるだろうね。藩閥政治とか、リアル・ポリティクスの側から色々書いてるのはあるけど、そうじゃなくて、テクスト自体の政治性っていう意味で。——まぁ、惜しむらくは、臨床経験が乏しかったから、医師としてはミソもつけてるけどね、確かに彼は。」

「ああ、なんか、日露戦争の脚気《かっけ》の話とか、読んだことがあるわ。……しかし、面白いな。読めるん、その講演？」

「英語とフランス語との両方で書かれた議事録みたいなのがあるから、今度、渡すよ。俺の話はともかく、他にも一つ二つ、面白い報告もあったし。」

「そう？　読むわ。——ああ、そうそう、それで思い出してんけど、……」

そう言いながら、室田は黒いナイロン製のバッグから本を一冊取り出して、崇に手渡した。

「今度、恵比寿の写真美術館でインスタレーションやるし、また時間があったら覗《のぞ》いてみて。コンセプトとか書いたカタログやけど。」

「あ、ホント？　ありがとう。企画展？」

「そう、ヴァーチャル・リアリティ関連の。ずっと取り組んでる画像処理技術の共同研究の成果やけど、この前、ＣＧ学会でデモやったら、結構評判も良かったし、それを多少アレンジしてね。」

「へぇ、……」

「人間の指の動きを赤外線カメラで認識して、インタラクションに生かそういう発想なんやけど、……ちょっと、見といて、それ。トイレ行ってくるわ。」

そう言うと、室田は席を立った。崇は箸を置いて、パンフレットの中身に目を向けた。

《touches》と命名されたその作品の解説には、参照用に、光沢のある白いアクリル板のようなものの上で、人の手がトマトを握り潰《つぶ》している写真が三点添えられている。

Fig.1は、ゆっくりと握った手の隙間《すきま》から、崩れたトマトの実が溢《あふ》れ出しているもの。Fig.2は、握る速度を上げて、鈍い角度でトマトが周囲に飛び散っているもの。そして、Fig.3は、瞬時に握り潰されて、破裂したようにトマトの実が散乱したものである。

本文を読もうとしていた時に、室田が戻ってきた。顔を上げると、いつの間にか隣の席で合コンを始めていた大学生らしい六人を、彼がそれとなく気にしている様が目に入った。

「知り合い？」

崇が小声で尋ねた。

「いや、授業に出てる子に似てる気がしたけど、ちゃうみたい。」

「そう？——これ、面白そうだね。」

「ああ、ほんま？　ありがと。手の動きとか、大きなジェスチャーを認識するんはそんなに難しくないんやけど、指先の動きを速度まで認識するっちゅうんが、結構難しくて。色で認識しようとすると、どうしても照明とか背景とか、環境の影響が大きいし、赤外線カメラで体温の近傍を撮影するんが一番安定的なんやな。」

「なるほどね。軍事的な利用もそういう理由だろう、赤外線カメラは。」

「そうそう、《プレデター》とかね。生命体の動きを認識するっていうだけなら、熱は一番確実やから。」

「ああ、あれもそうだったな。——《touches》っていうのは、しかし、いいタイトルなんじゃない？」

「ま、ヒューマン・インターフェイスの研究で、《touches》やからな。そのまんまやけど。」

崇は、顔を上げると、

「でも、印象は強いよ。いいと思うけど。」

「そう？　タイトルはな、実は沢野にも関係してんねん。」

「ん？」

「前に、パウル・ツェランの話をメールで書いてきたことがあったやろ？」

「ああ、あったね。」

「で、そのあと、翻訳探して、ちょっと読んでみてな。——詩は正直、なんか、よう分からんかったけど、あとがき読んどったら、ツェランが、捕まえられた両親に、収容所に連行されていく前に会いに行ったいう話が書いてあってな。」

「ああ、そうだね。あの人、自分だけ避難してて捕まらなかったから。両親の方が逃げようっていう説得に応じなかったみたいだけど。」

「そう。そんなことが書いてあったわ。——で、そん時に、有刺鉄線の向こうの父親に腕を伸ばして、手を握ったらしいんやな、ツェランは。そしたら、見張りかなんかが来て、その手に噛みついたんやって。ほんまかな？」

「どうだろうね、……有刺鉄線の向こうに地獄に通じる世界があって、しかもそこに自分の最愛の人たちがいるっていうのは、確かにかなり神話的な状況だけどね。噛《か》みついたっていうのも、普通に考えれば、ちょっとあり得なさそうだけど、——比喩《ひゆ》かな、何かの？」

「まぁ、とにかく、ツェランは、それでその父親の手を離してしまって、そっから走り去ったらしいんやな。——で、両親は結局、そのあと収容所で殺されて、家族に直に触れたんは、それが最後になってしまったいう話やったと思うけど。」

「そうだね。」

「俺も研究柄、人の手が何かに触れるいうことが気になんねんけど、この話読んでからな、なんやろ、感触の中にある感情とか、そういう内面的なもののことを考えるようになってな。……その最後に触れた父親の手の感触って、どんなんやったんやろうとか、どんなふうに握ったんやろうとか、――考え出したら結構しんどいけど、そういう微妙な部分を、将来的にはコンピューターを操作する手触りにも生かしたいと思って。」

「なるほどね。……本当に、そういう時の触れるっていう体験は、根源的なものだろうね、人間の存在にとって。思い返す度に、記憶はその手が離れる最後の瞬間目がけて無限に時間を微分していくんだろうけど、……結局そこには到達出来ないからね、恐らくは。……」

崇は、室田に向かって語りつつも、むしろ低く内に響くような声で言った。それが、あとから湧《わ》き起こって顔の面に揺らめいたように、その表情は微かに軋《きし》んだ。彼が思い出していたのは、三週間前の夜、ベッドに横たわったまま、その色や形を確かめようとするかのように、千津の肩に手を触れていた時のことだった。

「そうやな。バチカンの《天地創造》とかも、あの指と指との間をじいっと見とったら、なんか、気ぃ狂いそうになるしな。」

「ああ、そうだね。」

「あとは、子供が生まれたんもあるかな、俺の場合。やっぱり見とったら、大人が何かに触れるんと、全然ちゃう感じがするし。まぁ、こっちが勝手にそう思って見てるだけかもしれへんけど。」

「分かるよ。弟に三歳の子供がいるんだけど、一緒にいると、色んなことが新鮮に感じられるから。何かに触れること一つ取ってみてもね。」

「なァ？――いや、それで、話が逸《そ》れてしまったけど、今まで物理的な作用やと思ってた触れるいうことを、もうちょっと内面的なとこから考え直したい思ってな。赤外線カメラは、さっき言ったみたいな必然があってのことやけど、人の手のぬくもりとかいうんも、陳腐な言い方やけど改めて考えたわ。」

「そうだな。……ツェランとその父親とが最後に手を握り合った場面にしても、彼らが生きて互いに触れたっていうことは、それこそ、赤外線カメラなんかで見れば、一塊の熱同士が交わり合ってるわけだからね。その一方の熱は、それから間もなく消滅してしまうわけだけど。……」

「どうしても、研究としては物に触れることに関心が向きがちやから、そういうぬくもりとかについては、見落としがちやしな。――まぁ、《touches》は、そこまで一足飛びの話ではなくて、ほんまにシンプルに、こんな感じで、」

室田は甲を上にして右腕を前に出し、手を色々な速さで握ってみせながら、

「鑑賞者に赤外線カメラの下で手を握ってもらって、その速度を認識して、それに応じてモニターの中の手が、物を握り潰す様を見せるいう仕掛けにしてあるんやけど。」

「その握り潰す方の手は、実写で事前に撮影しておくわけ？」

「そう。研究室の男の子の手やけど。」

「へぇ、……」

崇はまたパンフレットに目を落としてパラパラと捲《めく》った。

「握り潰すアクションのシリーズでは、豆腐とか、トマトとか、ブルーベリー・ジャムとか、そんなんやな、触るんは。」

「反応はどうだった？」

「うん、まぁ、フツウに面白がっとったで、みんな。やってみて思ったんやけど、こういうのを作ると、人って大体、破壊的な行為で感触を確かめたがるな。他にも、人差し指でピン球弾《はじ》いたり、指先でプリンに触れてみたらプルプル震えるとか、そういうかわいいのもあんねんけど、最後は握り潰すとか、そういうとこに行くみたいやわ、どうしても。完熟トマトとか、三十回くらい、ずっと潰しとる人もおって、なんかちょっと、怖かったけどな。」

室田は、飲もうと手にしたグラスがいつの間にか空になっているのに気がつくと、通

りかかった店員を呼び止めて、崇の分も併せてまた注文した。

「やっぱり、壊す時に一番、接触の手応《てごた》えって感じるんじゃない？ 壊したいっていう欲望と、壊されたところを見たいっていう欲望とは、またちょっと違うと思うけど。」

「ああ、……」

「さっきちょっと思い出したけど、壬生実見《みぶさねみ》っていう若い画家の話、前にしただろう？」

「あのパンクな感じの絵描く人やろ？」

「そう。なんか、この前もテレビでやってたけど、妙にウケてるよ、今。」

「テンネンなんか、あれは？」

「いや、そうでもないと思うよ。そういうふうには見せてるけどね。――ああいうのも、言ってみれば、三島の腹切りみたいなもんだし、だから古いって言う人もいるけど、逆に言うと、単にスカスカの記号と戯《たわむ》れてるっていうより、現実に対してもっとヘンに浸透する力がある気がするけどね。……」

崇は、氷の解けたグラスに手を伸ばしかけたまま、その動作を止めて小さく息を吐いた。

「いや、……この前、日中に西新宿に行った時にね、都庁前を通りかかって、何の気なしに上を見上げたんだけど、――いい天気でね。空が凄《すご》いくらいに冴《さ》えてて、……しばらくそれを背景にビルを眺めてたんだよ。そしたら、あの厳《いか》めしさを絵に描いたような建物が、突然、音も立てずに崩れ落ちてくるような感じがしてね。……何て言うのかな、目眩《めまい》に襲われたみたいな感じで、なんとか踏ん張ろうとするんだけど、恐怖感が先に立って、どうすることも出来なくて、……で、顔を上げたらね、車くらいの瓦礫《がれき》がもう目の前にまで迫ってて。……どっちかっていうと、9・11の映像の影響かもしれないけど、俺はその時ね、本当に一瞬、そのコンクリートに衝撃とともに押し潰されて、自分がしいんとなったような感じを覚えたんだよ。……」

丁度店員が運んできたグラスを捕まえて、彼はそこで曖昧《あいまい》に言葉を切った。室田は、左の眉《まゆ》だけを釣り上げながら、怪訝《けげん》そうな顔で聴き入っていたが、何も言わずに何度か頷《うなず》くと、冷めたふろふき大根の欠片《かけら》を口に放り込んだ。

一通り、自己紹介を終えた隣の学生たちの会話は、既に活況を呈しつつあった。

「――俺この前、天皇見ちゃったよ！」

「ウッソ？　どこで？」

「東京駅。なんか、新幹線乗り場の辺りがスゲェ警護でさ、見たら天皇と奥さんが歩いて来てたよ。」

「えー、雅子さんは？　雅子さん、超かっこいー。」

「いや、いなかったよ。」

「なーんだ。」

「俺、写メ撮っちゃったし。今、待受画面、これだから。」

そう言って、学生の一人が携帯電話のモニターをみんなに見せていた。室田は、会話に意識を引っかけられたように、見るともなしにそちらに目を遣《や》った。

「おぉ、スゲッ！」

「て言うか、左翼かオマエは。」

「右翼だろ、それ言うなら。」

「え、なんで？　左翼じゃねぇ？」

「右翼だろ？」

「ねぇ、前から分かんなかったんだけど、右翼と左翼ってどう違うの？」

「天皇陛下バンザイって言ってるのがどっち？　左翼？」

「右翼だよ。」

「そうなんだ？――え、じゃあ、左翼って何するの？」

「左翼が天皇陛下バンザイだよ。」

「マジで？　逆じゃねぇ？」

「――っていうかさ、どーでもよくない？」

「わたしもあるよ、ほら！」

「誰これ？」

「松平健！」

「えーっ、超ショック。わたし、すっごい好きなのに。だってね、聴いて聴いて！　わたしね、ママと舞台観《み》に行ったことあるんだよ！——これどこ？」

「っていうか、オマエ、負けてねぇ？　こっちのがウケてるし。」

「バカ、天皇の方がスゲェよ、絶対。」

「だって、オマエ、《暴れん坊将軍》だぞ、こっちは！……」

室田はここで到頭苦笑して、小声で、

「ま、日本は平和やな。」

と言った。崇もそれに、

「平和だよ。こんな平和な国ないから。」

と少し笑ってみせて、トイレに立った。

戻って来ると、その間、ずっと考えていたかのように、彼はすぐに口を開いた。

「それにしても、」

とパンフレットに目を遣って、

「久しぶりに会って、ちゃんと渡すものがあるっていうのは、いいことだよ。室田の話を聴いてると、何て言うか、本当に地に足のついた仕事をしてる感じがするな。……」

「そんな大層なもんでもないけど、まぁ、好きでやってるし。」

「そう感じられるっていうのは、結構なことだよ。」

室田はそれを受けて、何かを言おうとしたが、この時急に酔いが回り始めたのを感じて、会話の足場を踏み締めるように、一旦《いったん》口を噤《つぐ》んだ。崇もまた、先ほどトイレに立った時に、足許《あしもと》がやや不確かになっているのを感じたが、テーブルに再び置かれた間を、今度はそれとなく引き取った。

「最近ね、室田に紹介されたっていう例のサイトの運営者から、好きなペースでいいから、俺にも何か書いて欲しいっていう打診をされててね。」

「ああ、そうやった。その話もせんとあかんかったわ。——で、どうなった？」

「誤解してるよ、彼は俺を。室田があんまり煽《あお》るから、すごい期待を抱いてるみたいだけど。」

「煽った、煽った。恐ろしく有能なのがおるって言うといたし。」

室田はそう言って、無意識にグラスを呷《あお》って笑った。崇はつき合う程度に苦笑してみせた。

「コンセプトはよく分かるよ。ＩＴバブルは崩壊したけど、どう考えたってウェブ世界の拡充は確実なんだし、ああいうところにアカデミックな世界とは別の場所にいる優秀な人を集めて、バンバン面白いことを書かせれば、結構話題になるんじゃないかな。それで広告収入を得るっていう話だし、スペースや話題に制約がないとか、リアルタイムで色んな情報を発信できるとか、色んな条件を聞かせてもらったけど、そういう点では、一昔前のインテリたちが、学際的な雑誌を創刊したりしてたのよりは、確かにずっと可能性がある感じがするね。第一、見る方がタダだし、おまけにインタラクティヴっていうんだから。」

「そうやなぁ。まぁ、ＩＴ系の話とか、経済の話とか書ける人は幾らでもおるんやろうけど、人文系の話を書ける人がなかなか見つからんみたいやな。無料の総合大学みたいな感じなんちゃう、最終的にイメージしてるのは？　それで、ある程度のジャンルを網羅したいんやろうけど。」

「俺はまだ、迷ってるんだよ、どうするか。」

「なんで？　やったらエエやん。——報酬は？」

「歩合らしい。」

「そうか。そこがちょっと微妙やな。」

「いや、書き手はみんな副業としてやるんだろうし、小遣い程度でいいんじゃない？それより、言いたいことが溜《た》まってる人はたくさんいるわけだし。」

「まぁ、そうかもな。沢野にしたって、さっきの三島の話とかも面白かったし、ああいうのも、ヨーロッパの田舎で研究者相手だけに喋《しゃべ》っとってもおもろないやろ？」

「……どうかな？……俺自身のことはともかく、ネットは確かに、社会にまだ取り零《こぼ》されてる名もない個人の能力を貪婪《どんらん》に吸い上げて、人類の〈進歩〉に供するっていうような近代主義の亡霊みたいな側面があるね。人的資源っていうおぞましい言葉がよく遣われるけど、そんな感じがするよ。グローバルな総動員が進行しつつあるというか。」

「まぁ、そう言えばそうやろうけど、動員いうても、その能力が別に戦争に活用されるわけでもなし、それで個人も報われるんやから、エエんちゃう？」

「個人が報われるのかな、それで。……」

崇は、反論しかけたが、思い直して話頭を転じた。

「まぁ、俺の場合、そういうことも考えるけど、それよりも何て言うのか、最近、自分の遣っている言葉に、ほとほと嫌気が差しててね。——いや、最近どころか、もうずっとだよ。……こんなふうに話してても、時々、俺は何を喋ってるんだろうって気になる。」

「ほんま？　よう分かるけどな。」

「虚《むな》しいっていうだけじゃない。胸が悪くなるんだよ。さっきの三島や鷗外なんかの話にしたって、本当のところがせいぜい、こんなふうに飲み屋で笑いながら喋る程度のことなんじゃないかって気がする。」

「そうかぁ？」

室田は、目を三角に絞りながら、苦笑めいた表情をした。何を言ったのか、隣でまた笑いが爆発したあと、

「コイツだって、夜の《暴れん坊将軍》だし！」

という叫び声が聞こえてきた。

崇は少し頭痛がするのを感じながら、沈鬱《ちんうつ》な面持ちで、水っぽくなった焼酎《しょうちゅう》に口をつけた。

「……もちろん、こんな話を聞きながら酒なんて飲みたいと思う人間はいないと思うけど、……どう言うのかな、……向こうで戯れに研究者の真似事《まねごと》みたいなことをして、ヘンな外交官として重宝がられてた時だって、どこかで自分が、パロディみたいな気がしてたよ。」

「まぁ、そう言われたら、研究者も形なしやけどな。」

「いや、そうじゃないよ。」

「あ、外交官の方か？」

「違う。そういう見方以上に、自分自身のパロディみたいだってことだよ。さっきの話にしても、仮に内容として、それが悪くないものだったとしてもね、俺が語るっていうその事実は、やっぱり、滑稽《こっけい》だよ。……」

「なんで？」

「なんでか?」

崇は、苦しげに相手を見返した。

「そうだな、……俺は、外国にいた頃から、言葉についてよく考えるようになってね。それは結局、自分自身について考えることなわけだけど、……言葉っていうのはね、どうも、不自由にしか遣いこなせない時よりも、巧みに易々《やすやす》と遣いこなせている時の方が、本当に痛烈に人を裏切るものなんじゃないかっていう気がする。これは呪《のろ》わしい実感だね。……俺は、自分の言葉が形作っている世界——自分自身を拘束して、自分の周りの人間まで巻き込んでいるその世界のことを考えるとね、体中が内から張り裂けてしまうみたいな痛みを感じるんだよ。それは、俺の意志の力では、どうにもならなくなってる。……どう考えてもね、俺という人間の能力の中で使いものになりそうなものといったら、言葉くらいのものだよ。他には何もない。だけどね、その唯一《ゆいいつ》の能力が、俺には時々、吐き気がするほど厭《いと》わしく感じられるんだよ。……」

「……うん、……」

室田は、一旦曖昧にそう頷いたが、少し考えるような表情をした後に、

「……なんか、よう分からんな、俺には。」

と重たげに首を傾《かし》げた。そして、所在なくグラスを持ち上げたが、その手は、手首に吊《つ》られて、幾分遅れがちだった。

「……俺はなぁ、もっと単純で、自分に言葉を巧みに操る能力のないことが分かってるから、やっぱり、身体論みたいなところに行ってしまうんやろうな、多分。……ネットの世界は、確かに完全に言葉の世界やし、身体が疎外《そがい》された世界やから、まぁ、あっさりとしかつきあってないけど。……沢野の場合は何なんやろうな？　頭ん中の言葉のエントロピーが増大して、収拾がつかんくなっとるような感じか？」

「まぁ、……そういう言い方も出来るかもしれないけど、もっと下卑た話だよ。」

「その割には、沢野の喋る話は、スッキリしとるけどなぁ。……」

室田はようやく表情を崩した。崇はそれに応じて、今度ははっきりと、会話に杭《くい》を打ち込むようにして頷いた。

「結局ね、俺は個々の対人関係の中で、いつも自分を、オッカムの剃刀《かみそり》みたいなもので切り刻んでるんだと思う。『必然性がない限り、存在を増やしてはならない』だよ。その時にね、必然性っていうのは関係の合理性じゃないよ。何だと思う？――政治だよ。対人関係を心地良いものにしたいと考えるなら、俺は自分という一個の仮説のような存在の何を切り取ればいいか、よく分かるんだよ。誰でも、そうだと言えばそうだろうがね。しかし、それだけじゃないよ。俺は他人まで、単純な分かりやすい仮説の形に切り取ってる。巧妙に、気づかれないようにね。だから俺の言葉はね、スッキリしてるんだよ！　そうして自分の言葉を、時に応じて色々と切り取っている。するとね、切り落としたものがどんどん堆積《たいせき》していくんだよ。その空《むな》しい重みに、俺はもう耐えきれなくなってる。——他方で、そうして切り取って出来たあらゆる言葉がね、網の目のように俺を捕縛しているよ。室田と会った時の俺の言葉、家族と会った時の俺の言葉、女と会った時の俺の言葉、職場の誰某《だれそれ》と会った時、違う誰某と会った時、……俺はその直中《ただなか》でね、奇妙に心地良く生きているけど、その実、まったく自由じゃないよ。……俺は独りになると、俺自身のために、俺という仮説について考えてみる。出来るだけ、シンプルにしたいと思ってね。しかし、俺が最後に、本当に言葉に苦しめられるのは、その瞬間だよ。ボードレールは、『ストイシズムとは、たった一つの秘蹟《ひせき》しかない宗教だ』と言ってる。何だと思う？——自殺だよ。」

崇は、口許を歪《ゆが》めるようにして笑みを零した。室田は眉間《みけん》に皺《しわ》を寄せて彼の話に耳を傾けていたが、その最後の言葉に目を丸くして、それを打ち消そうとするかのように、下を向いてグラスを手にした。しかし、それに口をつけることはしなかった。

腕時計に目を遣《や》ると、室田は、

「なんか、ちょっと飲み過ぎたかな。……」

と呟《つぶや》いた。崇は、それに応じて、

「……そうだな。」

と微笑《ほほえ》んでみせた。それが、今し方の表情を打ち消すためのものだということは察せられたが、それにしては、いかにも自然で、普段の何気ない会話の時と少しも違わないふうであることに、彼は却《かえ》って奇妙な印象を受けた。

「――あれー、左翼の人はどこいったのぉ？」

「トイレじゃない？　帰って来ねぇな。」

「ねぇ、そろそろ、お店替えない？」

「そうしようか。二次会どこ行く？……」

崇たちは、隣のテーブルが呼んだ店員を捕まえて、会計を済ませた。席を立つ前に、室田は、何か一言、言葉をかけなければと考えたふうな様子で、

「まぁ、また、近々会おうや。楽しかったし、俺もたまには外で飲みたいし。」

と言った。崇は一瞬、彼を正面から見つめた後に、

「ああ、ありがとう。――俺も楽しかったよ。」

と、最後にまた、静かな笑みを湛《たた》えながら言った。

4

九月二十日の金曜日、崇は二週間ぶりに西麻布で千津と会い、遅い夕食を共にした。二週間後に計画している京都旅行の相談のためだったが、宿は既に手配済みで、旅程も

定まっていたので、実際に会うと、旅の話はほとんどしなかった。

二人は、今年になって名前の変わった河原町御池の〈京都ホテルオークラ〉に泊まることにしていた。崇はむしろ、どこか老舗《しにせ》の旅館でも予約するべきだろうかと考えていたが、それを察したのか、彼女の方からメールで、

《別に、泊まるところはそんなにお金かけなくてもいいよね?》

と伝えてきたのだった。季節の谷間で、特別混雑する時期でもないはずだったが、9・11以降の海外旅行を忌避する傾向から、結局また京都人気が高まっているようで、週末だけに猶更《なおさら》、部屋の空きは少なかった。

崇の提案で、二人はレンタカーを借りることにしていた。それで、大原の奥深い辺りまで行ってみたい、タクシーだと気を遣うから、というのだった。千津はすぐに賛成した。そんなふうに彼から希望を伝えられることは珍しかったので、なんとなくうれしかった。彼が免許を持っていること自体、知らなかったが、運転している様を想像すると、それだけで胸が躍った。車中の静けさが、今から旅行の全体をそっと包んでいる。そんな感じがした。それは彼女が、彼との関係に於《お》いて、いつも居心地よく感じていた静けさだった。

この日、一点だけ予定が変更されたのは、東京から一緒に新幹線で向かうのではなく、京都で直接に落ち合うということだった。切符はまだ買っていなかったが、その話にな

った時、崇はすまなそうに、予定していた前日に、今度京都に新しく開館する国会図書館関西館に立ち寄らなければならなくなったと切り出した。

「開館が、丁度週明けの十月七日なんだけど、その前にどうしても一度、行って来て欲しいって上司に頼まれて。――金曜日から京都入りすることになったんだけど、当日、京都で待ち合わせでも大丈夫？」

「うん、いいよ、全然。週末は平気？　仕事の邪魔じゃない？」

「ううん、大した用事じゃないし。大体、調査員なんだから、関西館は関係ないんだけどね。何でも頼まれるから。……せっかくだし、前日に車を借りて練習しておくよ。この前実家に帰った時にちょっと運転したけど。」

「えー、たまには焦《あせ》ってる崇くんも見てみたかったな。いつも冷静だから。」

千津は悪戯《いたずら》っぽく笑って言った。崇は、その表情を見つめたまま、そっと慎重にといった様子で微笑んだ。

「……大丈夫。何でもないような顔で運転してみせるよ。……」

彼女とは、食事だけして別れた。彼女の方の仕事が長引いたせいで始まりが八時半頃になったので、店を出た時にはもう十一時近くだった。崇は彼女を強いて自宅に誘わず、彼女もそのつもりで、特別なやりとりもなく、時間を確認し合うことで互いの思惑を察したが、六本木通りよりもやや奥まった場所にある店の階段を下り、人気のない通りに出る手前で、急に思いが嵩《かさ》を増したように、どちらからともなく立ち止まって抱擁した。千津は、口づけの最中で、崇の唇が微《かす》かに震えているのを感じ、泣いているのだろうかと疑ったが、顔を離して目を開けると、そうではなかった。自分の感じたことが何であったのか、彼女は、探るようにして彼の顔を見つめた。崇は、その眼差《まなざ》しに戸惑ったように目を逸《そ》らすと、何も言わずに、もう一度軽く唇を合わせて、

「……行こうか？」

と促し、先に階段を下りきった。

六本木駅まで一緒に歩いて、大江戸線で汐留《しおどめ》に帰る彼女を見送ったあと、崇は、逆方向の電車を待ちながら、マナーモードにしていた携帯をチェックした。沙希から改めて二度の着信があった。千津と一緒にいる間、途中で一度トイレに立った際に、彼は、「今何してる？」という彼女からのメールに、「外で人とご飯食べてるよ。」と返事しておいたのだった。

遠くから気配の伝わってくる電車を一本見送るつもりで電話をかけると、彼女はすぐに応じた。

「もしもし。」

「あ、もしもし？　ゴメンね、何度も電話もらってて。」

「ううん。今大丈夫？　まだ外なの？」

「うん、でも、もう帰るところ。」

「どこにいるの？」

「六本木駅だよ。」

「そっかぁ、……」

「沙希ちゃんは？　外？」

「うん、今、表参道にいるの。」

「あ、ほんと？」

「うん、……沢野さん、疲れてる？」

「ううん。少し飲んでるけど。」

「……ちょっとだけ、会いに行ってもいい？」

「これから？　いいよ、もちろん。明日仕事は？」

「一応、お休みだけど、……」

「そう？　帰るの面倒臭かったら、泊まってってもいいし。」

「いいの？」

「もちろん。今からすぐ帰るから、着いたらメールするよ。」

「うん、じゃあ、そっちの方に向かってるね。」

「え？……あ、ゴメン、ちょっとうるさくて。……」

「そっちに向かってる！」

「うん、了解！　あ、それか、タクシーで、途中で拾おうか？」

「ううん、ちょっとコンビニに寄りたいし。」

「そう？　じゃあ、うちで直接ね。」

「うん、じゃあね。……」

ホームに響き亘《わた》る騒音で、最後はやりとりに苦心したが、電話を切りながら列の後ろについて、どうにか電車には乗り込むことが出来た。

車中は思いの外混み合っていた。崇は、正面奥のドアの側に身を置いて、周囲を満たす乗客の群に曖昧《あいまい》な視線を巡らせた。

風景が、酩酊《めいてい》に浸されたように、人や物の縁を脆《もろ》くしているように感じた。彼は、左前方で吊革《つりかわ》に吊されるようにして話をしている三人のサラリーマンに目を向けた。飲み屋での会話の続きらしかったが、同席していた者が一人抜けたために、むしろ内容は、彼に対する批評めいたものとなっていた。

「――だから、僕も今日、言おうかと思ってたんですよ。村岡さん、ああいうところが頑《かたく》なでしょう？　しかも、最初から結論ありきで、ただ上辺だけ一応、意見も訊《き》いてはみてるっていう感じが見え見えじゃないですか。それで、言いたいことが伝わってこないとか言われても、ハァ？って感じですよ。……」

それから、吊革なしで向かい合って立っている大学生風の男女を見、二人がシートに座り、残りの二人が向かいに立っているOLらしき四人組を見、その隣でマンガに読み入るスーツ姿の若い男を見、手摺《てすり》の棒に体を寄せて、携帯電話で喋《しゃべ》っている女を見、……そうして捉《とら》えられた姿の数々に紛れて、最後に彼は、地下トンネルがガラスに映し取った彼自身の姿に目を留めた。

足許《あしもと》からは、軋《きし》むような車輪の音が立ち昇って、切れた糸くずのように、色々に散らばった車中の会話を、暗い悲鳴のような響きで攫《さら》っていった。

沙希との会話で、崇は、先ほど断念というほどの意識もなく手放したはずの快楽に、肉体が秘《ひそ》かに執着し続けていたことを感じた。最後に彼女に会ったのは、月初めの日曜日だった。別段、何かを取り決めていたわけではなかったが、彼女と会うのは、大体、月に一二度程度で、どちらからともなく連絡を取り合うタイミングには、確かにどこか、肉体が呼応し合うような独特の間合いがあった。

崇は、最初に彼女と体を重ねた時のことを思い返した。その日、事に及ぼうとした彼は、しばらく悪戦苦闘した挙げ句、到頭それを遂げることが出来なかった。

沙希は、諦《あきら》めて傍らに寝転んだ彼に、

「やっぱり、やりなれた人とした方がいいんじゃない？」

と少し笑って言った。彼は苦笑して、何か冗談めいたことを言ったが、二人の関係はそれで立ち消えになることはなかった。次に会った時、彼らは滞りなく、極平凡な交わりを結んで果てた。彼の心には、それでも、最初の機会に彼女の示した、些《いささ》か意表に出るような優しさのことがずっと掛かっていた。

帰宅して、風呂《ふろ》の湯を溜《た》めながらメールを送ると、沙希は、五分ほどで彼の部屋を訪れた。黒いプラダのバッグから、クリア・ファイルに収められた書類が苦しげに頭を覗《のぞ》かせていたので、仕事のあと、帰宅してないらしいことが察せられた。

居間に招き入れると、崇は沙希の体に腕を回したが、彼女は、

「汗かいてるから。……」

と軽く抵抗した。彼は、微笑みながら、構わず抱き寄せてキスをした。

「ずっと表参道にいたの？」

「うん、仕事が終わってから、友達とご飯食べてたから。」

「そう？　じゃあ、お腹《なか》は大丈夫、もう？」

「うん、ケーキまで食べちゃったし。」

「何か飲む？　お酒か、水か、コーヒーか、……」

「お酒はいいかな、飲んできたし。お水もらえる？」

「ガス入りしかないけど、いい？」

「うん。」

崇は、キッチンからペリエとグラスとを持って来ると、彼女と一緒にソファに腰を下ろした。彼が缶を開けている間、彼女は、何のCDがかかっているのかと気にするふうに、テーブルの上に置かれたハービー・ハンコックの《GERSHWIN'S WORLD》のケイスを手に取って眺めていたが、やがて、気泡を上げるグラスと入れ替えにそれを戻すと、

「ありがとう。……あー、なんか、疲れちゃった。」

と、天を仰いだ。

崇は彼女を横目に見ながら、ふと、さっきの店でかかっていたのは、トータスのファースト・アルバムだったなと、その時にはまったく意識しなかったことを考えた。

「そう？　仕事、大変？」

「もー、死にそうだよー。」

沙希は、グラスに口をつける彼の肩に寄りかかりながら言った。

「零《こぼ》れるよ。」

「あ、ゴメン。」

「ううん。例の新しい上司？」

「そぉ。もー、ホント、誰かあの人、どーにかしてって感じ。」

崇は、彼女がグラスを置くのを待って肩を抱き寄せた。

「写真展って何日からだったっけ？」

「二十八日。」

「あ、じゃあ、もう結構すぐだね。」

「そう。昨日やっとカタログが出来上がったの。」

「結構ギリギリだねぇ。どうなったの、結局？　大分、揉《も》めてたみたいだけど。」

「最悪。何にも分かってないのよ、その人は。全然違う部署から来てるし、それは仕方ないんだけど、すっごい、言いたがりなの、あれこれ。それで、今までずっと問題なくやってきたデザイン事務所の人にも何度もわけ分かんないダメ出しして、良くなるならいいんだけど、ホントに、単に言いたいだけっていうか。間に入ってたわたしが何度聴いても分からないんだもん。向こうが分かるはずないし。段々どっちもイライラしてきてさぁ、もー、毎朝出社するのが苦痛だったよー。」

「男の人だよね、新しい上司は？」

「そう。」

「幾つくらいなの？」

「四十過ぎくらいじゃない？」

「そっかぁ。ヘンに頑張っちゃってるんだね。」

「もぉね、……」

彼女は、目一杯語気を強めたが、あまり力を込め過ぎたせいで、言葉を発する前に自分で笑ってしまった。

「……はーぁ。ゴメンね、来るなりグチで。」

「よしよし。」

崇は髪の上からキスをした。彼女は、それを感じると、彼の体に心持ち強く身を委《ゆだ》ねた。

キッチンでは、徐《おもむろ》に音楽が鳴り始めて、「オフロガワキマシタ」という機械の音声が発せられた。

「お湯、溜めておいたんだけど、お風呂入る？」

「あ、うん。先に入って。」

沙希は、振り向きながら言った。崇は、一旦《いったん》頷《うなず》きかけたが、思い直して、

「一緒に入ろっか？」

と誘った。

「えー、……入る？」

彼女は、躊躇《ためら》う様子を見せた後に尋ね返した。

「うん。入ろうよ。」

そう言って立ち上がると、彼は膝《ひざ》の上の手を引いた。彼女は、それに従いつつも、

「あ、その前にちょっと、……お手洗い借りてもいい？」

と床に置いたバッグに手を伸ばした。

「ああ、もちろん。どうぞ。」

沙希が居間から出ていくと、崇は、酒を飲んで脱水気味になっているのを感じて、ペリエをもう一缶開けて無理にも飲み干した。それから、彼女と入れ替わりに、彼自身もトイレに行って一緒に浴室へと向かった。

電気を点《つ》けると、洗面台の上の鏡が、少し照れたように入ってきた二人を無表情に映し出した。

彼は、チョーカーを外し、オレンジ色の古着らしいTシャツを脱ぐと、それを洗濯機の上に雑に適当に畳んで置いた。沙希は、メイク落としを準備しながら、その一連の動作の間に複雑に伸縮した胸や肩の筋肉をさりげなく覗《うかが》った。崇は、身長は180センチ近くあるのに、体重は65キロほどしかないと言っていた。以前に尋ねた時には、運動は極たまにホテルのプールに泳ぎに行く程度だと話していたが、体はなるほど、ストイックな鍛錬を感じさせるような硬さとは違って、理に適ったといういいような引き締まり方をしていた。それは彼女が、彼の言葉から受ける印象と合致していた。普段は、寝室の暗い光の下で、見るよりもむしろ触れて感じているだけのその体を、彼女はこの時、初

めてあからさまに目にした。そして、今更のように、恵まれているという印象を受けた。

二人の間には、ただその彼の脱衣の音だけが響いていた。ベルトのバックルが重たく下がったジーンズを先ほど脱いだTシャツの上に重ねて掛け、下着を脱いで全裸になると、彼は、まだ服を着たままでポーチの中を探っている彼女を待つべきかどうか、迷うような様子を見せた。沙希は、

「あ、先に入ってて。」

と、それを察して声を掛けた。

「うん、じゃあ。」

二人別々に入るつもりで、湯量をいつもより多めに設定していたので、その分、溜まるまでに時間がかかり、蓋《ふた》を開けたままにしていた浴室内には、既に湯気が充満していた。体を洗い流して浴槽に浸《つ》かっていると、ほど経てメイクを落とした彼女が、俯《うつむ》き加減で中に入ってきた。

「お化粧とっちゃった。」

ドアを閉めながら、彼女は笑って顔を上げた。

「あ、うん。メイク落とし、持ってたの？」

「途中でコンビニに寄って買ったの。」

「ああ、それでコンビニって言ってたんだ。」

「そう。」

洗面器で湯を掬《すく》うと、沙希はしゃがんでそれを肩口からかけ、すれすれまで張られた湯に、ゆっくりと彼と向き合うようにして足を浸《ひた》した。体が沈むほどに、湯は弾力を帯びたように勢い良く流れ出し、それを気にして彼女は途中何度か動きを止めた。

「いいよ、ザブンと。」

彼が笑って言うと、

「ホント？　じゃあ。」

と思いきって腰を下ろし、溢《あふ》れるに任せて肩まで浸かった。狭い浴槽の中で、二人は四本の足を互い違いに絡《から》めながら楽な姿勢を探った。

排水口を流れてゆく水の音が、ふしぎに澄んでいた。崇は、その響きに引き寄せられるようにして、浴槽の中央のなだらかに凹《へこ》んだ縁から零れ落ちる一筋の湯に目を遣《や》った。

ここで今、流れ出した湯は、沙希の肉体が囲っている体積と正確に同じなんだ、と彼は思った。その首から下と丁度同じだけ、失われた湯。……彼は、自分が今、現に肉体を以《もっ》て触れ、圧迫している一塊の物の侵し難さと、それが引き替えられた湯のはかない余韻との間に連絡を探った。水捌《みずは》けのいいＦＲＰの床には、弾《はじ》かれた湯の名残がうっすらと広がって、その表面張力の膨らみの中で、体温のように温められた熱を俄《にわ》かに失ってゆきつつあった。

「あー、……」

沙希はほっとしたように目を瞑《つぶ》って溜息《ためいき》を吐《つ》いた。崇はその声に振り返ると、

「なんか、オヤジっぽかったよ、今の。」

と沈黙を取り繕うようにして言った。

「えっ、あ、しまった。油断してた。」

彼女はそう言って微笑《ほほえ》むと、

「なんか、向かい合ってると恥ずかしいね。」

と脚をまた少し折った。

「そうだね。――こっちに来る？」

「……うん。」

足を畳み、少し腰を浮かせて背を向けると、彼女はそのまま倒れるようにして身を預け、彼はそれを後ろから受け止めて抱いた。湯から露《あら》わになった体が、濡《ぬ》れそぼった肌に照明の光を灯《とも》して輝いた。

「いつもお湯、溜めるの？」

「うん、夏でも大体。――溜める？」

「忙しいとシャワーだけとかになっちゃうけど、疲れの取れ方が違うし、やっぱり。」

「そうだね。ヨーロッパにいた頃は、朝のシャワーだけとかで十分だったんだけど、日

本にいると、お湯に浸かりたくなるね、なぜか。……まァ、気候もそうだけど、向こうは洗う場所がないし、俺のいたアパルトマンなんて、沸かした湯がタンクみたいなのに入ってて、それがけっこう量が少ないから、お湯張って体洗ってとかしてると、途中で水になっちゃうんだよね。そういうのもあって。」

「そうなの？」

「そう。特にそこがヒドいってわけではなくて、古いアパルトマンはみんなそうだったから。二百年前の建物とかだし、構造上、難しいみたい。」

「この現代に、そんなことってあるんだね？　ビックリ。わたしはムリかも。海外旅行とか行っても、お湯張るから。」

「そうしたくなるよね。……」

彼は、浮力で軽くなった彼女の体を、繋《つな》ぎ止めようとするかのように自身に引き寄せた。給湯器の温度は低く設定してあったので、湯の中でも辛うじて彼女の体温は見失われなかった。二人の体は、そうしてほとんど互いの別をなくしてしまいそうな穏やかな熱の中に浸されながら、それでも皮膚は各々《おのおの》を決して溶け合わせることなく隔て、その故《ゆえ》に却《かえ》って相手を感じ取らせる場所として、改めて、確かに触れているという実感を抱かせた。

うなじに顔を寄せると、彼は何かに打たれたように、そこにそっと口をつけた。彼女は微笑んで、彼の肩に首を乗せると、その接吻《せっぷん》に自身の唇で応じた。肌と肌との隙間《すきま》で鳴った湯の音を、浴室は敏感に反響させた。

『……生きている。……生きて、今ここに確かにひとりの女が存在している。……その輪郭を取り払ってしまったならば、たちまち、あんなふうに崩れて流れ出してしまうような一抱えもある量の物質が、そうはならずに、自らを支えて、一纏《ひとまと》まりの形を保ったまま、自在に運動している。……それが熱を持ち、呼吸し、言葉を発して、俺にこうして触れ合っていることを心地良く感じさせるような何かとして、ここにある！……それは要するに、どういうことだろう？……』

　湯気は、ほとんど色さえないほどだったが、照明から差す光の根には、細かな水蒸気の粒が頻《しき》りに運動している様が見えた。

　崇は、沙希の手を握って一緒に水面から出した。そこで、一方は過去へと伸び、他方は未来へと伸びる遥《はる》かに長い時間が刹那《せつな》に圧縮されて、そのために、今、愛らしく繊細に造形されて確かにここにある指の先から、零れ落ちるようにして湯へと変わっていって、消えてなくなってゆく様を幻視した。彼女だけではなかった。二人ともにそうして流れ出して、後にはただ、湯船に満ちた湯の揺らめきだけが残されて、やがてそれが静まって、冷めた水となって、……それがつまりは、生という奇妙な――そう、まったく奇妙な現象なのだろうか？……

「暑い？」

沙希は、気遣うように振り向いた。

「……うん。沙希ちゃんは？」

崇は首を振って尋ねた。

「気持ちいい。」

「そうだね。……」

そう呟《つぶや》いたあと、彼は些《いささ》か唐突に、自分でも奇妙な話の舵取《かじと》りだとは感じながらも、先ほどの話に立ち戻った。

「シャワーじゃ物足りなくてお風呂《ふろ》に入りたいっていうのは、一種の退行的な儀礼なんだと思うよ。合理的に考えれば、ヘンな習慣だから。夜になる度に、こういう狭い場所に全裸で身を屈《かが》めて入って、体温くらいの液体に浸るっていうのは。浴槽が母親の子宮の象徴で、お湯が羊水でって考えると、ちょっと分かりやすすぎるかもしれないけど。……」

「そっかぁ。……でも、そうなのかもね。」

彼女は、両手で何気なく湯を掬ってみて、それを指の間から零しながら言った。

「それで、一日がリセットされちゃうのかな？」

「うん、……じゃないかな。眠りが死の象徴っていうのは世界中で共通してるのかもしれないけど、その前に必ず入浴があるっていうのは、そんなに一般的じゃないよ。日本人は、そういうところで、手が込んでるんだね。母親のお腹に回帰したような余韻に浸って、布団《ふとん》に入るなら、死ぬっていうより、自分がこの世界に出現する前のゼロの状態に戻るみたいな感じがするかもしれない。――沙希ちゃんが言うみたいに、リセットっていう感じなのかな、それは。……」

彼は、濡れた手で髪を掻《か》き上げて、額にうっすらと萌《きざ》してきた汗を拭《ぬぐ》った。

「そういう話してたら、なんか、一日にあったことなんて、どうでも良くなってくるね。」

沙希は、湯の中で身軽に体を捻《ひね》って彼と向かい合った。

「ねぇ、その話をするために、お風呂に誘ったの？」

「ん？　いや、そこまでは考えてなかったけど、……風呂にでも入って、のんびり喋《しゃべ》ってたら気分も楽になるかなと思って。」

彼女は、彼の顔をじっと見つめながら呟いた。

「わたし、沢野さんといたら、いつも元気でいられそう。……」

崇は、何か眩《まぶ》しいものを見たように、一瞬、目を細めた。そして、

「……どうだろう、……」

と、彼女の額に掛かった前髪を撫《な》でつけるようにして分けてやった。

沙希は、いつになく、はっきりと看《み》て取れるほどの表情で後悔の色を示し、視線を逸《そ》らした。換気扇の奥から、マンションの前を、車が一台通り過ぎてゆく気配が伝わってきた。

崇は、急に物思いに沈んだような面持ちになって、やがて徐《おもむろ》に語を継いだ。

「そういう意味じゃないんだよ。……何て言うのか、……今、色々なことが自分の中で難しくなってて、……整理してみたいんだよ、一度。それで自分が保てるかどうか、分からないし、……その時に、沙希ちゃんがまだ、俺に対してそんなふうに思ってくれるのかどうかも、……分からない。」

沙希は、彼の言葉を理解しようと努める様子で、その顔を打ち目守《まも》った。

「難しいこと？」

「考え方次第だと思う。何も難しくはないのかもしれない。……ごめんね、うまく話せなくって。」

「ううん、全然。わたしこそごめんね、会うなりたくさんグチ聴いてもらったし。」

「ううん、それこそ、全然。――元気になった？」

「うん。……よく分からないけど、沢野さんも、何か思いつめてることがあるんだったら、言ってね。わたしきっと、理解してあげられると思う。……」

そう言うと、彼女は、先ほど崇がしたように彼の前髪を撫でつけた。崇は目を合わさないまま、黙って微《かす》かに頷《うなず》いた。それから二人で体を引き寄せ、彼女が彼の膝《ひざ》に乗るようにして抱き合い、口づけした。

崇は、その重みと形とを、大きさと温度とを、立ちのぼる微かな匂《にお》いを、内に張りつめた充実を、なだらかに覆《おお》ったやわらかさを、そして、鼓動の響きと吐息の行き交いとを、すべて一つに感じ取ろうとするかのように両腕に力を込めた。それに応じて、抱きしめられた両腕にもまた、そっと力が加えられた。

冷めかけの湯が、ささやくような音を立てて、二人のために場所を譲った。浴槽の中に起こった波は、小さく揺らめいて、肌を這《は》うかと思えば、すぐに弾かれ、ただそのあとを薄《うっす》らと覆った汗と結んで微かに留めるに過ぎなかった。

5

佳枝は、目を覚ます直前に、何かはっきりとした、いないという気配を感じ取っていた。はっとして瞼《まぶた》を開き、傍らに視線を向けたが、闇《やみ》は視界を塗り込めて、そこに何も見せなかった。

恐る恐る手を伸ばして、夫の体に触れようとした。しかし、それがただ、手応《てごた》えもなく闇の肌だけを撫でてシーツの上に落ちた時、彼女は、これまで感じたことのないような不安に襲われて、体を起こし、改めてその場所に目を遣《や》った。

寝ている間にいなくなっていたことが、彼女には一瞬、消えたように感ぜられた。そして、夫と入れ替わりにそこに横になっていた空虚の含み笑いめいた静けさに、心拍が鞭打《むちう》たれたように高まるのを覚えた。

枕元《まくらもと》の目覚まし時計は、黄緑色に光る蛍光塗料を塗られた針で、午前三時過ぎを指している。佳枝は、反対に寝ている良太に目を凝らし、布団を掛け直してやると、次第に慣れてきた目で物音を立てないように襖《ふすま》へと向かった。

居間の電気は消えていたが、テーブルの上に缶ビールを一本飲んだあとがあった。キッチンの横を抜けると、廊下に面した玄関脇《わき》の二人の書斎にしている部屋に、人のいる気配があった。無線ＬＡＮポートが、電話機の脇で光を放っている。電気は消したまま、先ほど良太を起こさないようにと気をつけていたのとは違って、半ば無意識に彼女は跫《あし》音《おと》を殺していた。

部屋の中からは、パソコンのキーボードを叩《たた》く音が聞こえている。佳枝は、握った手を挙げたまま、しばらく躊躇《ためら》っていたが、やがて唇を固く結ぶと、小さく二度、ドアをノックした。

素早くマウスを操作して、クリック・ボタンを数回押す音がした。彼女はそれを黙って待っていた。良介は、ようやく「……はい、」と返事をすると、微かに音を立てながら椅子《いす》を回転させた。ドアを開けると、照明は、机上のスタンド・ライトだけだった。ぼんやりと光を放っているパソコンのモニターには、壁紙に設定された家族の笑顔の写真が大きく映し出され、そこで三人は、今し方の良介の作業について、申し合わせたように知らぬふりをしている。良介は、まるでそれが証拠だとでも言うように、何もしていいないいなかったという顔で彼女と向かい合った。そして、

「……眠れなくて、ネットを見てて、……」

と言い訳するように呟いた。

「うん、……ずっと起きてたの？」

「いや、さっきだよ。」

「明日会社だから、もう寝ないと。」

佳枝は、入口に立ったまま、自分が前に足を進めかねていることを意識した。そして、良介の方でも、その距離を気にしているらしいことを察した。

彼女は思いきって、

「何見てたの？」

と夫に近づき、パソコンに目を向けた。良介は、既にデスクトップに戻っているはずの画面に、何かそれと覗《うかが》わせるような痕跡《こんせき》が残ってはいないかと気にするように振り返ると、

「いや、……ネット・サーフィンしてただけ。」

と視線を合わさないまま答えた。

佳枝は、間近で改めて、自分を含めた家族三人の写真と向かい合った。そして、斜め下を向いた夫の顔に視線を注ぐと、唇を固く絞り、思いきって何かを切り出そうとするかのように少し深く息を吸った。——その時、思いがけず、良介の手が彼女の手首を握った。彼女は、ビクッと体を強張《こわば》らせ、無意識に腕を引きかけた。手首から掌《てのひら》へと開く膨らみが、彼の手に引っかかるようにして止まった。彼もまた、反射のようにして、逃れようとする手を、乱暴なほどに強く摑《つか》んでしまった。

二人ともが、そうして不用意に込められた力に戸惑い、その扱いに苦慮した。

「びっくりした。……」

佳枝は、先に弁解するように言った。良介は、妻の手を、もう一度握り直そうとしていたが、それを聴くと、急に断念したように手を離した。

「……ごめん、……」

「ううん、……」

彼の視線は、落ち着かなかった。

佳枝は、夫の肩に手を置くと、

「……大丈夫？」

と、今度は心配するふうに語りかけた。

何も言わずに、良介は体を彼女の方に向けて、座ったままで腰に手を回した。頬骨の辺りで、自分の表情が痼《しこ》ってゆくのを彼女は感じた。俯《うつむ》き加減のまま、探りを入れるようなぎこちなさで、彼は手を臀部《でんぶ》へと移動させた。それが、彼女の体を、再度敏感に反応させた。

「……。」

佳枝は、夫のそうした求めが、単純な性欲には帰すことの出来ない、どんな心情によっているのか、十分に知っているはずだった。しかしそれが、結局は、なにかもっと別の方法ではなく、むしろ性欲の単純さに頼るような仕方で表されたことに、自分が心情的に寛容になれないことを意識した。

この数ヶ月、彼らは体を重ねることをしていなかった。それは、遡《さかのぼ》れば良太を妊娠した頃からのことで、出産後、一時関係を回復した時期もあったが、やがてどちらからともなく間遠になって、宇部に来てからは、一度もそうした機会を持たないままでいた。

良介は、そうした妻の様子に気づかぬふりをするかのように、更にその手をパジャマの下に滑り込ませようとした。そこに至って、彼女は到頭、

「いや、……」

と体を離した。そして、自分のその声の思いがけない強い響きに、

「もう三時過ぎとかだし、……また、……」

と言い添えた。

良介は、彼女の顔をちらと見上げた後、自分の動揺が到底誤魔化しきれないものであることを感じて、苛立《いらだ》った様子で机に向かうと、パソコンの電源を切る操作をして、最後まで見届けないまま立ち上がり、スタンド・ライトを消した。押し黙ったままの二人の間で、家族の笑顔が消え、短いオルゴールめいた音楽が奏《かな》でられて、終了画面の青い光が点《とも》った。それが消えると、彼は闇に紛れるようにして妻の傍らを横切った。

擦れ違い様に、小さく、

「……おやすみ、」

と呟く声が聞こえた。

「……おやすみ、……ごめんね。」

佳枝は、そう言って謝ったが、それに対しては何の応答もなかった。

翌日、佳枝は、四ヶ月前から派遣社員として働いている食品メーカーの営業所のパソコンから、仕事の合間を見計らって、このところ毎日のように訪れているサイトを開いて、〈日記〉と〈掲示板〉とを順に見ていった。

日記は、四日前に更新されたままだったが、掲示板には 2002/9/18　3:19 という今朝の時刻が記された〈すぅ〉というハンドル・ネームの管理人からの書き込みがあった。

《書き込み、ありがとうございます！∨ＡＩさん、６６６さん

今日も一日、ドンヨリした天気で、なんか、気分が滅入り気味でした(^_^;

お二人はいかがですか？　天気の話をすると、みなさんがどの辺に住んでるのか、分かってしまいそうですね。ちなみに、ぼくは西の方です（笑）　日記で大体、お分かりだと思いますけど。

ＡＩさんに続いて、６６６さんがここの常連さんになってくれてから、ぼくもサイトを続けようと思えるようになりました。この半年ほどやってきて、正直、もうやめようかとか、思ってたところでしたし（汗）

多謝、多謝ですm(_ _)m》

文章は、ここから何か書くつもりだったのだろうというような箇所で、急な不都合でもあったかのように唐突に終わっていた。

佳枝は、再読するために立ち返った文頭で、ゆっくりと握り締めるようにしてマウスの左クリック・ボタンを押すと、言葉を一つ一つ辿《たど》るようにしてカーソルを動かしていった。

書き込みは、上から徐々に青く塗り潰《つぶ》されていった。彼女は、それを書いていた間の〈すぅ〉の表情を想像し、その背中を気づかれないように彼女自身が見つめている様を想像した。そして、文章の最後に至り、クリック・ボタンからそっと人差し指を離すと、

そこで何か、次の働きかけを待ち構えているかのように、画面中央で青く際立《きわだ》っている書き込みの言葉と、しばらく身動《みじろ》ぎもせずに向かい合っていた。

やがて、垂れ落ちてきた髪を耳に掛けるのをきっかけにして、彼女はコメントの書き込み欄へと移動した。いつも同じパソコンを使用しているために、ハンドル・ネームの欄には、自動的に〈AI〉と表示された。

今日は何を書こうか、と彼女は改めてその空白を見つめた。するとそこに、昨夜、良介に触れ、良介から触れられた時の記憶が染《し》み渡るように広がって、彼女の思考を掻《か》き乱し、言葉を押し返した。

彼女は、突然切断されてしまったすぅの言葉と、自分が拒《こば》んだ良介からの求めとが、頭の中でそれぞれの傾斜を滑り落ちるようにして一つに合わさり、複雑に混ざり合ってゆくのを感じた。堰《せ》き止められた言葉の末尾に続くはずだった言葉。それこそが、昨夜、自分の体に向けて差し伸べられた一本の腕であったのだろうか？　それを既に予感していたからこそ、あの時抱き寄せられた自分は、それを耐え難く感じたのだろうか？……

どうして？と、彼女は自問した。受け容《い》れても良かったのではないだろうか？　むしろ、受け容れるべきだったのでは？――良太が起きるのを気にしたからか？　それも、もちろんあった。しかし、そうした思慮よりも先に、彼女の体を拒絶的に反応させる何かがあった。実際に受け容れていたならば、良介はどうするつもりだったのだろう？

あの部屋で、立ったまま、あるいは絨毯《じゅうたん》の上に寝転がって？　そうした粗略なやり方を、戯《たわむ》れのように楽しめるような気分ではとてもなかった。笑み一つ零《こぼ》れることなく、無言のまま、それでも肉体的な昂進《こうしん》が通り一遍に二人を訪れ、過ぎ去ってゆくのをうつろな気分で眺めて、あとにはただ、いやな、惨《みじ》めな思いが残るだけだったのではなかったか？……

佳枝は、そうした想像に、暴力的だが、どこか索漠とした光景を見るように感じて、心底かなしい気分になった。自分なりに、夫の中で、人知れず生い茂っていた言葉の奥底に潜むものを理解しようと、ずっと努力してきたつもりだった。しかし本当は、彼自身によって、それが明かされる時を待ち続けていたのではなかったろうか？　辿々しい言葉でも構わなかった。時間がかかったとしても、それは必要な時間なのだと理解できたはずだった。その挙げ句に、彼はまるで、その茂みの中から突然飛び出してきた、正体不明の獣か何かのように、むしろ彼女の肉体に向けて自らを差し出そうとしたのだった。

あの時佳枝には、良介の手が、まるで彼がネット上で、誰のものとも知れない奇妙な口調で書き続けている言葉そのもののように、仄暗《ほのぐら》い濁りを帯びているように感じられた。彼女が、自分に触れる良介の手に感じたのは、何か見知らぬ他人のような気配だった。それが、自分の心の最も敏感な場所を探り当て、まさぐろうとしている。まるで夫の手のように！　彼女が即座に感じたのは、憤《いきどお》りというよりも、ほとんど怯《おび》えに似た感情だった。そしてその事実が、彼女を最も深い場所で傷つけていた。

「――沢野さん、販促物の発注、本社にしてくれた？」

パソコンの画面の前で、そうして物思いに耽《ふけ》る彼女を目敏《めざと》く見つけた課長は、デスクの向こうから、最初から返答が分かっているはずのことを敢《あ》えて尋ねた。

「あ、いえ、これからです。すみません。……」

「ええ！　まだあ？」

男は、眼鏡が浮き上がるほどに大袈裟《おおげさ》に驚いてみせると、

「ちょっと、頼むよ、もう。朝からぼーっとしてさ。寝不足なの？　なんでか知らないけど。」

と頬をヒクつかせた。彼女は、その「寝不足」という言葉にあからさまに加えられた嘲弄《ちょうろう》的な響きに対して、この時、発作的な怒りに駆られたが、気持ちを落ち着けると、

「……すみません、在庫を確認してきます。」

と席を立って、背中で聞こえよがしに語られる小言に耳を塞《ふさ》いで倉庫に向かった。

廊下を歩きながら、彼女はまた、《すぅのつぶやき》という先ほどのサイトのことを考えた。

彼女がそれを見つけたのは、いわば偶然だった。梅雨の頃に丁度独りで家にいた時、

普段はあまり触らない自宅のパソコンを使おうとキーボードに触れると、〈省エネモード〉で落ちたままになっていた電源がすぐに入って、サイトの画面が立ち上がった。常ならば、アクセス履歴まで消している用心深い良介が、この時に限っては、使いかけのまま、うっかり放置していたのだった。

佳枝は特に注意して見るわけでもなく、何だろうという程度の興味で、目に入ったその日記を眺めていた。しかし、幾つかの記述が彼女を驚かせたあと、次第にその内容を、自らの予感に従って読むようになった。

彼女は最初、そのすぅという管理人を、崇のことではないかと疑った。プロフィール欄には、会社員、男性、既婚といった文字が並んでいたが、たまたまモニターに映し出されていた日記の前後には、以前に海外に住んでいたことがあるだとか、大学時代の恩師に、研究者となるように強く引き留められていた、といった記述が見受けられたからである。そこから考えて、更に読み進んで、中に頻繁に登場する「僕の兄」という記述も、「僕の弟」と書くべきところを、韜晦《とうかい》のために敢えて逆に書いているのではないかと疑ってみたりした。

しかし、そうした推理には、そもそも無理があった。仔細《しさい》に読めば、それが夫である良介によって書かれたものであることは明らかであり、全篇に亙《わた》って口調から記述の内容に至るまで、その手懸かりは至るところに発見された。

すぅは、「この四月から」、「海が見える西日本のとある地方」に「転勤」させられてきていた。「三歳」になる「喘息持《ぜんそく》ち」の「男の子が一人」いて、「アンパンマンが大好き」だという。「転勤が多い」せいで、妻が「派遣でしか働け」ず、そのことを「申しわけなく思っている」と何度か書いてある。そして、彼自身も、「本社勤務と言えば聞こえがいいけど、研究者として見限られたあげ句、工場で製品管理をやらされて、とうとう最後に営業に回された」とのことで、今の「粘着質の上司」と「合わ」ず、「毎朝、会社に行くのが憂鬱《ゆううつ》」と漏らしていた。

最新の日記は、前日の深夜に書かれたものだったが、そこで具体的に記された内容は、彼女がその週末に、良介と良太とともに経験したことに外ならなかった。

《日曜日、家族と一緒に、K海岸に行った。

五月に潮干狩りにいったときには、人であふれてたのに、この日はなんか、閑散としてて微妙(-_-; 今日、会社で聞いたら、地元民はみんな車で日本海まで行くんだそうな。先に言ってくれ。。。

なんか、妻もムリして楽しんでるフリしてたみたいだったし、子供がこの前みたいに喘息出すのもこわかったから、予定より早めに帰宅。せっかく買った浮き輪も、あんまりよろこんでくれなかった。

……というわけで、家族サービスは、けっこう裏目な感じ?》

事の経緯を辿るならば、確かにその通りだった。しかし、佳枝はこの記述に動揺を禁じ得なかった。

彼女は、あの日、何もムリなどしていなかった。家族と一緒に海に行けてうれしかったし、そのことで夫に感謝もしていた。何度もそう伝えたはずだった。人が少なかったことは事実だが、むしろ静かで良かったし、彼ともそう話していた。どうしてこんな記述になってしまうのだろう？　良太にせよ、確かにまだ、水を恐がってはいたが、「よろこんでくれなかった」わけではなかった。本当にこんなふうに感じていたのだろうか？

最初彼女は、夫が帰宅したら、すぐにこのことを話してみようと思っていた。今ではそうしなかったことを後悔しているが、その時はただ、思うに任せてそう考えたのである。しかし、それからずっと、すぅの日記を読んでいくうちに、いつしか、そうする勇気を失ってしまった。彼女が抱いたのは、不安というより、その時心に思い浮かんだ言葉で表すなら、「怖い」という感じだった。

実際のところ、何に対してそう感じたのだろう？　すぅの日記の内容は、彼女の目から見ても、格別理解を絶しているというものではなかった。その中心は、彼女自身も察していた、転勤後の夫の仕事に対する不満であり、強いて言うなら、ありきたりの愚痴だった。しかし、――そう、彼女はそれを十分に察していて、夫にも何度か尋ねていたのだった。どうしてそれを、自分に対して素直に語ってはくれなかったのだろう？　何が阻《はば》んでいたのだろうか？

すぅは、こう書いていた。

《僕は妻と、僕が一浪してはいった大学二年の夏に、アルバイト先のローソンで知り合った。彼女は僕よりも二つ下で、別の私大の一年だった。

その頃彼女にはつきあってる人がいた。もちろん、僕じゃなかった。僕はそれでも、告白してまんまとフラれた。それで気まずくなって、バイトはそのまま辞めてしまった。

それから二ヶ月くらい経《た》って、僕は彼女から、カレと別れたという相談の電話をもらった。二《ふた》股《また》をかけられてたそうだ。僕は彼女の力になりたかったから、それから毎日電話して、ある日を境につきあうようになった。

それから僕たちは、結婚までに三年半もつきあった。僕が大学を先に卒業して、関西の方に就職したときは、一年間、遠距離だった。そのとき、一回だけ大きなケンカをして、向こうから別れ話をされたことがあった。あのときは、本当につらかった。気持ちをうまくつたえられなかった僕が悪かったんだけど。

……それから、一月半くらいだったかな、音信不通だったあとで、彼女がまた、最初につきあい始めた時みたいに急に電話をくれた。僕が結婚を申し込んだのは、そのときだった。……》

この日の記述は、他の日と幾分様子が違っていて、顔文字も（笑）もなく、ほとんど独り言のようだった。

すぅの言う通り、自分と良介とは、もう十年間近くも一緒に時を過ごしてきたはずだった。そうして彼が今、苦しい胸の裡《うち》を明かすのが、自分でなく見ず知らずの誰かであるということが、彼女には理解できなかった。それも、浮気をしているだとか、おかしな趣味があるだとかいったことではない。誰よりも家族が支えとなるべき仕事のことで、彼は妻を相談相手として選ばなかったのだった。

加えて彼女は、良介自身のことだけではなく、自分や良太のことまでもが、知らないうちにネット上に書き記されていたということに、言葉にしようのない不快を感じた。悪いことだろうかと、彼女はその後、何度となく考えた。名前も写真も出てない以上、それが自分たち家族だと特定される恐れはなかった。誰かが、どこかの家族の話として読むに過ぎない。仮にその人と面と向かってどこかで会ったとしても、自分が「すぅの妻」とは思いもよらないだろう。しかしそれなら、何のためにそんなことをしているのだろう？——何のために？　彼女が分からないのはそのことだった。

佳枝は、普段の何気ない家族の食卓に、突然、アカの他人の視線が入り込んできたように感じることがあった。料理一つ作るにしても、その献立は無数の人に公開され、その味についてのすぅの評言が添えられる。そうした想像には、耐えられなかった。会話をしていても、彼が今、自分の言葉をどう受け止め、どう書くつもりなのかが気になって、以前のようには気安く話をできなくなった。相手のことが分からない。もちろん、以前は何もかもが分かっていたというわけではない。しかしそれが、今ほどなにか痛みのように鋭く意識されて、自分から落ち着きを奪ってしまうことはなかったはずだった。

しばらく様子を見て、そのうち思いきって話してみようと思っていた彼女が、その機を逸してしまったのには理由があった。ある時、彼女はいつものようにすぅのサイトを訪れたのだったが、普段はただ、広告くらいしか書き込みのない掲示板に、その日は、〈通りすがり〉という名で、一言、「キモい」と書き残されていた。それは丁度、すぅの日記で度々触れられている「僕の兄」のことが語られていた日だった。

《……僕は兄に、いつもコンプレックスを持っていた。そういうことを、きちんと考えてみるきっかけになったのは、やっぱりこの日記だった。僕はこのことを、これまで一度だって、誰にも話したことがなかった。

僕は子供のころ、いつも、「○○（兄の本名）君の弟」と呼ばれていた。僕の兄は、弟の僕が言うのもヘンだけど、本当に何でもできる人だった。小学校の図画工作室には、兄が文部大臣表彰を受けた絵が、卒業後も額に入れてずっと飾ってあったし、職員室の入口のところには、小体連の陸上競技会で優勝した時の写真が飾ってあった。勉強もよくできて、日本で一番偏差値の高い大学に行った。あと、女の子にもモテてたし（＾＾；

それに、兄は誰に対しても、自分の思ってることをちゃんと言えたし、しゃべりたくない時は、口をつぐんで一言もしゃべらなかった。僕にはそういうところが、どうしたって真似《まね》できなかった。
僕はそういう兄に嫉妬《しっと》したことはなかったし、どっちかというと、誇らしかった。兄はそれに、やさしかった。僕はデキの悪い弟だったけど、兄からヒドイことを言われたことは一度だってない。いつも庇《かば》ってくれたし、なさけない思い出だけど、中学校の野球部で、僕が先輩から「セミになれ！」と命令されて、木に登って鳴くマネをしてたときにも、たまたま、本当にたまたま、どういうわけか、もう高校生だった兄が、放課後フラッと練習を見に来て、僕の姿を見るなり、その場では何も言わずに帰って行ったんだけど、その次の日から、僕は二度とそんなことを先輩に言われなくなったし、それで全然、波風も立たなかった。あれは、今でもふしぎだし、何をどうしたのか分からないけど、僕には兄が手を打ってくれたとしか思えない。今思ったんだけど、練習を見に来たのも、僕がそんな目に遭ってるのを前々から知ってたからじゃないだろうか？
だから僕は、そんな兄の今のていたらくを見ていると、ものすごく憂鬱《ゆううつ》な気持ちになる。僕が兄のように優秀な人間だったら、何をするだろう？　きっともっと、色んなことができてたんじゃないだろうか。そんなことを考えると、無性にもったいない気がして仕方なくなる。》
佳枝は、この日の日記を読んで、これまでとは違った印象を受けた。良介の崇に対する思いに、複雑な屈折があることは、彼女も前々から勘づいていた。良介は、まだ出会って間もない頃から、よく「僕の兄」の話をしていたし、悪《あ》し様《ざま》に言ったことはまったくと言っていいほどなかった。二人の結婚式の日、二次会で彼女の友人たちが、頻《しき》りに崇を紹介してもらいたがっていた時にも、良介は、誇らしげとも見えるような奇妙な熱心さで、その仲介役を買って出たりしていた。

佳枝には、それがやはりふしぎに感じられていた。彼女にも、美香という三歳違いの姉と亮《とおる》という六歳違いの弟とがいるが、彼らがそんなふうに、自分のいないところで妹について、あるいは姉について熱心に褒めている姿など、とても想像できなかった。男同士の兄弟というのは、こういうものだろうかと考えてみて、むしろ男同士であればこそ、猶更《なおさら》だという感じがした。

その意味で、すぅのこの日記は、必ずしも意表に出るものではなかったが、それでも、そこに綴《つづ》られた言葉は、彼女がこれまで理解していたよりも、もっと深いところにまで自分を導いてくれたように感じた。

佳枝は、明らかにこの日の日記に対する反応として書かれていた「キモい」という言葉に対して、強い感情的な反発を覚えた。彼女自身が、サイトの発見以後、俄《にわ》かに分からなくなった夫に対して、得体の知れない、気持ち悪い感じを抱いていたのは事実だったが、にも拘《かか》わらず、彼女はこの見知らぬ〈通りすがり〉の人間を赦《ゆる》し難く感じ、そうじゃない、彼はそんな人じゃない、と反論したい気持ちに駆られた。そうした矛盾するような心の動きを、彼女は怪しまなかった。彼女には、その根拠があった。それは彼女が、十年間も一緒に連れ添ってきて、誰よりも彼をよく知っているという思いに外ならなかった。

彼女は、自分の胸に生じたそうした意識の変化を仔細に見つめ直してみるよりも早く、掲示板に、すぅに理解を示す内容の書き込みをした。そのために、咄嗟《とっさ》に用いたハンドル・ネームがＡＩだった。

《はじめまして、すぅさん。

サイト、いつも見せていただいてました。

昨日の日記、わたしもデキのいい姉がいて、いつもよく比べられていたので、すごく分かります。兄弟（姉妹も？）って難しいですよね(^^;

心ない書き込みもありますが、どうぞ、気を落とされませんように。

お仕事も、ガンバってください(^o^)》

返事は、その日の深夜に早速書き込まれていた。

《初めまして∨ＡＩさん

書き込み、ありがとうございます！　日記はけっこう、内に内にって感じで、暗い内容になりがちなので、共感（？）してもらえて、すごく勇気づけられました(^^)

ＡＩさんにも、お姉さんがいるんですね？　お互い、次男次女同士で、複雑ですね（苦笑）

またよかったら、なんでも書き込んでください！》

佳枝は、会社のパソコンで確認したその文章の率直さに、また戸惑いを感じた。そうして彼を励まそうと思ってしたことだった。しかし、妻として自分が良介と交わす日々のやりとりは、決してこれほど溌溂《はつらつ》としたものではなかった。ＡＩが女性であることは、すぅにも分かっている。そのことを、自分は面白くないと感じているのだろうか？　もちろん、それもあった。しかし、たとえそれが男性相手であったとしても、彼女はやはり、同じような思いを抱いていたに違いなかった。彼女は、再び自問した。なぜ、自分ではないのだろう？　愛していればこそ、相手に知られたくないというのだろうか？　しかし、そうまでして守る愛とは、一体何なのだろう？　そんな、こわれものを扱うようにして大事にするのが夫婦の愛なのだろうか？……

彼女は、妻として良介と接し、サイトの常連としてすぅと接し続けた。ＡＩが書き込みをし、すぅが饒舌《じょうぜつ》に応じた日には、心なしか、良介もまた佳枝に対して饒舌だった。掲示板上で自分のした話を、「会社で耳にした話」として、直接、語って聞かされることもあった。彼女は何度か、良介が最初にサイトを開きっ放しにしたままパソコンを放置していたことを、わざとだったのではと疑い、自分がＡＩだということも、とっくにバレているのではと疑ったが、そうしたほとんどのんきとさえ感じられる振る舞いを見ていると、それもきっと考え過ぎなのだろうと思い直した。掲示板と引き比べて、日記にはむしろ、重苦しい自省的な言葉が綴られていた。それがなかったとしたならば、彼女は恐らく、早々にAIという存在を手仕舞いにしていたであろう。いずれにせよ、そうして一度機能し始めたバランスは、容易には解消し難く感じられた。

佳枝は思い余って、ある時、崇にメールで相談を持ちかけた。彼女は、良介の彼に対する思いが、兄弟の間に危機的な事態を生じさせることの危惧《きぐ》を考えないでもなかったが、崇ならば、うまくそれに対処してくれそうな気がしていた。いや、むしろそうすることが、問題を根本から解決する道だということを、些《いささ》か性急ながらも信じつつあった。彼女自身も、独りで事に当たるにはもう限界だと感じていた。元の通り、夫とはただ面と向かって、お互いの言葉をやりとりするだけの関係に戻りたかった。そうして、AIなどという見ず知らずの女ではなく、妻として——沢野佳枝として夫の力になりたかった。すぅの存在は、彼女にとって負担だった。しかしそれ以上に、最早苦しみとなりつつあった。

崇はすぐにメールに返事を書いて、彼女を慰め、協力を約束した。それが、七月末のことだった。日記の内容のために良介を恨まないで欲しいという彼女の願い出に対して、彼は勿論《もちろん》と応じて、こう続けた。

《今はもう、佳枝ちゃんの方が僕よりも良介のことをよく知っているかもしれないけれど、この件に関しては、僕なりの理解もあります。自分を言葉にするというのは、それほど単純な話じゃないと思う。佳枝ちゃんが、「すぅ」に対して感じる違和感は尤《もっと》もだけど、それは、良介の別人格というより、自分についての語り方の問題として捉《とら》えるべきじゃないかな。
佳枝ちゃんやたっくんについて良介の語る言葉が、現実の佳枝ちゃんやたっくんと必ずしも一致しないように、良介自身について語っている言葉も一種の錯覚なんだと思う。ただ、その錯覚の仕方に問題があるというのは、確かにそうだけど。そして、そうして語った自分の言葉を、良介が、これこそが自分の「本当の姿」だと、鏡を見るように信じ込んでしまっていることも。
「僕の兄」の話が頻繁に出てくることについては、僕は正直、かなりの打撃を受けたけど、それは、意外だったからではなくて、今まで予感していたことをはっきりと突きつけられたと感じたからです。僕はこの件について、僕自身の問題として真剣に受け止めています。》
崇の言葉は、佳枝を勇気づけた。人に打ち明けられたということも大きかったし、返信内容に覗《うかが》われる真摯《しんし》さにも心を打たれた。別の日の彼女へのメールで、崇はこんなことを書いていた。
《V良クンも、そのうち書くだけかいて気がすんだら、サイトも閉鎖しちゃうのかな？　だったら、何も知らないフリをし続けた方がいいのかと思ったり、
そうだね、その可能性はあると思う。

∨でも、お互いにちゃんと向かい合って話し合って、力になってあげたいと思ったり、
それも分かります。佳枝ちゃんが前に言ってたように、サイトの存在を良介に突きつけるのは、ちょっと荒療治かもしれないね。
屈折したやり方だけど、すぅの日記で書かれた内容を、佳枝ちゃんが、それとは無関係に（妻ならではの敏感さで！？）生活の中で察知したというふうにして切り出せば、良介もひょっとしたら喋《しゃべ》るかもしれない。それで、夫婦の会話を通じて悩みが解消されるなら、サイトを継続する興味も薄れるだろうし。うまくいくかどうかは分からないけど、それが良介の願望なんじゃないかという気もする。良介が、最初にサイトを開きっぱなしにしてたっていうのも、意志的じゃなかったかもしれないけど、佳枝ちゃんもちらっと言ってた通り、無意識に読まれることを期待しての行動だったという気もするし。……》
確かに、そうした方法が一番無難なのかもしれないと彼女は感じた。そして、当面、ＡＩと自分とを使い分けながら夫と接し続けてゆくということも、崇の励ましがあれば、可能である気がした。
ある時ふと、彼女は何の用事もないのに、崇にメールを送ってみた。それは、いかにも些細《ささい》な変化ではあったが、妊娠中に相談に乗ってもらっていた時でさえ、したことのないことだった。崇は気楽な返事を寄越して、やはり今までになく、良介については言

及しないまま、自分の近況についてだけ書いていた。それからは、パソコンのメールだけではなく、携帯のメールでも、時折やりとりを交わすようになっていた。
営業部に行って、販促物のリストを受け取って戻ってくる途中、彼女はトイレに立ち寄って、携帯で崇にメールを送った。それは、先ほどすぅのサイトで確認した日記の記述に基づく内容だった。
《しばらく連絡しなくてごめんなさい★
すぅの日記、見てくれてますよね？　良クン、やっぱり私たちのことを疑ってるみたい。実家に戻ったときに、察知してたみたいだけど。。。
心配です。》
崇とは、しばらく連絡を取り合っていなかった。それは一つに、すぅの日記に、実家への帰省後、幾分変化が見られるようになっていたからだった。宇部に戻ってからの最初の日記で、すぅはこう書いていた。
《僕は人生で、兄にはずっとかなわないできたけど、今は一つだけ、兄より勝ってると思ってることがある。それは僕が、今、幸福だということだ。僕には妻や子供がいる。僕は、家族のことを本当に愛してるし、僕の生甲斐《いきがい》は家族が一緒に幸せになることだ。だから僕は、イヤな仕事でも精一杯こなしている。時には、本当にイヤになるけどｗ……》
佳枝はこれを、帰省時に崇が何か言ってくれたからだろうと推察していた。

しかしその頃から、すぅは頻りに「僕の兄」と「妻」との「関係」について言及するようになっていた。彼女が警戒したのはそのことであり、崇からのメールも自然と間遠になっていた。そして、丁度その頃から、掲示板には、666というハンドル・ネームの訪問者が頻繁に訪れるようになって、すぅの相談相手のようになっていた。彼女はそれで、崇の意図を理解した。無論、掲示板では、見知らぬ他人同士として、時折常連らしく言葉を交わすに過ぎなかった。

6

「友くん、……先生が見えとるだけど、どうする？」

ドアの向こうから聞こえてくる母親の声を、友哉はベッドに横になったまま、顔を伏せて無視していた。

「……友くん？」

再び、怖々というようなノックとともに呼びかけられると、彼は、手近にあったマンガ雑誌を乱暴にドアに投げつけて、その衝撃が瞬時に凝結させた沈黙に目を据えた。やがて、息を潜めつつ階段を下っていく母親の跫音《あしおと》が聞こえ、玄関先で、「まだ、体調が良くないみたいで、……」と、言い訳するらしい様子が伝わってきた。

友哉はベッドの上に留まったまま、それを、自分とは別の誰かについて語っていることのように聞いていた。

担任の尾田と副担任の木下とが揃《そろ》って訪ねてきている。

「――学校で何かというのは、私たちも今、調べとるんですけど、特にはないんですよ。……」

という声のあとで、急に尾田が声を落として、何かを母親に語りかけていたが、内容までは分からなかった。しかし、志保子はそれに過敏に反応した。

「ですけど先生、学校から帰ってきてからなんですよ、友くんの様子がおかしくなったのは！　学校じゃなくても、下校途中で何かとか、どうしてもっとちゃんと調べてくれんのですか？　このままじゃあ、わたしだって、安心して学校にやれませんよ！　違いますか？……」

その声は、先ほどとは打って変わって、友哉の部屋の中にまで乱暴に押し入ってきたので、彼は大袈裟《おおげさ》に音を立てながら何度も舌打ちをし、口の中に溢《あふ》れ出した独り言を、味のしなくなったガムのようにいつまでも嚙《か》み続けていた。その視線の先には、脱ぎ捨てられた泥だらけの学生服が蹲《うずくま》っている。

教師二人が引き取った後、志保子は、青褪《あおざ》めた表情で居間に戻ってきて、無言のまま、プロ野球の中継を見ている夫に視線を向けた。その顔は、何も受けつけぬように、予《あらかじ》め内に表情を仕舞い込んでしまっているかのようだったが、眼球に残された内出血のあとは、涙液に潤《うるお》って、赤々と飴玉《あめだま》のような耀《かがや》きを灯《とも》していた。それが、数日前からずっと、いいいいとして眼帯が覆《おお》っているものの中身だった。

「お父さん、……」

呼びかける声に対して、返事はなかった。

「おとうさん！」

志保子は、急に取り乱したように叫んだが、英二はやはり振り返らなかった。テーブルに歩み寄ってリモコンでテレビを消すと、彼女はソファに半身になって座っている夫を見下ろした。

「友くん、やっぱり、学校でイジメられとっただか？　急にお父さんに手を挙げたりして。まるで別人みたいだったけぇ。……かわいそうに。……もっと強く言わんと、学校も本気で対応してくれんだろうけぇ！　お父さんも、明日一緒に学校に行って、イジメの張本人突き止めるように言って！　なぁ、お父さん！」

英二は、口を固く閉ざし、押し出すようにして鼻で溜息《ためいき》を吐《つ》いた。そして、ソファにまっすぐに座り直しかけたが、それも中途半端《はんぱ》なままで、俯《うつむ》き加減に呟《つぶや》いた。

「……ちょっと、甘やかして育て過ぎたかもしれん。」

志保子は、表情を強張《こわば》らせた。彼女にはそれが、夫婦としての反省というより、ただ妻にだけ向けられた非難のように感じられた。

「どうしてだ？　お父さん、ちょっと！　無責任なこと言わんで！　わたし、これまであの子を甘やかしてきたことなんかありゃせんよ！　いつも、いいことはいい、悪いことは悪いで、きちんと育ててきただけぇ。お父さんも知っとるだろうがぁ。……お父さんは、甘やかすもなにも、そもそもあの子に対して無関心過ぎただけぇ。あの子、わたしには手ぇ上げんかったよ！　そう！　あんなに怒っても、わたしにだけは、申し訳なさそうな目ぇしとっただけぇ。分かって欲しかったのよ、お父さんにも。あれも、あの子なりの表現よ。助けて欲しい！って。そういうサインだけぇ、きっと。」

「友哉も、もう中学生だろうが。だったら、口でそう言えばええだろう。あんな、腕力だけは一人前の大人みたいになって、それで子供みたいにダダ捏《こ》ねて、親に殴りかかってくるって、どういうことだ？　通じるか、そんな話。……俺だって、外で家族のために一生懸命、働いとるんだし、お前は家にいて、友哉と接する時間も長いんだから、もうちょっと、そういう細かな躾《しつけ》をしてくれても良かったんじゃあないか？　役割分担だけぇ、それは。お前にだけ、従順な人間になってもしょうがないだろう？」

「お父さん！　そんな言い方ってある？　わたしが、なんか、子供を手懐《てなず》けとるみたいに。」

「お前は、そういうふうにしとるよ、あの子を。俺に対してだけじゃなくて、誰に対しても。」

「自分が子育てちゃんとしてこんかったことを棚に上げて、何、その言い方は？　お父さん、友くんが小学校でイジメられた時にも、何してくれた？　わたしが、学校とイジメた子の家を駆け回って、守ってあげたんだけ！　親がそんなふうに、最後の最後に信頼して、頼りにできる存在になってあげなくてどうするだぁ？　このまま学校に行けんかったら、西高にも合格できんけぇ。そしたら、浪人して、またあの子が苦労することになるんだけ！――お父さんがそんなんなら、もうええ！　わたしが独りで、あの子を守ってみせるけ！……」

会話は、激した箇所だけ、所々、友哉の部屋にまで伝わってきていた。彼は、部屋に鍵《かぎ》がかかっていることを改めて確認して、眠りが、無の外には何もない世界へと拉《らっ》し去ってくれるような瞬間の到来を、枕《まくら》に顔を埋め込みながら待った。――が、その前に彼を乱暴に奪い取ったのは、むしろ記憶の方だった。

彼の頭の中には、安由実の家を訪ねた先週の木曜日の光景が、穴の空いた袋から漏れ出したように、止める術《すべ》もなく広がっていった。

彼女は、前週の金曜日からもう一週間も登校していなかった。担任は、「病欠」という学校への届け出をようやく疑い始めていたが、一部の生徒たちの間には、それよりもずっと早くから、驚きと好奇な危惧とを餌《えさ》にした囁《ささや》き声が、秘《ひそ》やかに繁殖し続けていた。

友哉のパソコンに、安由実からの返信はなかった。あの日、彼は、十通以上のメールを彼女に送り続けたが、夜更《よふ》けに送信した一通が戻って来て以降、連絡を取る手立ては失われてしまった。

件《くだん》の投稿サイトでは、安由実の写真は、その後、一旦《いったん》「依頼削除」されていたが、友哉ではない別の誰かによって再び投稿され、「詳細希望！」、「この掲示板で過去最高！！」、「円光？」と大きな反響を呼んでいた。

友哉は、改めて他の複数の掲示板に彼女の写真を貼《は》り、そのURLの一部を、広畑純也の携帯電話に送信した。純也からは、十分ほどして、当惑と怒りに満ちたメールが戻ってきた。

《オマエ、だれだ？　殺すぞ！　クラスのヤツか？》

友哉はこれに、即座に返信した。

《はあ？　オマエが死ねw　どんどん、バラまくぞーwww》

翌日、友哉は、憔悴《しょうすい》したような顔つきで、クラスの誰に対しても殺気立ち、猜疑心《さいぎしん》に満ちた目を輝かせている純也の姿を、終日ずっと観察していた。安由実は思った通り、欠席していたが、純也とは恐らく連絡を取っているはずだった。アドレスの変更が意外に遅かったのは、その間、電話でもしていたのかもしれない。

恨まれているに違いないという想像は、純也の姿をいよいよ滑稽《こっけい》に見せた。それが友哉には、当然の報いであると思われた。あんな下等な人間が、こうした幸運にいつまでも浴していい理由など何もなかった。他方で、自室に閉じ籠《こ》もって、誰にも打ち明けられない恥辱と不安に苛《さいな》まれているはずの安由実のことは、急に近しい存在に感じられた。

それはむしろ、向こうからの接近だった。昨日まではそうではなかった。彼女の住んでいた世界の凡庸な幸福は、何か卑劣な、はっきりとは目に見えないやり方で、いつからか、彼をそこから閉め出していた。中学に入るまでは、――いや、もう少し前の、小学五年の頃くらいまでは、彼らはもっと無邪気に互いの名前を呼び合い、言葉を交わしていたはずだった。それが、急に変わってしまった。彼が彼女に向けて発する言葉は、そこを潜る間に冷たく冷え、最初の生気を失ってひどくみすぼらしいものとなり、彼に向けられる言葉はまた、そこで行き止まって、いつでも遠く、届かなかった。

しかし、今は違う。彼女は終日、蔑《さげす》まれるべき秘密によってどこにも逃げ出せないように監視され、見知らぬ数多《あまた》の人間の慰みものにされている。最早誰もが、そういう目でしか彼女を見ないはずだった。その時に、ただ自分だけが違ったとしたら？――受け容れられるという確信が、奇妙な強度で友哉を訪れていた。待たれている。相談に乗ってやっているうちに、彼女もかつての親しさを恢復《かいふく》するだろう。そして、誰に対してその体を明け渡すべきかを悟るに違いなかった。今はまだ気づいてはいない。しかし、教室でほんの一瞬触れ合った視線や、二三度、たまたま交わした言葉が、振り返れば、見過ごされた予兆であったということは十分に考えられた。むしろ、彼女の方は、冷たく装《よそお》ったその表情の下で、早くからそのことに気づいていたのではあるまいか？……

安由実の家の場所は、訪ねたことこそなかったが、小学校時代から知っていた。住宅街の真ん中の第四公園沿いにある古い二階建ての日本家屋で、〈久賀〉という表札の出たブロック塀の奥には、植木が茂り、門に柵《さく》はなく、玄関までは幾度も継ぎ接《は》ぎされたようにコンクリートで塗り固められている。

友哉は、庭に落ちていた園芸用の軍手が、雨後に乾涸《ひか》らびたまま固くなっているのを、玄関の前でしばらく見つめていた。それから、何も干されていない物干し竿《ざお》に目を遣《や》り、縁側の窓の向こうで開け放たれたカーテンに目を遣って、ようやく呼び鈴に手を伸ばした。

「――ハイ？」

聞こえてきたのは、母親の声らしかった。彼は、安由実が直接そこに出なかったことに、一瞬言葉を詰まらせた。

「――ハイ？」

インターフォンの向こうで、声は訝《いぶか》るふうに、もう一度返事をした。彼は、やや前屈《まえかが》みに顔を近づけて口を開いた。

「安由実さんのクラスの北崎ですけど、……」

「え？」

「……宿題のプリントを持っていくように言われてきたんですが、……」

咄嗟《とっさ》にそう言うと、無意識に、バッグを上に持ち上げかけた。

「あらそう？　どうも、ありがとう。ちょっと待っててね。」

インターフォンが切れると、友哉はバッグを漁《あさ》り、数学の時間に配られたプリントを二枚、ノートの間から取り出した。玄関のドアの向こうでは、二階の部屋に向かって、

「安由実ちゃーん、クラスの北崎クンが、宿題持ってきてくれとるよー。」

と呼びかける声が聞こえた。

階段を駆け下りてくる跫音《あしおと》を待つ間もなく、インターフォンの前を離れると、鍵のかかっていない磨《す》りガラスの引き戸が無造作に音を立てて開かれた。

サンダルを突っかけて立っている、そのエプロン姿の女の顔を、友哉は昔から、授業参観の時に見て知っていた。それは、露骨なほどに娘に似ていて、しかもまったく中年らしかった。

彼女は、玄関に無言のまま立っているその少年の胡乱《うろん》な目つきに虚を衝《つ》かれた。それは、彼女が知っている、女の子の家を訪ねて緊張している中学生というのとはまた少し違った印象だった。

友哉は、彼女を一瞥《いちべつ》すると、奥に控えている階段へと目を向けた。

「ごめんなさいね、安由実ちゃん、まだちょっと体調が悪いみたいで。……」

母親は、友哉の視線の動きを敏感に認めた。

「上にいるんですか？」

「……そう、寝てるみたい。」

「病気なんですか？」

「うーん、……でも、大丈夫だから。」

その口調に、友哉は小刻みに眸《ひとみ》を震わせながら、母親の顔を見返した。些細《ささい》な仕草ではあったが、それが咄嗟に、彼女に嫌なものを感じさせた。そして、その時に覚えた身の強張りが、彼女の手を引き、北崎という、馴染《なじ》みはないがどこかで聞いたような名前の記憶の在《あ》り処《か》へと連れて行った。それは、一週間ほど前の夕食時に、学校でキレて、熊手《くまで》を持って暴れた生徒がいると娘が話していた時に耳にした名前だった。彼女の背中は、死んで冷たくなった鳥の肌のようになった。娘が部屋に閉じ籠もるようになったのは、まさしくその晩からだった。

「――病気じゃないんじゃないですか？」

「え？」

友哉は急に声もなく笑ったかと思うと、一旦俯いてから、また母親の顔を見上げた。

彼女は、先ほどとは違って、もっとはっきりとした、大人らしい不快を覚えた。

「先生には、ちゃんと連絡してあるから。わざわざどうも、ありがとうね。宿題は、――それ？」

友哉は、端の揃わぬ四つ折りのプリントを無言で差し出した。そして、空になった手を口許《くちもと》に持っていくと、眉間《みけん》に皺《しわ》を寄せながら人差し指の爪《つめ》を嚙《か》み始めた。

「北崎クンの家は、どこ？　この近く？」

母親は、立ち尽くす彼に帰るように促すつもりと、警戒の念から家の場所を知っておきたいのとで、そう尋ねた。友哉は爪を気にしながら、踵《かかと》で体を左右に揺すっていたが、それに対しては何も言わないまま、急に手を下ろすと、頷《うなず》いたとも否定したとも取れるような曖昧《あいまい》な向きに首を振って、くるりと背中を向けて門から出て行った。

ブロック塀の陰に隠れると、彼は、玄関の戸が閉められるのを背中で待って、家の二階に目を向けた。薄いピンク色のカーテンは閉ざされていたが、それが一瞬、揺らいだ様を見逃さなかった。隙間《すきま》を閉じ合わせようとするために、安由実は却《かえ》ってその指先を垣間見《かいまみ》させた。それは断片ではあったが、あの日以来、初めて目にした彼女の体だった。

友哉は、翌日の昼休みに、担任の尾田に呼ばれて職員室へと出向いていった。

わざと気軽さを装ったかのように、尾田は、弁当を広げたまま、

「――昨日、久賀のところに行ってくれたんだってなぁ？」

と笑顔で尋ねた。彼と向かい合う机には、副担任の木下が座っていて、やはり弁当をつつきながら、それとなく二人の様子を窺《うかが》っている。

友哉は、落ち着かぬ様子で眉《まゆ》を顰《しか》め、噛み合わせた前歯の隙間から音を立てて息を吸った。

「いやな、久賀のお母さんから、お礼《いい》の電話があったけぇ、気が利《き》くなと思っとっただが。――ありがとうな。」

友哉は、視線を合わさないまま頷いた。それを見て、木下が声を掛けた。

「久賀さん、どうだった？　まだ体調悪いって？　わたしも心配しとったんだけど。」

尾田は、彼女のこの言葉を、いつもながら余計と感じた。「わたしも」というのがわざとらしかったし、こんな若い女の教師から、こんなふうに尋ねられれば、大抵の中学生の男子は、それを勘繰りと取って反発するものだと彼は思った。

友哉は、体を揺らしながら首を傾《かし》げただけだった。たまたま、その後ろを通りかかったジャージ姿の体育教師が、

「ほら、クネクネせんと、しゃんと立たんか、しゃんと！」

と苦笑しながら、肩を叩《たた》いていった。友哉は、尾田には辛うじて聴き取れるほどの音で舌打ちしたが、特に注意はしなかった。

「悪かったなぁ、昼休みに。ちょっと確認したかっただけだけぇ。教室で尋ねて、ヘン

に取られてもお前も不本意だろうし。」

友哉は、小さく頭を下げて、後退《あとずさ》るようにして尾田の前を去ろうとした。それを、今度は隣で見ていた、熊手事件の時に割って入った教師が見咎《みとが》めて、

「おい、挨拶《あいさつ》は？」

と声を掛けた。友哉は、振り返ると、

「……失礼します。」

と小声で言って職員室から出て行った。

国語教師は、

「難しそうな生徒ですねぇ。」

と苦笑するような表情で尾田に語りかけた。尾田は、副担任を気にしながら、

「ええ、まぁ、でも、ボチボチ、……」

と曖昧に返事をした。

友哉はこの日、もう一度、別の人間から、別の時間に、別の場所へと呼び出されることとなった。相手は広畑純也であり、放課後、校舎裏の鳥取城跡に来いとのことだった。

ベッドの上に体を横たえたまま、彼は今、その時の記憶に取り囲まれながら、何度となく固く握った拳《こぶし》をシーツに振り下ろした。そしてその度に、「クゥッ！　クゥッ！……」という呻《うめ》き声が、食い縛った歯の至るところから漏れ出した。

放課後の下駄箱の先の出口からは、下校する生徒達の声とともに、夥《おびただ》しい光が差し込んでいた。掃除を終えた後、独りで帰路に就こうとしていた友哉は、靴を履き替えようと⑦と番号が打たれた枠を覗《のぞ》いたが、中は空になっていた。それと同時に、後ろから三人の生徒らに体を摑《つか》まえられて、

「オラッ、このボケ！　何帰ろうとしょうるだ！」

と、耳許で、鼓膜に押しつけられるように囁かれた。友哉は無視して、彼らの間を通り抜けようとしたが、その動きに三人の腕が反射的に緊張した。そして、一人が、友哉の白い運動靴の片方で、目一杯その頭を殴りつけた。

「俺らと一緒に、ハタさんとこに来いや！」

と触れるほどに顔を近づけながら言った。

「お前、分かっとるだろうが！　何の話か！」

友哉は激しく抵抗した。中の一人が、後ろから尻《しり》の辺りを蹴《け》って下駄箱に叩きつけると、額を角で打った彼は、手で押さえながら小さく呻いた。

「このアホがぁ！　自分がしたこと、考えてみいや！」

その声は、しどけなく着崩した制服とは不釣り合いに、恫喝《どうかつ》というより、どこか少年らしい義憤の響きを湛《たた》えていた。

友哉は、振り返って彼を睨《にら》みつけたが、逆に突き飛ばされて、よろめいた先で少年の

ひとりに腕を取られた。そして、髪を後ろに引っ張られながら、そのまま人目につかない裏道の坂へと連れ出されると、長い石段を登って、二ノ丸跡で待っている純也の許へと連行されていった。

葉桜の幹に寄りかかって、苛立《いらだ》った様子で待ち構えていた純也は、友哉の姿を見るなり、手に持っていたもう片方の運動靴を草で覆《おお》われた地面に叩きつけて、猛然と近づき、

「お前がやったんだろうがぁっ！」

と、怒りに任せて彼を突き飛ばした。そして、尻餅《しりもち》を突いた相手の上に馬乗りになると、胸倉を摑んで激しく揺すり、

「お前だろうがっ！」

と更に迫った。友哉は突然、身中に巨大な蛇が何匹も這《は》い始めたかのように恐慌《きょうこう》を来《きた》した。少年たちはその異様な絶叫に刺激されて、夢中で口を塞《ふさ》ぎ、銘々に体を押さえつけ、罵声《ばせい》を浴びせながら至るところを殴りつけた。

「お前、昨日、アユミの家に行っただろう！　オラッ！　アン？　みんなお前だろうがっ！　お前がアユミの写真、掲示板に貼《は》って回ってんだろう！」

友哉は、逃れようとして必死で藻掻《もが》いたが、四人分の体重を跳ね返すことは出来なかった。純也は口を塞ぐ手をどけると、リンゴを握り潰《つぶ》すようにしてその頬を鷲摑《わしづか》みにし、

「何とか言えいや、コラッ！」

と怒鳴りつけた。そして、自分でまた口を押さえると、鳩尾《みぞおち》の辺りを渾身《こんしん》の力で殴りつけた。友哉は一層激しく足をバタつかせながら、両目から俄《にわ》かに大量の涙液を溢《あふ》れさせた。

純也は、興奮で目の前が白んでゆくのを感じた。安由実の裸体が、こんなヤツの手に握られている。そしてそれが、ネット上で、数え切れないほどの男たちの目に曝《さら》され、散々に玩《もてあそ》ばれている！　彼はその犯人が北崎友哉に違いないと思っていたが、ここに来るまで確信は持てずにいた。しかし、友哉の顔を一目見た瞬間、すべての推察が完全に正しかったことを悟った。純也と目が合うなり、すぐに顔を伏せた友哉は、俯《うつむ》いた先で確かに笑っていた。それが、純也の怒りを激発させた。

鳩尾の痛みで声が出なくなると、彼は立ち上がって、執拗《しつよう》に友哉の体を蹴り続けた。振り下ろした足の力は、確かにその肉の感触へと受け止められ、自らに対しても痛みとして反響した。それは、決して変形することなく、鈍重にその場に、無神経に横たわり続けている！　かつて受けた暴力の記憶が、友哉の体を固く丸めさせ、動きをなくさせた。痛みというのは、いつでもただ、匿名《とくめい》の痛みだった。誰にどう殴られても、蹴られても、それはたった一つの感覚しかもたらさなかった。横たわる肉体の感触は、直接純也に、どうにも出来ない現実それ自体のように感じられた。呻き声が漏れると、せめて幾分かは手応《てごた》えがある気がした。そして、それをもっと聞きたくて、更に一頻《ひとしき》り蹴り続

けた後、彼は、頭に唾《つば》を吐きかけて、脚で踏み躙《にじ》りながら、

「お前、自分のしたこと、分かっとるだかい！」

と怒鳴りつけた。見張りの生徒は、今度はその純也の声を気にするように振り返った。

「俺から盗んだ画像、全部、そっくりそのまま返せっ！」

純也の声は切迫していたが、それが間の抜けた要求であることは、彼自身がすぐに気がついた。そうしたところで、どうなるのだろう？データを返すというのは、どういうことだろうか？添付ファイルにして送信しても、手許にデータは残る。家にまで行って、パソコンの前で全部消させるのだろうか？しかし、CD－ROMに落として隠し持っていることは別段難しくはなかったし、恐らく既にそうされているだろう。第一、画像はもう彼の手許を離れて増殖し、サイトを訪れる一日何万人という閲覧者のパソコン上に、到底回収不可能な形で散らばっているはずだった。

絶望する純也の思念を、この時、暗鬱《あんうつ》な閃《ひらめ》きが襲った。それは、彼自身にとってもまったく未知の思いつきだったが、とにかく、今し方の滑稽《こっけい》な恫喝の始末をつけなければならなかった。それは実際、事態の収拾のためには、効果を発揮すると思われた。現実が、かつて遭遇したことのない困難を呈しているのであれば、その解決のための方策もまた、既知のものでは間に合わないはずだった。そして、彼を決断に至らしめる最も心強い後押しは、正義は自分の側にあるという確信だった。

野球部の練習の声が、城跡の麓《ふもと》のグラウンドから立ち昇ってきていた。日はまだ高かったが、光が少しずつ、重みを増しつつあることが感じられた。

同じバスケット部の少年の一人が、

「ハタさん、……こいつ、どうする？　練習行かんと、キャプテンに怒られるで。」

と言った。純也は、雑草の上に横たわる友哉を見つめたまま、

「ちょっと、ズボン脱がすし、手伝って。」

と自らしゃがみ込んだ。少年たちは、確認するように互いに顔を見合わせると、誰からというわけでもなく友哉を押さえつけて、ベルトを外すのを手伝った。

友哉は、先ほどよりも遥《はる》かに弱々しい声で叫び声を上げたが、それもまたすぐに手で塞がれてしまった。ズボンを脱がせ、白いブリーフをずり下ろすと、純也はいつも友人に自慢しているジッポーのライターを取り出して、火をつけ、陰毛を焼き、性器をさっと炙《あぶ》った。

「あぁっ！……」

激痛に、友哉は顔の上の手を払い除け、身を捩《よじ》りながら絶叫した。焼けた陰毛からは煙が上がり、理科の実験で燃やしたスチール・ウールのように、か細く火が点《とも》ってすぐに消えた。その臭《にお》いに、さすがに痛々しげに顔を顰《しか》める者もあったが、腹を抱えて笑いを爆発させる者もあった。

純也は、加減したつもりではあったが、思いの外、深手を負わせたようであることに戸惑った。包皮の一部が黒く焦《こ》げたようになっている。しかし、安由実との関係が、もう決して元には戻らないであろうことを思い返すと、憎しみは再び彼を籠絡《ろうらく》した。

「これで、痛くてオナニーも出来んだけぇ。」

少年の一人が、目を耀《かがや》かせながら言った。友哉のその姿と安由実の写真とを結びつける想像が、純也を狂おしい気持ちにさせた。

「まだ、足らんけぇ。でんぐり返しにさせて。」

少年たちは、言われた通りに友哉の尻を天に向けて露《あら》わにさせた。純也は、携帯電話を取り出すと、動き回る彼に手こずりながらもその姿を何枚も写真に収め、最後に先ほどと同様に、ライターの火で肛門《こうもん》を炙った。

「熱い、熱い、熱いっ！……」

友哉は、獰猛《どうもう》な力で脚をばたつかせて火から逃れた。少年たちも、抑えきれないと、もういいだろうというふうに、体を離してやった。下半身を剝《む》き出しにしたまま、彼は後ろに手を回しながら、地面に這い蹲《つくば》っていた。

「クソする度に思い出せ、このアホがあ。……」

そう言うと、純也は彼を見下ろしながら、改めて、半ばは自分に言い聞かせるようにして続けた。

「お前、アユミの人生、メチャクチャにしたんだぞっ！　このまま学校に来れんようになったら、どう責任取るんだ！——ええか、今日からネットの中見回って、一枚でもアユミの画像があったら、二度と使いもんにならんように、お前のチンポ丸焼きにして、お前の写真も、同じようにネットにバラ撒《ま》いたるぞっ！　虱潰《しらみつぶ》しに探して、その都度、管理人に削除してもらえ！　ええなっ！」

少年の中には、それを笑って聞いている者もあったが、急に罪悪感を感じ始めた者は、

「泣くな。自業自得《じごうじとく》だろうが。家でオロナインでも塗っとけ。」

と声をかけた。しかし、そう思うのと同時に、場所が場所だけに、友哉はこの怪我《けが》のことを誰にも相談出来ないだろうと考えた。そして、少しほっとしながらも、咄嗟《とっさ》の思いつきなのか、そうした純也の知恵に妙に感心した。

「——行こう。……」

純也が促すと、運動靴を持ってきていた少年は、それを拾い上げて、友哉に投げつけた。去り際《ぎわ》に、先ほどから笑いっ放しの少年が、最後に今度は失笑めいた表情を浮かべて、

「お前、久賀が好きなんか？」

と尋ねた。この問いかけは、別段、唐突でもないはずだったが、その場に居合わせた全員の間に、奇妙な沈黙を齎《もたら》した。優しさからというよりも、人が来ることを恐れて、

少年の一人が脱がされたズボンを指で摘《つま》んで、尻の上に投げかけた。友哉はまだ俯《うつぶ》せのまま呻吟《しんぎん》していた。……

胸の苦しみに耐えられずに、友哉はベッドの上で激しく身を捩った。そして、そうした気持ちを鎮《しず》めるために、いつも必ずするように、小声で何度も、

「……殺ス、……殺ス、……」

と呟《つぶや》き続けた。言葉は、繰り返されるほどに祈りのように彼の痛みを癒《いや》したが、その都度、少しずつ意味が磨《す》り減っていって、次第に単なる音の連なりへと変わっていった。

汚れた制服で帰宅すると、彼は自室に直行して、そのまま部屋に閉じ籠《こ》もった。そして、両親が寝静まったのを見計らい、氷嚢《ひょうのう》と薬箱とを取りに行った夜更《よふ》けに、様子を察して、揃《そろ》って居間に降りてきた二人と鉢合わせした。

廊下で出会《でくわ》すと、友哉は思いきり、父親の顔を殴って階段を駆け上がった。以後は彼らと、一度も、顔を合わせてはいなかった。

火傷《やけど》のあとは糜爛《びらん》し、癒《い》える気配がなかった。その痛痒感《つうようかん》が、終日彼を苛立たせていた。

ベッドに横になったまま、彼は傍らのノート型パソコンの電源を入れた。そして、自らのサイトに足を運んで、昨日の短い日記を読み返した。

《審判の時は、近づいている。……もう、止めても無駄なことだ。

孤独な殺人者は、運命に身を委《ゆだ》ねる覚悟を決めた。》

それから、少し躊躇《ためら》った後に掲示板へと足を運ぶと、新着のメッセージを目にして、眉間《みけん》に深く皺《しわ》を刻んだ。文面は、この数日、毎日のように続いている書き込みの繰り返しだった。

《あなたの決断を支持します。しかし、あなたは私の助力を必要としています。連絡をください。最良の方法をお教えします。60aa9b54@dn. sky. tu-ka. ne. jp》

送信者の名前の欄にはこうあった。——「悪魔」

四悪魔

1

「もしもし、沢野です。」

　佳枝は、着信の表示で良介の実家からだと分かっていたが、丁度、夕食後の洗い物に取りかかろうと立ち上がったところだったので、取り次ぐつもりで受話器を取った。

「あ、佳枝さん？　こんばんは。和子ですけど。」

「あ、こんばんは。」

「お元気？」

「ええ、おかげさまで。――良クン……ですよね？」

「うん、そう。いる？」

「はい、ちょっと待ってくださいね。」

　良介は、良太を膝《ひざ》に乗せたまま、佳枝を見ていたが、恐らくは実家からだろうと察して、テレビの音量をやや下げ、「母さん？」と腕を伸ばした。

　佳枝は、「そう、」とコードレスの受話器を手渡しながら言った。それを、良太が脇《わき》か

ら奪おうとして、

「おばあちゃん？　おばあちゃん？」

と顔を見上げた。

「そうよ、おばあちゃんよ。」

良介は、良太にねだられて、

「じゃあ、ちょっとだけだよ。ごあいさつして。」

と先に受話器を譲った。

「……モシモシ？……」

「はあい。こんばんは。」

受話器の向こうでやりとりを聞いていた和子は、一音々々を大袈裟《おおげさ》に発音しながら、明るく応じた。

「……モシモシ？……」

「こんばんは。おばあちゃんですよ！」

「……おばあちゃん、……」

「なあに？　たっくん、げんき？」

「……たっくん、すいみんいったよ。……」

「え？　なあに？」

「……すいいいみん、……あのね、……すいいいみんのあとね、かったくいいん、みにいったけど、いなかったよ。……あ、……」

良介は、言葉に詰まった息子から、

「はい、じゃあ、パパとかわろうか？」

と受話器を譲り受けた。

「あ、もしもし、母さん？」

「ああ、良ちゃん？　たっくん、何ち言いよったと？」

「スイミングよ。近所のスイミング・スクールに行ってきてね。」

「ああ、スイミングね？　すいいいみん、すいいいみんち言うけ、何のことかと思いよった。通い始めたんやね？」

「うん、まだ今日が体験の二回目だけど。」

「そう？　どう？」

「うーん、一回目は泣いて大変やったって言いよったけど、」

と、良介は、台所に立つ佳枝の後ろ姿に目を向けて、

「今日は、そうでもなかったみたい。ちょっと慣れたのか。」

「喘息《ぜんそく》は？」

「うん、大丈夫やったみたいよ。」

良太は、佳枝のところに走って行くと、その足許《あしもと》にじゃれついた。

「ホント？　元気になっていけばいいねぇ。」

「うん、まぁ、徐々にね。」

「良ちゃんはどう？　元気？」

「うん、明日から、大阪出張なんだけど。」

「あら、そう？　じゃあ、大変ね、準備が。」

「ううん、一泊だけだから。」

「研究所？」

「そう。たくさん言わなきゃいけないことがあるんだけど。」

「あら、……色々、あるねぇ、良ちゃんも。」

「うん、まぁ、でも……ね。――それより、何か用事だったんじゃない？　母さんの方はどう？」

「うん、お母さんは、相変わらず、元気やけどね、……」

「……父さん？」

良介は、心持ち声を潜めて言った。

「……うん、……いや、……」

「言ってよ。それで電話してきたんやないと？」

「……そうね、……」

「あんまり良くないと？」

「……うん、……最近、またね。」

「なんで？　何かあったん？」

「……ううん。吐き気とかもなくなってきて、喜んどったんやけど、……その分、また独りで考え込むことが多くて、イライラしっぱなしよ。……お母さん、怒鳴られてばっかりやけ。……」

佳枝は、水道の蛇口をシャワーにして、洗剤で洗った半分ほどの食器を一先《ひとま》ず濯《すす》ぎ始めた。

「薬は？　ちゃんと飲みよらんと？」

「飲みようよ。飲みようのにいよ。」

「そう？……僕、日曜日に行こうか、そっち？」

「うん、……でも、良ちゃんも、出張帰りで疲れとうやろう？」

和子の口調は、気遣うというよりも、良介のその提案がピンと来ないといったふうだった。

「ううん、土曜に帰って、一日休めば平気だし。」

「うん、……崇にね、電話が繋《つな》がらんのよ。……どっか行っとうんやか？」

「兄貴？……」

良介は、ここでようやく母の思惑を理解して、声を曇らせた。

「兄貴は、関西じゃないかな。……明日大阪で、時間があったら会うかもしれないけど。」

「あら、本当？　あの子も出張？」

「うん。京都に国会図書館の関西館がオープンするけ、なんか、行かんないけんち言いよったけど。……」

「そう？……崇にも言っといてくれんかね？」

「……何を？」

「お父さんのことよ。お母さんもね、ずっと、お父さんの支えになりたいと思ってがんばってきたけど、……このままやったら、お母さんの方がどうかなってしまいそうやけ。……崇にやったらね、お父さんも話すと思うんよ、色々。……」

「でも、兄貴だって、忙しいんだし。……」

良介は、佳枝の許を離れて、また自分の膝に乗りにきた良太を抱きかかえながら、受話器に手を伸ばそうとするのを小声で制して言った。台所から、佳枝が、

「たっくん、パパ、だいじなおはなししてるから、じゃましちゃだめよ。こっちおいで。」

と呼びかけた。良太はそれに応じなかった。

「忙しいっち、自分の親のことやろうも？」

和子は、良介の言葉に、険しい口調で言った。

「だけ、僕が行くけ、日曜は取りあえず。」

「……うん、……」

「……もちろん、兄貴にも話すけど、急には無理だろうし。……僕でも行けば、少しは違うやろう？」

和子は、良介のその口調に、思い直したように、

「……そうね、……」

と言うと、

「じゃあ、……良ちゃん悪いけど、日曜日、来てくれるかね？　顔見せてくれるだけでいいけ。」

「うん、……薬、薬っち言うのも、本当にいいんかね？……なんか、いよいよ父さんが病人らしくなってきたみたいで。……」

良介のその呟《つぶや》きに、受話器の向こうでは、しばらく沈黙が続いた。やがて、

「……まぁ、とにかく、日曜日に。崇にも伝えとってね。」

「うん。母さんもたまには気晴らしに外にでも出たら。」

「……お父さんのことが心配で、そうも出来んちゃ。……」

和子は、強い言い方ではなかったが、明らかに息子の無理解に反発している様子だった。良介は、継ぐべき言葉をすぐには見つけられなかった。

「……うん、……」

膝の上では、良太が、受話器を欲しがってぐずり始めた。

「……とにかく、日曜日行くから、母さんも元気出して。――ちょっと、良太がまた代わりたいっち言いようけ。……」

「……はいはい、じゃあね。」

良介は、良太に受話器を手渡しながら、

「はい、おばあちゃんに、さようならいって。」

とささやいた。良太は、耳に当てると、通話口が顎《あご》の遥《はる》か先にまで伸びてしまう受話器を両手で持って、しばらく黙っていた後に、

「……ばいばーい。」

とだけ言って、またそれを良介に戻した。

「はーい。またね、たっくん。」

良介は苦笑しながら受け取ると、もう一度、

「じゃあね、母さん。おやすみ。」

と言った。

「はい、おやすみ。出張気をつけて。」

和子はそう言って電話を切った。

良介は、受話器をテーブルの上に置くと、虚《うつ》ろな目つきで溜息《ためいき》を吐《つ》いた。そして、良太に話しかけられているのに、「ん？」と、聞くともなく返事をしながら、台所に立つ佳枝の後ろ姿に目を遣《や》った。今はようやく洗い物を終えて、水回りの整理をしているところだった。

佳枝は、所々耳に入った良介の言葉から、義母との会話の内容を凡《およ》そのところ察して、敢《あ》えて聞こえないふりをしていた。そして、冷蔵庫を空け、ラップをかけた残りものを中に仕舞うと、

「良クン、果物、食べる？」

と、冷えた赤いリンゴを取り出しながら振り返った。

良介は、

「あ、うん、食べようか。」

と頷《うなず》いて、

「たっくんも食べる？」

と顔を覗《のぞ》き込んだ。良太は、膝の上でじゃれついていたが、そう問いかけられて、

「うん、たべるよ。」

と返事をした。

包丁と俎板《まないた》、それに皿を一緒に持ってきた佳枝は、よいしょ、と座布団《ざぶとん》に座って、いつものように先ず八等分し、それから皮を剝《む》き始めた。そして、ようやく、

「お義母《かあ》さん、何だって？」

と良介に話しかけた。

良介は、「ん？」と顔を上げて、

「うん、……なんかね、父さんがあんまり良くないんだって。それで、日曜日にちょっと実家に帰ってこようかと思って。」

「あ、本当？……お義父《とう》さん、心配ね。……」

「……今の方法が本当に良いのかどうか、分からないよ。」

佳枝は、硬く瑞々《みずみず》しい果実が、包丁の刃によって少しずつ露《あら》わになってゆく時に立てる爽《さわ》やかな音を聴きながら、夫の言葉に注意を払うように、一瞬目を上げた。

「兄貴が父さんを病人に仕立て上げちゃったけど、やっぱり、薬なんか飲ませないで、家族がちゃんと相談に乗ってあげてれば良かったんじゃないかなって、……今でも時々思うよ。」

「だけど、お義父さん、体調悪そうだったし、それはそれで良かったんじゃない？」

「体調悪くなったのは、薬の副作用だよ。」

良介は、険しい表情をして言った。

「それをまた、薬で治してるだけなんだから。あんなに何種類も朝昼晩、薬ばっかり飲んで。……薬漬けになっちゃうよ。……そういう父さんとずっと一緒にいて、母さんがまともでいられるはずないんだよ。そこまで考えなきゃ、いけなかったんだよ、あの時も。……どこまでが本当の父さんで、どこまでが薬でおかしくなってる父さんか、分からないんだから。」

「もちろん、わたしだって、専門的なことは分からないけど。」

佳枝は、手際《てぎわ》良く切ったリンゴを皿の上に置いてゆき、良太のためには、更に細かく切って、「はい。」と手渡してやった。

良介は、それを一欠片《かけら》取ると、口に運びかけたまま、

「……みんな分からないよ。」

と言った。

「本田の伯父さんは？　何て言ってるの？」

「伯父さんは、医者だから、医者に診せるのは賛成だよ。けど、父さんを直接診察したわけじゃないから。兄貴と母さんの話を聴いただけだし、母さんも兄貴の言う通りを信じてるし。」

「でも、お義兄《にい》さんも、良かれと思ってのことなんだから。」

剝き終わって包丁を置くと、佳枝はそう言って、ベタついた手を一旦《いったん》洗いに行った。良介は、良太がいるのに、妻が包丁をテーブルの上に置いたままにしたことを、この時なぜか、ひどく無神経に感じた。

「包丁、危ないよ。」

夫の声が、無意識に帯びたある刺々《とげとげ》しさに、彼女は、「え？」という顔をした。そして、それに手を伸ばす良介を見ながら、「……ああ、」と当惑したように声を発した。

良介は、包丁と皮の乗った俎板とを持って立ち上がると、訝《いぶか》しげに見上げる彼女を尻目《しりめ》に、それを流し台に置きに行った。そして、戻って来ると、やや唐突に、

「……兄貴の言うことがいつでも正しいわけじゃないから。」

と言った。佳枝はそれが、義父の病のことについてではなく、彼女自身へと向けられた言葉であることを、その時はっきりと感じた。それは、良介の声というより、初めて耳にする〈すぅ〉の声であるようだった。

彼女は、敢えて屈託なく笑ってみせながら、

「それはそうよ。お義兄さんだって、神様じゃないんだし。お義父さんのことも、良クンの方が頻繁に会って見てるんだから、思うことを率直に言ってみたら？　二人で話し合ったら、また新しい考えも出てくるかもしれないよ。」

と言った。そして、口の周りをリンゴの果汁でベタベタにしている良太を、

「たっくん、こっちおいで。」

と招き寄せて、ウェット・ティッシュで丁寧に拭《ふ》いてやった。良太は笑って、なぜかはしゃいでいた。

良介は、妻の言葉を少し意外に感じながら、黙ってその様子を眺めていた。そして、

「……うん、明日会うから。」

と呟いた。佳枝は、顔を上げて、また少し微笑《ほほえ》んでみせた。

彼女が、良介の口から、大阪で崇と会うことを聞かされたのは、一週間ほど前の九月末のことだった。しかし、既にそれ以前に、彼女は〈すぅ〉のホームページで、〈６６６〉という名の訪問者が、個人的にコンタクトを取って、良介と会いたがっているのを知っていた。〈ＡＩ〉として、彼女はそれをただ静観していた。すぅからは、「ＡＩさんも、一緒にいかがですか？」と誘われてはいたが、「わたしはお仕事もあるし、今回は遠慮しておきます。お二人で楽しんできてくださいね。」とだけ、返事をしていた。良介は無論、大阪ではただ、崇と会うとしか言っていなかった。

佳枝は、自分のＡＩとしての役割も、この二人だけのオフ会で終わるだろうと考えていた。崇が良介に、６６６の正体を明かしたならば、すぅの日記はもう書き継がれることなく、ホームページそのものも、恐らくは閉鎖されるだろう。それで良いと思ってい

た。そしてその時に、自分はどうすべきか？……

　彼女もまた、崇と同様にすべてを知っていた。そして、今はもう、良介がすぅとして ずっと書き綴《つづ》ってきた思いも共有している。──そう語りかけるべきだろうか？　直接面と向かっては、言い辛《づら》い思いだってある。それを、色々と思い迷いながらも懸命に書き綴っていた彼の言葉を、自分はとにかく、一字も漏らさずに読んできた。しかも、何度も繰り返し読んできたのである。そのことは、むしろ彼を喜ばせはしないだろうか？──ＡＩとは、自分のことだったと告げるべきだろうか？　彼が良介であり、すぅであったように、自分も一時、佳枝であり、ＡＩだった。しかし、今はもう、互いにただ、沢野良介であり、沢野佳枝である。そう確かめ合うべきだろうか？　それとも、そのことについては、最後まで黙っておいた方が良いのだろうか？……

　彼女は、本心では、自分がそうして、すべてを夫と明かし合う光景を望んでいることを知っていた。しかし、そのためには、すぅとＡＩとは、些《いささ》か不用意に長く、不用意に深く親密であった気がした。事実を知らせれば、良介を傷つけることにはならないだろうか？　いや、むしろそれ以上に、自分は夫からの信頼を失ってしまうのではないだろうか？　その気になれば、自分はいつでも素知らぬ顔で、本心とは違う表情をし、本心とは違うことを口に出来る人間だと思われてしまう。良介が、明らかにＡＩによって語った話を、食卓で、どこかで耳にした話として聞かせてくれた時、彼女は気まずい思いを隠しつつ、それに笑顔で応じていた。あの笑顔は、なかったことにはできなかった。
もちろん、彼女とて、自分の本心と言動とが、いつでも一致しているなどとは思っていない。嘘《うそ》を吐《つ》いてしまうこともあるし、建前で取り繕うこともある。しかし、相手の秘密を知っていながら、知らないふりをするというのは、それよりもっと不誠実な感じがした。そのことは、たとえあとで打ち明けたとしても、帳消しとはならないのではあるまいか？　自分自身がそう感じる。そして、彼女の知る限り、良介もまた、そう思うに違いなかった。それを怖《おそ》れていた。
彼女は昨日、久しぶりに崇の携帯にメールを書き送った。
《金曜日、良クンのこと、お願いします m(_ _)m
どんな反応か、ちょっと心配ですけど、…でも、きっと大丈夫！
兄弟水入らずで楽しんでくださいね。おこづかい、多めに渡しておきますので、どうぞ、気兼ねなく（笑）
私もこれで、少し気持ちが楽になるのかな。。。》
崇からは、二時間ほどして短い返事が来た。
《うん。…どの程度の話が出来るか分からないけど。》
普段の彼とは違って、ややぶっきらぼうな印象だった。彼女は一読して、外にでもいるのだろうかと思ってみたものの、自分の書いたメールの文面は、どこか調子を外していたのかもしれないという気がした。自分とはまた別の意味で、崇にとっても、今回の弟との面会は、恐らく大きな意味を持っているはずだった。その成り行きが、どうなるのかは分からなかったが、信じて待っているより他はなかった。

仕事のなかった今日の午後、彼女は、スイミング・スクールに行った帰りに、まだどこか塩素の香りを残している良太にせがまれて、常盤《ときわ》公園にモモイロペリカンの〈カッタくん〉を見に行っていた。

カッタくんは、十数年前に、たまたま遊びに行った近所の幼稚園で、大きな鏡に映し出された自分の姿に間違って恋をして、以後、そこに熱心に通いつめ、求愛行動をし、巣作りまで始めてしまったという気の毒なペリカンで、その姿が全国的に大きく報じられ、後には映画にもなって、以来、この公園のシンボルのようになっていた。カッタくんというのは、彼のルーツであるインドのカルカッタに因《ちな》んだ名前である。

佳枝は、宇部新川に引っ越してくるまで、そんなペリカンのことなどすっかり忘れていたが、家族で初めて常盤公園に遊びに行った際に、園内の〈ペリカン島〉の説明にこの記述を見つけて、そういえば、そんなニュースを昔見たけれど、この子のことだったのかと、驚きとともに思い返した。

カッタくんは、幼稚園裏の民家に巣作りを始めてしまったところで、「危険防止と繁殖の学習のため」という理由から、風切羽根を切られて、二ヶ月ほど飛行が出来なくなってしまった。この処置を二度施して、ようやく園内の〈ミディちゃん〉に求愛し、繁殖に成功したが、その後も幼稚園通いは止《や》むことなく、園舎の建て替えで上空から場所が分からなくなった時には、歩いて園児らとともに登園し、その他、花火に驚いて逃げ出したり、車に轢《ひ》かれたりと、逸話の類《たぐい》には事欠かなかった。

彼女は、必ずしもこのペリカンを目当てに訪れていたわけではなかったが、家からもほど近く、常盤湖を囲む広大な散歩道を備えたこの公園を気に入って、良太とともに時々思い出したように通っているうちに、自然とこのカッタくんにも愛着が湧《わ》き、来ると必ずペリカン島の群の中から、足に赤いリングの目印がついた一羽を探すようになっていた。

今日もそれで、良太としばらく探していたのだったが、どこかに出かけているのか、到頭その姿を見ることは出来なかった。

いつのことだったか、彼女は一度だけ、このカッタくんに関係しているらしい夢を見たことがあった。

それは、どこかの海の港らしく、風景には、近所のキワ・ラ・ビーチの遠浅の砂浜らしいところがあった。浜辺から長く真《ま》っ直《す》ぐに延びた桟橋の一番端に、良介が独りで立っている。周囲には、見渡す限りやや薄暗い海が広がっていて、他に人の影は見えない。彼女は、あとから夫に追いついて、何をしているのかと尋ねてみた。すると、さも当然のように、「カルカッタ行の船を待ってる。」と言うのだった。

それから、場面がどう展開したのか、はっきりとは覚えていなかった。その桟橋の先で、四方八方からずっと人に見られているような気がしていた。彼女はとにかく、そこにいたくはなかった。それで、船ではなくて、自分の軽自動車で行った方がいいと、しばらくトンチンカンな説得を試みていたが、やがて海は常盤湖に変わっていて、千葉の両親が、良太に、白鳥に食べさせる餌《えさ》にと〈東京ばな奈《な》〉を与えている様が目に入った。彼女はそれを見て、バッグの中に入れておいたベルギー・チョコレートが、溶けてドロドロになっているのを思い出した。覚えているのは、丁度、その辺りまでである。

佳枝は、半年ほど住んでみて、この宇部新川という土地が好きでも嫌いでもなかったが、街のどこからも工場地帯が見え、同時に自然にも触れられ、海も近く、いかにも地方らしい商店街や巨大なパチンコ店などがあり、駅前には「みんなで追放！　シンナー遊び！」というロータリー・クラブの看板が出ているここの風景は、北九州にも千葉にも、少しずつ似ているような気がしていた。それで、住んでいる期間の短さの割には、日常の中に、あるしっとりとした落ち着きを得ている。それでも、ここにはもう、あまり長くはいないかもしれないと思い始めていた。彼女は今日、スイミング・スクールの受付で、正式に幼児コースの受講の申し込みを勧められた時に、初めて具体的に、その可能性について考えてみたのだった。

すぅの日記の中で、彼女は夫が、転職について考えていることを知っていた。これもまた、良介の口から聞くよりも先に教えられたことだったが、そのこと自体には、さして驚きはなかった。むしろ、彼が言い出さないのであれば、彼女の方がそれを勧めようかと思っていたほどである。就職氷河期世代だっただけに、大学時代の友人の中にも、仕事に馴染《なじ》めず、三十を手前に会社を辞める者が何人もいた。それで、給料が下がったと言う者もあったが、したいことが出来る方が幸せなのだろうと、話を聴いてつくづく感じていた。

良介は、それなりに納得して今の会社に入っていたはずだったが、明らかに不本意な異動だった千葉転勤を命ぜられた時、思いきって転職を考えなかったのは、決断が出来なかったというのは無論あったが、大学を卒業して、一旦実家に身を寄せることにしていた彼女の影響も小さくはなかった。大阪での一年間の遠距離恋愛時代に、彼女は既に彼からプロポーズされていた。その返事を、曖昧《あいまい》にしたまま保留していた時に、彼は会社から千葉の工場行きを命ぜられ、そのことを以《もっ》て、改めて結婚を申し込まれたのだった。

佳枝は今、良介が本当にやりたい仕事を探すというのなら、自分の仕事を増やしても、それに協力するつもりでいた。良太も幸い、保育園に通うことを嫌がらない。そして、もし今度は、今のように転勤が多くないのであれば、彼女自身も、もっとちゃんとした、やりがいのある仕事がしたいと感じていた。そのための苦労は、単に経済的なことを考えてみただけでも、よく分かっていた。引っ越し代一つ取ってみても馬鹿《ばか》にはならない。しかしそれで、良介とのまだ先の長い関係を、建て直すことが出来るのだとするならば、それを考えることは決して憂鬱《ゆううつ》ではなかった。むしろ、その道を積極的に選択したかった。

リンゴを口にしながら、良介はずっと押し黙っていた。

彼女は、さりげなく時計に目を遣《や》って、

「あ、もうこんな時間。」

と独り言のように呟《つぶや》いた。十時を前にして、テレビの画面には、番組の谷間の長いCMが、入れ替わり立ち替わり、忙《せわ》しなく映し出されている。

「さぁ、たっくん。ママとおふろはいって、ねんねしようね。――お風呂《ふろ》、入れてくるね。」

彼女は、立ち上がりながら良介を振り返った。良介は、

「ああ、……うん。」

とだけ返事をした。彼は先ほどから、妻の考えていることをその表情から読み取ろうとしていたが、すんでのところで届かないような、あるもどかしさを感じていた。それがどういうことなのか、彼にはよく分からなかった。

良太を先にトイレに行かせている間、彼女はまた居間に戻ってきて、入口の辺りから、

「良クン、……」

と呼びかけた。良介は、もう少し色がついてしまった最後の一個のリンゴに手を伸ばしながら、つと顔を上げた。

「……お義兄さんとよく話してきてね。」

彼女が湛《たた》えた笑みの意味は、彼には何か複雑なもののように感じられた。そして、ほとんど衝動的に、

「どういう意味？」

と問い返した。

「ん？」

「いや、……わざわざそんなこと、言いに来るから。」

「どういう意味って、……ううん、別に。……せっかく会うんだし、と思って。」

良介は、柱に寄り添うようにして立つ妻の姿を見つめた。その言葉は、彼には何かよく分からない、濁りを帯びているように感じられた。そして、自分の中に昂進《こうしん》してくる感情をどうしても抑えることが出来ずに、

「佳枝ちゃん、……僕に何か、隠してることある？」

と、これまで決して口にしなかった疑念を、初めて言葉にして尋ねた。

佳枝は、身動《みじろ》ぎもせずに黙って夫の顔を見据えた。その眸《ひとみ》に、なにか痛みとともに染《し》み出してきたかのような懐疑の色を認めながら、彼女は唇を固く結んで微《かす》かに頰を震わせた。

背後から、トイレを出てきた良太が姿を現して、

「ママぁ、しーしたよ！」

と、嬉々《きき》としてそれを報告した。

「うん、えらい、えらい。……じゃあ、いこうね。」

やや屈《かが》んだ姿勢でそう微笑みかけると、彼女は良太の手を引いて浴室に向かった。去り際《ぎわ》に、何か一言、言葉を発しようとするかのように、彼女は彼を振り向いた。良介は、はっきりとした後悔の色を湛えながら、俯《うつむ》いてリンゴを見つめていた。彼女はその彼に、もう一度呼びかけることが出来なかった。そして、胸に大きく吸い込んだ息は、ただ力ない嘆息として漏れて、結局、言葉に汲《く》み上げられることはなかった。

2

男は、梅田駅一階の公衆トイレへと向かい、忙しなく人の行き交うその真ん中で足を止めて、床に目を凝らした。

最後の清掃が済んでから、まだあまり時間が経《た》っていないようだった。じめついたタイルは、却《かえ》って人の靴底を拭《ぬぐ》って、泥を塗りたくったように汚れている。そこかしこで、踏み締められたガムの食べ滓《かす》が、黒ずんだ丸い斑点《はんてん》となっていて、乾涸《ひか》らびたその僅《わず》かな厚みには、今はまた、誰の者とも知れないかつての唾液《だえき》の潤《うるお》いが静かに呼び戻されていた。

立っていた場所が、丁度、小便器の並ぶすぐ後ろだったので、用を足し終え、また尿意に慌《あわ》てて駆け込んできた者らは、この長身の男を煩《うるさ》そうに避け、中には軽く舌打ちして、「……邪魔くさいな。」と顔を顰《しか》める者もあった。男はそれに無反応のまま、ただ眉《み》間《けん》に指で捻《ひね》り潰《つぶ》したような皺《しわ》を刻んで、視線を足許《あしもと》一帯に巡らせている。そして、時折屈みかけたかと思うと、首を捻ってまた元の姿勢に戻ったりした。

個室のドアが開いて、出てきた男は、目の前に立ち尽くす男に、一瞬、ビクリと身を仰《の》け反らせ、それからすぐに目を逸《そ》らして、傍らを過ぎ去って行った。その空いた一室に、先に入って良いものかどうか、後ろでは、ポロシャツ姿の大学生風の青年が様子を窺《うかが》っている。男はそれを、見るともなく目の端に留めて、俯いたまま、前に進んで後ろ手でドアの鍵《かぎ》を下ろした。

狭い室内には、排泄物《はいせつぶつ》のまだ生温かいような臭《にお》いと、それを洗い流した水の冷たい臭いとが、両《ふたつ》ながらに広がっている。不潔に汚れた和式便器の底には、浅く溜《た》まって微かに動揺する水の面に男の影が落ちている。

周囲の音は、隣部屋の呻《うめ》き声から床に響く無数の跫音《あしおと》、そして、夥《おびただ》しい数の駅利用客の喧噪《けんそう》に至るまで、遠近を違えながら、男の周りを無機質に囲んだ無音の一画へと侵入してくる。身を屈めると、水の上の影は急に大きく広がって、そこに目鼻を備えた一つの顔を映し出した。

手こそ突かなかったが、男は、舐《な》めるようにして便器に目を這《は》わせ、金隠しの縁に頭髪らしい毛根のついた白髪を一本見つけると、バッグに手を入れて、プラスチック製のフィルム・ケイスとビニル・カヴァーに収められた先の長いピンセットとを取り出した。そして、空のフィルム・ケイスのキャップを開け、ピンセットを抜くと、毛髪を慎重に摑《つか》んで折り曲げながら中に入れ、更に便器の上に落ちていた陰毛も一本採取した。それから、キャップを閉め、ピンセットの先をトイレット・ペーパーで丁寧に拭うと、カヴァーに収めてバッグの中に入れ、汚れた紙屑《かみくず》を便器に落として、立ち上がって右足で強くレヴァーを踏んだ。

轟音《ごうおん》とともに飛んだ水しぶきが、男の革靴を濡《ぬ》らした。丁度その音に紛れるようにして、携帯電話のメールの着信音が鳴った。

男は、ズボンのポケットから電話を取り出し、画面に目を落とした。予定通り、〈件名なし〉のメールが一通届いている。

《着きました。紀伊国屋のビッグマン前にいます。白い半袖《はんそで》のシャツを着てます》

文面に異常がないことを確認すると、無表情のまま外に出た。待ち構えていた会社員風の男は、擦れ違う際になにか呟き声らしきものを聞いたように感じたが、振り返って小首を傾《かし》げると、急に思い出したようにそそくさと空いた個室の中へと入った。

友哉は、メールの送信が〈完了〉したのを確かめると、顔を上げて、梅田紀伊國屋前の恐ろしいほどの人混みに目を向けた。その中の誰かが、携帯を手に取り、メッセージを確認してこちらに向かってくるはずだった。

最後に大阪を訪れたのは、去年の夏休みのことだった。家族三人で、オープン後間もないユニバーサル・スタジオ・ジャパンに遊びに行った帰りに、阪急デパートに立ち寄って、母親の洋服の買い物につきあったのだった。その時にも、この辺りでぼんやりと人群を眺めたことを覚えている。時刻は丁度、今と同じ六時頃だった。

電車を乗り継ぐ会社帰りのサラリーマン、OL、それに放課後の学生などが、一瞬毎《ごと》に形を変える巨大な迷路に放り込まれ、自らもまた、知らぬ間にその迷路の壁の一部と化しつつ、出口を求めて右往左往しているかのように、僅かに開いた人の隙《すき》を縫って、黙然と前を見据えて歩いてゆく。その所々に、流れが滞ったように人の澱《よど》みが出来て、皆、携帯電話を気にしながら、先に集まった待ち合わせの数人と、世間話をしたり、手探りで互いを紹介し合ったりしている。

友哉は、二つある書店の入口の梅田駅を背にして左側にいた。目の前では、〈ヘルテック Healtech～health & technology〉というフィットネス・クラブのデモンストレイション・ブースが構えられていて、無料で行われる〈脳年齢測定〉や〈血流測定〉のために、人々が列をなし、また見物のための垣を作っている。そのチラシ配りのスタッフが着る鮮やかなオレンジ色のTシャツが、人混みのあちらこちらに点在して、一帯を見渡す彼の目を、その都度否応《いやおう》なく引き寄せた。

中央大階段の足許の、取り分け人の密度が濃い辺りに、彼は、紺色の制服を着た若い男を認めて、それが警官なのか、それとも単に警備会社の社員なのか、確認するように目を細めた。――と、その時、視線の更に奥の、フロアの端まで等間隔に連なる、丁度人二人が隠れられるほどの四角い大きな柱の一本から、すっと、ひとりの男が姿を現した。全身に真っ黒の服を纏《まと》い、両目を見開きながら、はっきりと友哉の顔を凝視している。髪は肩に掛かるほどの長さで、ワックスか何かで二つ分けにして撫《な》でつけてある。背は180センチくらいだが、病的に痩《や》せていて、神経そのもののように細く感じられ、手にはやはり黒い鞄《かばん》を持っている。

脇目《わきめ》を振らずにまっすぐに近づいてくると、男は、携帯を手にしたままの友哉の前に無言で立ち止まった。

フロアの騒音が、自分の周りから一斉に退《しりぞ》いてゆくのを感じた。男は、何か密《ひそ》やかな怒気が込められているかのような目つきでギッと睨《にら》みつけた後、巨大な鳥の足のように骨張った手で、乱暴に二の腕を摑み、あらん限りの力で握り締めた。

友哉は反射的に身を強張《こわば》らせた。男は更に力を込め、震えながら爪《つめ》を立てて、深く肉に喰い込ませた。周囲の者は、誰もそれに気づいてはいない。痛みに耐えられず、到頭、体を捩《よじ》って逃れようとしたその瞬間、ポンと後ろから肩に手を乗せた者があった。振り返ると、見知らぬ男がひとり、静かに探るような顔つきで彼を見下ろしている。そして、表情を変えることなく、

「待ち合わせ場所は？」

と尋ねた。友哉は、一瞬、言葉を詰まらせた後に、

「十字路……です。」

とぎこちなく呟いた。その指示通りの合い言葉に、男は曖昧な目をして、何かを考えるふうにやや下を向くと、口許を歪《ゆが》ませて肩の手を退け、

「――ついて来て。」

と低い声で言った。

友哉は、救われたような安堵《あんど》を感じて、自分の腕を摑んでいる男に恐る恐る目を向けた。しかし、鳥取から乗った特急の車中でも、何度となく見かけたその男は、今はまた

跡形もなく姿を消していて、ただその腕に、不気味な痛みの感触だけを残していた。

二人は、雑踏の中を終始無言で歩いて、五階建てのビルに入っているカラオケ・ボックスへと辿《たど》り着いた。

エレベーターを出て、受付に向かうと、髪を斑《まだら》に茶色に染めた二十代後半らしい女が、

「いらっしゃいませ。代表者のお名前をよろしいでしょうか？」

と、普段通りに用紙とペンとを差し出しながら、ちらと、男と、まだ中学生くらいに見えるその連れ合いとを盗み見た。少年は、落ち着かない様子で、レジの脇のチラシを眺めていたが、その眸には何も映ってはいないようだった。

男は、求めに応じて名前と電話番号とを書いたが、それが偽名であることは、職業的なカンからすぐに分かった。しかし、こういう時の常で、彼女は、余計なことは一切言わなかった。

「……はい、」

とそれを受け取ると、パソコンのモニターに目を向け、

「303号室です。そちらのエレベーターか、もしくは階段でお上がりください。」

と、マイクとリモコンとが入った赤いカゴを手渡した。男は、黙ってそれを受け取ると、少年を一瞥《いちべつ》して促した。彼はそれに、頷《うなず》くわけでもなく、下を向いたままで従った。

部屋は四畳半ほどで、白いテーブルを囲むようにして、一角の切れたコの字型にソファが設《しつら》えられている。薄暗い照明の下、〈今月の人気ランキング〉を紹介するモニターの映像が、青白い光を灯《とも》している。音楽は極控えめに流れているが、隣部屋は空いていて、ドンチャン騒ぎの音が、壁を突き抜けて雪崩《なだ》れ込んでくるようなことはなかった。

二人が、角を挟んでソファに座るのとほぼ同時に、店員がノックしながら、「失礼します！」と入ってきて、

「お先に、飲み物のご注文をよろしいでしょうか？」

と声を掛けた。

男は店員の顔を見上げた後、メニューを一瞥して、烏龍茶《ウーロン》とコーヒーとをそれぞれ一つずつ、それに、少し考えてから、エビピラフを注文した。

友哉は、浅く椅子《いす》に腰掛け直しながら、臀部《でんぶ》と性器との痛痒《つうよう》に無意識に顔を顰めた。そして、不眠の澱《おり》が積もって重たくなった頭を、厄介な荷物のように首で支えた。

気密性の高い、狭い室内は、声を発すれば、それがそのまま体の内から響くかのように、鼓膜を震動させた。空調はついていたが、歩いてきたせいもあってか、少し暑かった。

彼は、自分の今いる場所に、現実らしい手応《てごた》えを感じられずにいた。カラオケ・ボックスに来たこと自体が初めてだったが、その場所は、凡《およ》そ今現在の目的には適《かな》っていな

いようだった。しかも、その所在は大阪で、目の前にいるのは見ず知らずの男である。

歌を歌うのだろうかと、彼は最初、本気で考えた。男は飲み物が運ばれて来るまで、口を閉ざしたまま、分厚い曲目リストを膝《ひざ》に乗せて、無関心らしくページを捲《めく》っていた。ほどなく、店員がまた、先ほどと同じように、ノックと同時にドアを開け、飲み物と冷凍食品らしいエビピラフとを一緒に携えて入ってくると、「失礼します。」と彼が出ていくのを待ってから傍らに本を置き、自身はコーヒーだけを取って、エサでもやるような、必ずしもぞんざいというわけでもない、食べるかどうかを興味深げに観察するような様子で、皿を友哉の方に差し出した。

休日の昼食に、時々母親が前晩の残りで作る焼き飯とは違って、ひどく痩せたような匂《にお》いだったが、飢《かつ》えた胃は敏感に反応して、酸をしたたらせながら、食道を這い上がろうとするかのように動き始めた。

一週間ほど前から、彼は、部屋の前に運ばれてくる食事を敢《あ》えて摂《と》ったり摂らなかったりして、摂らないことを不審がられ、ドア越しに母親から声を掛けられたりすると、罵声《ばせい》とともに目一杯、物を投げつけた。それで、食事を摂らない時には、志保子も黙って膳を下げるようになり、その代わりに、「お母さんの作ったもの、食べたくないんだったら、コンビニでお弁当でも買って食べなさい。」と、手紙に添えて一万円を渡していた。

英二はそのことを知らなかったが、二階で息子が怒りを激発する度に、妻には、

「……しばらくほっとけ。」

と、暗い無関心を装《よそお》う顔で呟《つぶや》いた。

友哉は、純也によって施された傷のために、途切れのない苛立《いらだ》ちの循環へと引き込まれていた。彼が不定期に食事を摂らない日を設けていたのは、今日の出奔を両親に悟らせないための準備だったが、他方で、排便時の陰鬱《いんうつ》な苦痛の想像は、実際に彼の食欲の動きを著しく鈍くさせていた。胃は、見境なく空腹感を訴え続けていたが、胸の辺りに、それを石のように重く圧迫する澱みがあった。口にするのは、深夜に家を抜け出して、コンビニで買ってきたパック入りの粥《かゆ》やゼリー状の健康食品などだったが、想像と違って炭水化物がむしろ固い便となって出ることを知ると、食後に一緒に下剤を飲む習慣になった。

食べられぬことが、終日彼から落ち着きを奪い、痛痒は更に眠りを妨げて、それに追い打ちをかけた。無闇《むやみ》に部屋の物に当たっては、拳《こぶし》や腕に傷や痣《あざ》を作った。そして、食事を目にし、母親の声を耳にすると、そうした苦境に対する彼女の完全な無理解に憤懣《ふんまん》を炸裂《さくれつ》させた。

今日の午後は、昼食の器を半分ほど空にして昨夜の絶食分を満たしたあと、母親がそれを引き取り、下で洗い物を始めた隙に、普段は靴箱の奥に収めたままになっている昔

よく履いたスニーカーを出して、こっそり家を抜け出してきていた。そして、鳥取駅まで歩いて、特急〈スーパーはくと〉の自由席に乗り、そのまま少し眠って苛々を抑え、不安を和らげて、待ち合わせ時間の十分ほど前にＪＲ大阪駅に到着したのだった。

友哉は、自分独りで食べて良いのだろうかというふうに、相手の顔を見たが、男はただ、顎《あご》を僅かに上げて促しただけだった。一口食べ、二口食べた。それから、烏龍茶を一口飲むと、〈GARAM〉という銘柄の妙に甘い香りのする煙草《たばこ》を吸い始めた男の横顔を盗み見た。

「――あなたのサイトね、……」

男は、友哉のその視線を、それとなく捕まえて口を開いた。

「あれ、面白いね。」

友哉は、その「面白い」という言葉を意外に感じた。

「私は、――そうだね、愛読者というのかな、あの《孤独な殺人者の夢想》の。更新される度に、全部読んでる。一日と欠かさずね。」

言葉尻《じり》が、口許に含みのある笑みを残した。吸い込んだ煙草の煙が、体の奥深くに浸透してゆく先を見届けようとするかのように、男は、目を細めて裏返ったような瞳《ひとみ》を覗《のぞ》かせた。

友哉は、微《かす》かに頷いて口を開いたが、気管に流れ込んだか細い息は、声帯を震わせきれないまま、喉《のど》をすり抜けて漏れ出てしまった。

「……最初はね、失礼だけど、笑って読んでたよ。大分、ここの――」

と煙草を挟んだ指でこめかみの辺りに軽く二回触れると、

「オカシイのがいると思ってね。それから、縦《よし》んば正気として、果たして本気かなとも疑ったよ。当然ね。……しかし、どうもあなた、本気みたいだね？――ん？　違う？　あれはただの妄想《もうそう》？」

友哉は表情を強張らせて、目を逸《そ》らした。そして、右手の人差し指で、左手の甲を何度も掻《か》いたあと、不意に顔を上げて、

「……いや、」

と呟いた。

「――妄想じゃない。つまり、殺す意志がある、ということだね？」

今度は口を噤《つぐ》んで、それに応じなかった。男の眸《ひとみ》は、見開かれた目の中で小刻みに震えている。

「警戒するのは当然だが、その必要はないのだよ。私はあなたの味方なのだから。……私が何者か、あなたはもう知っている。――そうだね？　しかし、もう一つ知るべきことがある。それは、今からの話で自《おの》ずと分かってくるだろうが。」

そう言うと、彼は徐《おもむろ》に腕時計に目を遣《や》り、時間を逆算するように小さく何度か頷いた。

友哉は、じっとその様子を見ていたが、意を決して傍らのリュックに手を伸ばすと、ベルトを摑《つか》んで立ち上がった。ドアは、テーブルと前屈《まえかが》みに座る男との僅《わず》かな隙間の先だった。強引にそこを突破すべきか？——その判断の迷いが、彼の両脚を一つに結わえつけた。男は取り立てて動ずる様子もなく、むしろ最初からこの事態を予測していたかのように、落ち着いて彼を見上げ、

「帰れないよ。」

と一言呟いた。そして、敢えて言い残したその理由のために、友哉が更にその場に押し止められてしまったのを確認すると、鼻を短く鳴らし、

「あなたは、私と一緒でないと、ここから出られない。」

と俯《うつむ》き加減に言った。そして、急に沈鬱な面持ちで、無意識に、その理由を待っている友哉に向って、

「——もし今独りで帰れば、死ぬことになるから。」

と言った。その言葉に、友哉の全身は死体のように硬直した。

「必ず死ぬ。——必ず。私に会う、というのは、そういうことなのだから。……脅してるわけじゃないよ。ただ、そうなることを、知っておいてもらわないと。——例外なく、絶対にそうなる。私の忠告を無視した人間は、今までも一人残らずそうなっている。非常に悲惨なかたちでね。……」

物思わしげな口調で、男は神経質そうに首を横に振り、

「避けられないことだから、それは。」

と念を押した。

友哉は慄然《りつぜん》として、手に持ったリュックが、俄《にわ》かに、まるでその底を何者かに引っ張られているかのように重みを増すのを感じた。そして、その力のまま、またその場に座り込んでしまった。

殺す、と言っているのだろうかと彼は考えた。そう理解するより外なかったが、男はむしろ、彼だけが知っている実例を思い浮かべながら語っているように見えた。

友哉が、構わずに逃げ出してしまえなかったのは、「死ぬ」という言葉が、彼の奥底に沈む、彼自身もよく知らないままでいた、ある冷たい場所に生々しく触れ、不快な波紋を広げたからだった。それは、懐疑の網を破るわけでもなく簡単にすり抜けて、内で溶け合い、即座に反応して中心から彼を硬化させていった。同時に、語られた言葉の分からないという感じは、抗し難い力で彼をこの場に引き留めた。

男は、友哉の判断を見極めると、納得したように静かに煙草を吸った。

「――そう。馬鹿《ばか》じゃない、というのは大切なことだよ。最後まで、話を聴きさえすればいい。簡単なことだ。」

そう言って、コーヒーを何も入れないまま飲むと、改めて口を開いた。

「知性というものが、蛇に似ていると気がついた古代人は偉大だね。そう思わないか？ 柔軟で、艶々《つやつや》しくて、摑み所がなく、何でも一呑《ひとの》みで消化して、頭から尻尾《しっぽ》へという単純な一本の線にしてしまう。おまけに不気味で、凶暴だ。咬《か》まれれば全身に毒が回る。——あなたを留まらせたのは、あなたの蛇だよ。」

男は一瞬、頬を歪めて見せた後に、しっかりと相手の目を捕えて言った。

「あなたには、殺したい人間がいる。——結構。殺すべきだ！ あなたがそう思ったというその事実が、あなたの殺人を全面的に肯定してくれる。禁止は無効だ。禁止を発行するシステムこそが、裏ではあなたを唆《そそのか》しているのだから。——しかし、目的は明確にすべきだね。そして、最大の効果を上げる方法を選択する。——そのためには、まず発想からだ。」

男は、友哉の落ち着かない様子を看《み》て取って、

「大丈夫。私たちには、まだちょっと時間があるから。それまでに、話は終わるよ。」

と言った。友哉は、俄かに昂《こう》じた下腹部の痛痒のために、両脚を強く摺り合わせた。

「私たちは、問題に対して澄んだ視点を持つべきだ。行動は、決して衝動的であるべきではない。——そこで、だ。まず考えるべきは、誰が誰を殺すか、ということだがね。……あなたが、あなたの憎いその相手を殺す。」

言葉は、友哉の全身に練り込まれるようにして発音された。

「――なるほど。……ふん、なるほどね。……しかし、その前にあなたは、私とまず一人、殺さなければならない人間がいる。これは、あなたの殺人にとっても、大変重要なことだよ。不可避のこと、と考えるべきだね。――本質的に、私の殺人とあなたの殺人との間には何の違いもない。世界はそれを、人類の歴史上、到底見分けがつかないほどに無数に繰り返されてきた殺人の中の二例としてしか経験しないのだから。実際に、殺すのは我々ではないのだよ。」

友哉は、男の言葉に意識を集中したが、何を言おうとしているのかは理解出来なかった。そして、当惑したように顔を背けると、改めて自分の今いる場所を見回して、その仄暗《ほのぐら》い空間が、どこか現実とはまったく切り離されて、孤独に浮遊しているような奇妙な感じを抱いた。

男は、構わず話を続けた。

「殺人は、太古の昔から今日に至るまで、一日として例外なく行われてきたことだ。自然死と同じくらい自然にね。そして、未来永劫《えいごう》にこの事実は変わらない。――分かるね？　どんなにオメデタイ人間でも、いつかこの世界から殺人が消滅するなどという夢想は、間違ってもしないものだ。」

男は、拳を握り締めて強調した。

「もし仮に――万が一、そんな世界が、つまりは、完全に善なる世界、完全なる愛の世界などというものが到来したならばだ、間違いなく、その世界の最も誠実な人間は、人間性というものの最後の救済の手段として、絶望的な決意を以《もっ》て最も理不尽で、最も不可解な殺人を犯すだろうね。そして、それに快哉《かいさい》を叫ぶのもまた、最も人間的なる人々だよ。」

　摺り合わされていた友哉の片足が、この時不意に滑って、床を強く踏んだ。しかし、男はそれに動揺しなかった。

「人間というのは、そういう愚かな存在だ。――その愚かさこそを、むしろ人間は、人間性と呼んでいる。汚れ一つない、完全な白の空間に人間を一人放り込んで、監禁してみたまえ。彼は三日ともたずに確実に発狂する。しかし、そこにほんの些細《ささい》な一点の染《し》みさえ見つけられれば、彼は正気を保っていられるのだよ。――人間は神にはなれない。これは自明のことだ。神でさえ、完全な善であるならば、立ちどころに放り出されてしまうだろうがね。ヒヒッ。――ところでだ。人間の行為の中で、最も愚かなのは、殺人ということになっている。つまり、殺人こそは、最も人間的な行為というわけだ。――分かるね？　簡単な三段論法だ。」

　問いかけられた友哉は、ここで初めて頷《うなず》いた。男は満足そうに続けた。

「殺人は、人間の必然だ。人間が人間的である限りに於《お》いて、殺人は必ず起きてきた。有史以来、この世界が殺人を経験しなかった日は一日としてない。生きて、死ぬという人間の条件が不変である限り、在るものを無いものにするという行為の神秘が、人間自身に適用される魅惑から、人間が逃れられるはずはないのだ！——いいかね？　存在者から存在を奪う！　これは月の引力が海をも引っ張り寄せるように、人間を秘《ひそ》やかに、しかし、逃れ難く強力に拘束している考えだ。この世界は、表面上、確かに殺人を駆逐するフリをしてきた。尤《もっと》も、その唯一《ゆいいつ》の現実的な方法は、常に殺人だったがね。」

　男は、目を剝《む》いてニヤッと笑った。

「死刑か、あるいは戦争か。——問題は、ただ一つ。殺人が、自分の身に起こるかどうか、だ。これが、平和というものの欺瞞《ぎまん》的な正体だ！　平和が平和として感じられるためには、平和でない現実こそが不可欠となる。染みをどこにつけるか？——どこか遠くの、自分たちとは何の関係もない場所で殺人が起こるならば、それは素晴らしく理想的だ！　ＷＴＣ《ワールド・トレード・センター》が倒壊した日の翌日、それをテレビでイヤというほど目撃したはずの世界中の平和は、焼いて食べればさぞかし美味《うま》かろうというくらい、ぷりんぷりんに肥満していたよ。艶やかで、ヨダレが出そうなほどに脂《あぶら》が乗っていて、少々卑猥《ひわい》なピンク色をしてね。殺戮《さつりく》はむしろ歓迎されている。そこにいて身に危険が及ばない限り。人間は相変わらず愚かだ。しかし、だからこそ、今ここにある平和は、人間的な意味で尊い。——これが、本音だ。」

　友哉は、考えごとをする時のクセで、無意識に爪《つめ》を嚙《か》み始めた。ガラムの甘い煙が、無精髭《ぶしょうひげ》に覆《おお》われた頬を擦り寄せてくるように、その彼の顔を覗き込んだ。

「難しく考えないことだ。――バスに乗っている。すると、一人の男が突然、ナイフを取り出して暴れ出した。乗客たちは何を考える？――ん？　とにかくその男が、バスから出ていってくれることを願うだろう。外で誰を殺そうと関係ない。いや、むしろ、外で誰かを殺してくれた方が、彼らを喜ばせるだろうがね。良かった。バスの中にいたお陰で助かった、と。――何も起こらない日の白昼には、殺人は秘やかに待望されているのだよ！　分かるかい？　殺人は、決して根絶されない。ならば、ここじゃないどこかで起こってもらうしかない。日常の何でもないような一瞬に、殺意が紛れ込んでいては困るのだよ。永遠にどこでも殺人が起こらなければ、バスの乗客たちはみんな不安に苛《さいな》まれるだろう。ならば、ここじゃないのかと。殺意は次の瞬間、自分の隣で、いや、ひょっとすると、自分自身に於いて暴発するのではないかと。――殺人は、飽くまで例外として処理されるべきだ。どこか遠い場所で、自分とは何の関係もない人間によって担《にな》われる行為として。――酷《むご》いことだ。こういうことは、悲しいかな、起こるのだ。しかも、もう起こった。そして、また、起こるだろう。ただし、ここじゃないどこかで、哀れむべき人間によって！」

　男はそう言うと、突然、頭痛に堪えようとするかのように、組んだ両手の親指を額に押しつけた。友哉はギョッとしてその様子を見守ったが、やがて胸に硬く控えていた息をそっと逃がすと、ズボンの前を握り締めるようにして二三度掻いた。

　顔を上げると、男は険しい表情になって語を継いだ。

「それは、しかし、卑劣な隠蔽だ！　単なる期待ではないのだよ！――殺意というのは、いいかね、自存出来ないものだ。どこかに、モノのようにそれ自体として転がっているわけではない。それはこの世界が、飽くことなく、人間の必然として生産し続け、不活性の状態のまま、すべての人間に植えつけているものだ。そして、ある時、まったく任意に活性化させられる！　神秘的な赤紙によって、不意に、不可避にね。」

　ドアのガラス越しに、トイレに行くらしい大学生風の男の姿が目に入った。友哉の気づいた限り、人影を見たのはそれが初めてだった。

　彼は、先ほどから男の顔を見つめながら、それが梅田駅でまっすぐに自分に向かって歩いてきたあの男の顔と次第に重なってゆくように感じていた。あの時、どういうわけか、後ろから急に肩を叩《たた》かれ、振り向いた時には、もうあの黒い男は、いなくなっていた。あれはしかし、なにか奇妙な錯覚だったのではあるまいか？　男はただ、まっすぐに自分に向かって語りかけてきた。昨夜の夢の中でも、今日の特急の通路でも、そうだったように。――そして、男の声は、一層夢想的な響きを湛《たた》えてゆくようだった。

「……殺意は、生産され、活性化される！　あなたは今、まさしくその状態にある。人間の奈落《ならく》へと向かう赤紙を手にしてね。――よろしい。微塵《みじん》もそれに後ろめたさを抱くべきではない。あなたは世界に、殺意の担い手として選ばれたのだよ。人間どもは、あなたの殺意の勃発《ぼっぱつ》を、今か今かと、テレビに齧《かじ》りついて待ち望んでいる！　是非とも遠くから見物したいとね。あなたは孤独な殺人へと赴こうとしている。だが、なぜそうなのか？——例えばなぜ、逆の立場ではなかったのか？　殺人という行為があり、その当事者がいる。だったら、あなたがその相手に殺される、ということでも良かったのではないか？——ん？　なぜそうはならなかったのか？」

「……あいつは、生きている価値のないクズだ。……」

友哉は、初めてはっきりと声に出して、しかも、これまでただ、サイトの中でしか遣ったことのないような標準語めいた口調で呟《つぶや》いた。

男は、その答えを想定していて、しかも、その無理の響きを抜かりなく聴き取ったかのように、

「なるほど。ではなぜ、そのクズを、あなたが殺さなければならないのか？　なぜだと思う？　そんな人間なら、他の誰かに殺されても当然ではないかね？」

と問い返した。そして、自身の言葉に十分な手応《てごた》えを感じながら、拳《こぶし》を小刻みにソファに打ちつけて返事を促した。

「憎いからか？　どうしてあなたが憎まなければならない？　ん？」

「あいつが、俺に……」

「何かをした。——なぜ、外の誰でもなく、あなたに？」

友哉は、久賀安由実のことを考えた。事の始まりは、純也が安由実に対して行った下劣な行為のはずだった。その当然の報いとして自分の加えた懲罰に対し、純也は理不尽で、卑怯《ひきょう》な暴力で報復してきた。それまでずっと、大人しくしてきた自分が、到頭、忍耐の限界に達したのはそのせいだった。——そうしたことを曖昧《あいまい》に頭の中で辿《たど》りながら、彼はそれを口に出しかねていた。彼はそれと、《孤独な殺人者の夢想》との整合性を、うまくつけられなかった。あれを文字通り、単なる「夢想」と取られることに抵抗を感じた。そして何よりも、久賀安由実の存在について、彼はどう語るべきかを知らなかった。

「世界は実際、そのクズが死ぬことを願っている。たとえクズでなかったとしても、あなたにとってお誂《あつら》え向きのクズなら喜んで差し出すのだよ。生け贄《いにえ》としてね。——いいかね？　もう一度言う。事実を見るべきだ。ただ事実だけを、澄んだ目で！」

男は、眸《ひとみ》に力を込めて言った。

「あなたは、殺す人間として、この世界に選ばれている。遺伝と環境とを組み合わせたデータを未然の殺人からプロファイリングした結果、最適の人物としてリストアップされた。——それがあなただ。どんな固有名詞を与えられた人間であったとしても、あなたとまったく同一の条件下に置かれれば、必ず殺人を犯すようになっている。必ず、ね。

あなたと同じ両親、あなたと同じ土地、あなたと同じ容貌《ようぼう》、あなたと同じ性格。――知能、体力、境遇、すべて同じならば、当然にその人間が殺人を犯さなければならない。いや、違う！と反論する人間がいるね。しかし、その人間の遺伝的特質と環境とを、あなたが与えられていたならば、あなたが、違う！と叫び、交換に、あなたとして生まれてきたその人間は、やはり否応《いやおう》なく殺人を犯すのだよ！――いいかね？　人間とは、単なるデータの束だ。そして、その束のあり様が、たまたまあなたの場合、殺人者であるために最適だった！　世界は、直接には感じ取れないような、ありとあらゆる微細な作用を、多年に亘《わた》って、偏執狂的に根気強くあなたに及ぼし続けて――そう、遺伝のための気の遠くなるような時間と、個体の成育のための、あなたのせいぜい十数年！――、ようやく植えつけられた一個の殺意を、今、活性化することに成功しつつある。あなたの固有名詞をラベルとして貼《は》ってね。」

男は、二本目のガラムに火をつけると、ゆっくりと煙を吐き出して、視界が十分に晴れてから、改めて言葉を継いだ。

「人間は、それを運命と呼び慣わしている。しかし、それもまた、欺瞞の一形式に過ぎないがね。」

3

男はまた、時計をちらと見てから言った。

「ナザレのイエスを知っているね？――キリストと呼ばれた男だ。私が最も滑稽《こっけい》と感じ、最も哀れを催す人物。あの男は、どうやって処刑された？　ん？――そう、磔刑《たっけい》だ。両手と両脚とを十字架に釘《くぎ》で打ちつけられ、磔《はりつけ》にされて死んだ。なぜか？　なぜ、他の方法ではなかったのか？　首を切られても良かったのではないかね？　あるいは、カエサルのように寄って集《たか》って串刺《くしざ》しにされても良かった。なぜ、磔刑だったのか？」

男は、躙《にじ》り寄るようにして少し汗ばんできた友哉に返答を求めた。時計は既に七時を回っている。

「簡単なことだ。あれは大工の倅《せがれ》だったからだよ。だから釘で打たれた。――これが、ナザレのイエスの処刑の秘密だ。キリスト教は、有史以来、最も建築的な宗教だ。《神曲》を読みたまえ。地上を挟んで、地獄から天国まで、あらゆる世界を建築する意志！　これがキリスト教の本質だ。――分かるね？　磔刑とは、つまり、一つの建築的処刑だ。処刑的建築といっても同じだがね。イエスの惨殺《ざんさつ》を反復して経験するためには、キリスト教徒は、その都度、処刑を建築し続けなければならない。そのための祭壇であり、教会だ。イエスを巡るあらゆる言葉は、構造的に、常にその中心に処刑を設置している。――しかし、その意味は何だ？　ん？　贖罪《しょくざい》というヤツかね？　イエスとは、つまり、世界の手首かね？　磔刑とは、歴史的、一回的な共同リストカットかい？　いや、現代人は、各々《おのおの》の手首にイエスを埋め込んで、プライヴェートな磔刑をせっせと執行しているのかね？――よろしい。しかし、悪魔が神の子の意志に逆らって、その死に秘やかに忍ばせたのは、まったく別の意味だ。『我が神、我が神、どうして私をお見捨てになったのですか？』――ナザレのイエスは、死ぬ直前にそれに気がついて慌《あわ》てふためいたのだよ。しまった！とね。あの処刑は、つまり、運命というものの支配の完成だよ。イエスは、両手と両脚とを三本の釘で打ちつけられた。三本！　クロト、ラケシス、アトロポス！　モイライは――運命の三女神は、高が大工の倅が神の子になることを断じて許さなかった！　だからこそ、ナザレのイエスは、釘と、金槌《かなづち》とで、材木に打ちつけられて死んだのだ！――いいか？　どんな人間も、運命に釘打たれている。絶対に、それからは逃れられない。しかも、その釘を打っているのは、この世界そのものなのだ！」

男は、小刻みに顔を横に振ると、それを抑えようとするかのように苛立《いらだ》たしげに両手で擦《こす》って、赤らんで涙液を帯びた目で友哉を凝視した。そして、視線を外すと、話の筋道を自分で確認するかのように、何度も頷いてみせた。

「あなたは殺人者である。たとえ世界が、卑劣にも捏造《ねつぞう》した事実であったとしても、それは結局、不可避の運命だ。それ以外の何でもない。世界はあなたを選んだ。なぜか？あなたに、殺人以外の幸福がないことを知っているからだよ。」

友哉は、先ほどから無意識に続けていた貧乏揺すりのために、性器の痛痒《つうよう》に耐えられなくなって、この時思わず、立ち上がった。そして、自分でもその行動を持て余して、男の側《そば》を離れて、テーブルの前を往復した。

男は一瞬、目を瞠《みは》ったが、その様を眺めながら、むしろ自分の言葉の効果を確信したように話を続けた。

「人間は、すべて例外なく損得の原理で動いている。他に何か幸福があるなら、殺人など犯す意味がない。——あなたが、何か比類ない才能に恵まれていたとする。あるいは、容姿端麗で女に愛される。人に愛される。大金持ちだ。——そのいずれか一つでも条件を満たしていたとすれば、いや、そのいずれに於いても、そこそこに条件を満たしさえしていれば、世界はあなたを、殺人者のリストから弾《はじ》いていただろう。——ところが、そうではなかった。それはあなた自身が自覚していることだ。」

友哉は、立ち止まると、目頭に怒気を迸《ほとばし》らせて男を振り返った。そして、歯軋《はぎし》りしながら、手近にあった選曲のリモコンを摑《つか》み、投げつけようと構えかけたまま、それを頭の脇《わき》で何度も振った。

「人間は、真実を突きつけられた時にこそ、いきり立って腹を立てるものだ。——あなたは、何も持っていない。恐らく不幸さえもね。世界は、だからこそ、あなたをリストの上位に押し上げた。――分かるね？　あなたの両手と両脚とは、既に釘打たれている。どう藻掻《もが》いてみても無駄だ。そして、世界とはただ、最初から与えられ、満ち足りた者たちのためにだけ存在している！　これは真実だ！　持たざる者たちに向けてこの世界が説く美徳は、すべて、持てる者たちを肯定し、理想化し、その生活に憧《あこが》れさせ、どうにか、その何百分の一かに矮小《わいしょう》化された生活を手に入れさえすれば、それで十分だと信じさせるための陰謀に過ぎない！　そうしたささやかな幸せこそが人生だ、と。――そのために努力せよ！　少しでも持てる自分たちの近くにまで這《は》い上がっておいで。立派だと褒めてあげるから！　お手本を見せようか？　ほら、私たちでさえ、更なる高みを目指して努力してるんだよ！――その努力を忌避する者は怠惰だ。情けない、哀れな人生だ！　不幸な境遇に生まれついた。それが何だ？　仕方ないことじゃないか。そこからガンバッて、幸福な人生を切り開いた人間は何人もいる。どうしてそうしようとはしないんだ？……」

男は、刺すような嘲笑《ちょうしょう》的な表情を浮かべた。

「ウンザリかね？　しかし、殺人を犯さなければ、あなたはこの手のありがたいお説教を、生涯聞かされる羽目になる。リストに載せられていながら、殺人者になりそこなった連中は、欺《だま》し賺《すか》してうまく飼い馴《な》らしておかなければならないからね。間違った方面で暴れ出してもらっては厄介だから。――そのうちに、多少知恵のある人間は、気がつくものだよ。結局、遺伝と環境の不公平はどうにもならない、と。努力次第で人生は変わる。そんなのは、まったくのデタラメだとね。最初から与えられている人間のようにはなれない。絶対に。そうして自分が、依然として、磔にされたままだということをイヤというほど思い知らされるだろう。――それでもこの世界にしがみついていたいのなら、精々、ネットに惨《みじ》めな恨み言でも書きつけながら、ただ、大多数を占める、持てる者どもだけが住みやすい世界のシステムに隷属《れいぞく》し、その強化にさえ手を貸しながら、完全に無意味な生を生きなければならない！　一日は、ただやり過ごすためだけに始まって終わる。そして、結局、一生は、ただやり過ごすためだけに始まって終わるのだ！」

友哉は、体中で湧《わ》き起こる熱に煎《い》られていた。そして、足の親指で、スニーカーの中敷を摩《す》り切れるまで捏《こ》ね回した。

男は気がつけば、祈るようにして硬く手を組んだまま、両脚とテーブルとの間の扇形の穴をじっと見つめていた。そして、そのままの姿勢で、今度は幾分、語気を穏やかにして語り始めた。

「……ナザレのイエスというのはね、そういうことにウンザリしていた人間だよ。……大工の倅なんぞに生まれついて、人生に死ぬほど退屈していた。あの男は言っている。金持ちが天国に入るのは、駱駝《らくだ》が針の穴を通るより難しい、と。この世界は、しかし、そういう人間どもに牛耳《ぎゅうじ》られている。完全にね。そして勿論《もちろん》、天国などという場所はどこにもない。地獄もだ。あるわけがない。みんなでっち上げだ。……分かるね？　そんなものは白痴の信仰だ！　死ねば一切が終わる。この世界の不遇に黙々と耐えてみたところで、何の報いもないのだ！　善行に勤《いそ》しもうと、悪の限りを尽くそうと、同じことだよ。」

　隣部屋に、数名の若い団体客が通された気配がした。

　男は、徐《おもむろ》に顔を上げると、廊下に目を向け、また時計を確認した。そして、友哉がいつの間にか、ソファに腰を下ろして、首のボタンを苦し気な表情で外そうとしていることに意外そうな表情を見せた。

『……こいつは、気狂いか？　それとも、本当に悪魔だろうか？……』

　友哉は、先ほど席を立った時からずっと考えていたように、心の中でまたそう自問した。しかし、丁度そのタイミングで、男の目が鋭く自分を捉《とら》えた気がして、咄嗟《とっさ》に内心の声を封殺した。そして、見透かされているという不安から逃れられなくなってしまった。

　室内の温度は、耐え難いほどに高くなっていた。

「——言うまでもないが、社会改良主義的な楽観はすべて欺瞞《ぎまん》だよ。なぜならそれは、現状に対しては常に無力に肯定してみせるしかないからだ。やがては解決されるであろう諸問題！　だから、当面のところは致し方なしというわけだ。それは善意の及ばぬ人間の限界だ、と。――で、百年後にその問題とやらが解決されたとして、それが、今この瞬間に生きている人間にとって、一体何になる？　ん？　第一、殺人一つ例に採ってみたまえ！　そんな楽観が実現されるはずがない！　この世界は、飽くことなく殺意を産出し続け、それを担《にな》うべき人間のリストを遺伝と環境に基づく多種多様なデータから作成して、しかるべき時期に、しかるべき人間に於《お》いてその殺意を活性化させる！　生け贄の一人や二人は、やむを得ぬことだ！」

　男は煙草《たばこ》を灰皿で消すと、音を立てて額に手を宛《あて》がい、少し間を置いた後に友哉をまっすぐに見つめて言った。その表情は、初めて男に接する人間ならば、真摯とさえ感じられたかもしれない。

「さて、私たちは結論に近づいたわけだ。――あなたが、人を殺すという決断。これは完全に正しい。それは、世界が狡猾《こうかつ》にもあなたに押しつけようとしている矛盾だ。――しかし、それでクズを一人殺してみたところで、あなたはまんまとこの世界から排斥されるだけだ。それこそが、この世界の真の目的なのだから！――分かるね？　法的には、あなたは少年法で保護されている。百人殺しても死刑にはならない。そういうとんまなシステムは大いに活用すべきだが、もっと大局的な見地から物事を見るべきだ。重要なのは、――そう、システム自体を破壊することだ。あるいは、システムが成立しているという幻想を打ち砕くことだと言ってもいい。システムに障害を齎《もたら》し、世界を絶望させること！　そうして、自ら主体的に、この世界の一切から、——法からも、道徳からも、倫理からも、離脱することだ。それ以外に、あなたの殺人が成就《じょうじゅ》する方法はない。……あなたは今、わたしとともに、すべてを許されている！　離脱者は、そして、我々二人だけではない。」

男は優しく微笑《ほほえ》みかけ、しっかりと一度、頷《うなず》いた。友哉は眉間《みけん》に皺《しわ》を寄せ、

「……悪魔、」

と小声で言った。そして、また急に立ち上がると、

「この悪魔が！　お前は存在しない！　みんなまやかしだ！」

と怒鳴りつけて、先ほどテーブルに置いたリモコンを、今度は躊躇《ためら》わずに男に投げつけた。男は、微動だにしなかったが、リモコンは顔を逸《そ》れて、後ろの壁に当たって落ちた。

「ルターも、同じことをしたよ。ただし、投げたのはインク壺《つぼ》だったがね。ヒッ。——そう。私の存在は、歴史的には、常に非存在と主張されてきた。あなたは教養はないが、いつも核心を突いているね。しかし、私には身体的な実体がある。なんなら、触って確かめてみればいい。」

男は腕を差し出したが、友哉はそれに触れたくなかった。

「うるさい！　お前はただ、悪魔のフリをしてるだけの気狂いだ！」

「なるほど。それはしかし、最初の指摘よりは、大分程度が下がるね、残念ながら。縦《よし》んば、それを認めるとして、では、悪魔というのが、そもそも単に気狂いのことだったとは思わないかね？」

「気狂いは、気狂いだ！　悪魔なんかじゃない。悪魔なんて、そもそも、いるはずがないんだ！」

「坊主《ぼうず》のようなことを言うね。――どうしてそう思う？」

「そんなのは、架空の世界の話だ！」

「架空の世界が、悪魔を利用しただけだとは考えないのかね？」

「うるさい！」

『……暑い、……なんでこんなに暑いんだ、この部屋は！……』

　友哉は乱暴に額の汗を拭《ぬぐ》った。

「あなたは誤解しているよ。非常に初歩的なね。――いいかね？　悪魔は、神の裏返しではない。神のように全知全能でもなければ、創造主でもない。何も産み出さないし、その必要もない。それは悪魔の領分ではないのだよ。」

「そんなのは無能だ！」

「そう、無能だ。ただ利用し、影響を及ぼすこと。悪魔に出来ることはそれだけだ。正常な秩序に従って運動しているものに狂いを生じさせる。円滑なシステムをオーヴァー・ランさせ、障害を齎す。──それだけだが、それで十分なのだよ。いや、むしろそうあるべきだ。何ものかを産み出し、この世界に突きつけることには、何の意味もない。ただ、世界に内在する悪魔性を出現させ、明らかにする。狂いは世界にも、人間にも、予《あらかじ》め装塡《そうてん》されているのだよ！　ナチスのユダヤ人虐殺《ぎゃくさつ》は、悪魔的な所業だとされているが、政権奪取の段階から、ホロコーストに至るまで、彼らが新たに創造しなければならなかったシステムは本質的には何もなかった。近代がそれまでに黙々と構築していったシステムに、事前に完全にインプットされていたのだよ。──殺意の製造とその活性化は、すべて世界の自律的、自発的運動によっている。悪魔は、その腋《わき》の下を、ちょっと羽でくすぐってやればいいのだ。それで世界は身を捩《よじ》って、組み上げられたシステムを自ら瓦解《がかい》させるだろう！　無能で十分なのだよ。いや、無能にこそ愚弄《ぐろう》されるべきだ！　いいかね？　人は神にはなれない。しかし、悪魔には、就職するように簡単になれるさ。」

　友哉は、激しく頭を掻《か》いて、頻《しき》りに舌打ちした。彼の目の前で、男は気がつけば、紀伊國屋の前で見たのと同じ、全身真っ黒の異様な風体へと変貌《へんぼう》していた。腕や首、顔といった服から出ている肌までもが、黒々とした艶《つや》のない色に覆《おお》い尽くされ、しかもその闇《やみ》は内に向かって固く閉ざされている。

「クソッ！……悪魔、……悪魔、……殺してやる、……お前を先に殺してやる！……」

男の視線を、友哉は憎々しげに見返しながら、独り言を呟《つぶや》き続けた。

「悪魔は存在しない、とあなたは言った。非存在だと。にも拘《かか》わらず、悪魔は、今日に至るまで、完全に否定され、消滅したということがただの一度としてない。――なぜだと思う？」

友哉は聞こえないふりをして、答えなかった。

「その影響が厳然として存在するからだよ。――それは誰にも否定出来ない。」

「俺は、そんなことはどうだっていい。ただ、あいつを殺せればいいんだ！　お前には関係ない！」

友哉は足をばたつかせながら男の言葉を遮った。

「あなたはまた間違った。しかも、自分を偽っている。――いいかね？　あなたという存在に執着しないことだ。それが結果的には、あなたを存在させることになる。」

男は次第に、全身の動きを抑えていった。

「あなたはただ、ここにしかいない。そして、数秒後から数十年後までの時間のどこかで必ず死ぬ。消滅する。あなたという存在は、時間の中では無と何ら変わらない。眠気を誘うような永遠の時の流れの中のあくびみたいなものだ。――が、影響は不滅だ！それは語られ、存在し続ける！　あなたはただ、あなたの悪魔的な影響によってのみ存在し得る。ヒトラーは死んだ。しかし、ヒトラーの影響は不滅ではないかね？」

「うるさい！　黙れ！　聞こえないのか、この馬鹿《ばか》！　俺はただ、あいつを殺したいだけだ！　全然、悪魔なんかとは関係ない！」

「違うね。だったらなぜ、何も言わずに、すぐにもブスリとやらなかった？　ん？　あんなサイトは必要なかったし、私があなたに注目することもなかった。──いいかね？　あなたは、殺したいのではない。出現したがっているのだ！　私ではない。あなたが非存在だ！　貶《おとし》められているのだよ、あなたは！　存在から脱落して、非存在へと！　そしてあなたは、そのことに強く抵抗している。──当然だ。しかし、それは罠《わな》だよ。あなたがブスリとやった途端、あなたは決定的に非存在へと投獄される。──そういう仕組みだ。あなたは、悪としてではなく、善性が欠如しているとされて、少年院で更生を命じられる。違う存在ではなく、満たない存在として。精神鑑定で行為障害と診断されるとしても同じことだ。あなたはすると気狂いだ。それで悪魔の仲間入りというわけか？　ははは！」

　友哉は激しく歯軋りして、今にも摑みかかりそうになった。

「いずれにせよ、準備されている場所は、知的で善なる世界の底の底だ！　一なるヒエラルキーの底辺だ。それでは、あなたはあなたの殺人を所有出来ない！　あなたは、もののの見事に、凡庸な不良少年の類型へと押し込められる。そして、以後の人生を、凡庸な不良少年の成れの果てとして処理されるのだ。——分かるね？　つまり、方法が必要なのだよ！　タイムマシンの空想には、奇妙な逆説がある。現在から過去に遡《さかのぼ》る。そうしてその世界で、石ころ一つ蹴《け》ってみても、未来が変わってしまう、というものだ。いや、未来の世界は、それも既に織り込み済みだ、という者もあるが、そんなことはどうだっていい。この逆説のミソは、過去の世界に遡行《そこう》する人間の退行的な万能感だ。誰も現在のこの世界で、石ころ一つ蹴ってみたところで、未来が変わるなどとは信じてはいない。実際、何も変わらないのだよ、そんな方法では！——では、どうすべきか？　いいか？　ここが問題の核心だ。」

　時刻は八時に近づきつつあった。

「時間も差し迫ってきている。——座って聴きたまえ。」

　友哉は、そのつもりもないまま、何者かに膝《ひざ》を折られたかのようにストンとソファに座らせられた。それが自分でも訝《いぶか》しく、また異様なことと感じられた。

　男は、話の大詰めに向かって、ゆっくりと口を開いた。

「——いいか？　一対一で、一人の人間が一人の人間を殺す。こんな方法は無意味だ。我々は、一個の主体として殺人を行ってはならないのだ。そうではなく、純化された殺意として、まったく無私の、匿名《とくめい》の観念として殺人を行う。この世界があなたをターゲットにして活性化するそれを、あなたの固有名詞に於いて引き受けてはならない。そのまま、世界の殺意として現前させる！　世界はそこでアテが外れるわけだ。押しつけるつもりだった人間が、スルリと逃げてしまって、ただ殺人だけが起こる。すると、この世界それ自体が、殺意を引き受けざるを得なくなる。そのためには、一人の人間を、まったくこの世の人間どもにとって理解可能な動機から殺してみたところで、何にもならない。マスコミ連中は、それをただちに私怨《しえん》へと帰するだろう。それでは思うツボだ。——どうすべきか？　我々は、世界中の殺意を、世界それ自体の秩序だったリストアップに逆らって、同時多発的に、匿名的に活性化させる！　そのためには、最初の殺人は、絶対に過剰であるべきだ。到底、一個の固有名詞には帰せられないように。犯行声明は、複数の文体で、複数の書体で、複数の異なる場所から、複数の動機で公表される。署名もまた複数だ。ただし、——最初の声明の署名は、絶対に〈悪魔〉でなければならない！　マスコミは、漫画の主人公にでもなった気分で、この事件の報道に夢中になるだろう！　我々が、犯行声明に書きつけた『殺せ！』という命令は、メディアによって執《しっ》拗《よう》なほど何度も繰り返される！　すると、殺意は確実に、各地で続々と出現する！　我々が直接手を下さずともね。——システムの腋をくすぐることだ。殺人の呼びかけには、報道機関が率先して協力してくれる！　テレビは視聴率の前では盲目のブタだ。そうしてドミノの一弾《ひとはじ》きは完了する！　次なる段階は、連鎖が円滑に開始されることだ。最初の過剰に続くのは、誰もがアクセス出来るような手頃な反復、いかにも模造品らしい他人の手による複製であるべきだ。それが、あなたの殺人であっても構わないし、私の次なる殺人であってもいい。ただし、スタイルは踏襲しなければならない。ここが肝要だ！――我々は予告し、予告は方々で成就《じょうじゅ》する。やがて世界中で、我々の手を離れた無数の殺人が出現することとなる。いずれも、殺人者は存在せず、ただ、殺意だけが黙々と、まるでシステム障害のように止める術《すべ》なく殺人を繰り返す！　人々は、挙《こぞ》ってこの世界から離脱するだろう！　大量の離脱者！　殺人は、同じ一つの殺意によって行われ、しかも、すべての犯人がすべての事件に対してニセモノだ。――あなたは疑っているね？　しかし、それが人間の心理というものだよ。何でもない白昼の横断歩道で、あなたは人と同じように信号待ちをしている。赤だが、車は来ない。そこに、あとから来た人間が、平然と信号を無視し、道を渡り始める。すると、どうだね？　彼は単に道を渡ったのではない。そこにいる全員を侮辱したのだ！　人が参加していることから、抜け出すというのはそういうことだよ。辞める、というのは、どんな時でも、留まる者たちをコケにすることだ。一人離脱すれば、必ずそれに続く者が現れる。離脱者はやがて大量になる。――必ず。彼らは、もう既に準備されているのだよ。この世界には、これ以上、生きていたところで何の意味もないような連中がウヨウヨしている。仕事が面白くない。趣味なんぞに熱中することもない。対人関係もうまくいかない。一日家に引き籠《こ》もってボーッとしているか、行き当たりばったりで仕事をしてみるか。――そういう連中の不活性の殺意が、突然、方々で同時多発的に勃発《ぼっぱつ》する！　殺したかった者たちは殺し、殺すつもりのなかった者たちもまた殺す！　連中こそ、この一連のシステム障害の所有者になりたがるだろう！　あなたがもし、事態を遠目に見ていてそれで満足だというのであれば、じっと黙っていればいい。あなたは、罪を問われない。山ほどニセモノが出てくるからね。あなたが自ら殺人を所有したいなら、名乗り出ることだ。世界中が瞠目《どうもく》するだろう！　私は、その栄誉をそっくりあなたに譲るつもりでいる。」

「どうやったって、警察は犯人を放ってはおかない。……俺は別に少年院に行ったたっていい。どうせ二三年のことなんだから。みんなが見てる前でブスリとやる。それでお終《しま》いだ。」

友哉は、目の前で、いよいよ暗黒色の奇妙な塊へと姿を変えてゆく男に、胡乱《うろん》な目を据えながら言った。男は首を振った。

「方法次第だ。現代の捜査は推理小説めいた探偵ごっこなどではない。徹底した身体の同一性の追究だよ。だったら、それを逆手に取ればいい。誰もがそこにいたかのようにね。実際に、殺意の担い手は誰でも良かった。誰がいてもおかしくはなかったのだ。痕《こん》跡《せき》は、消すよりも紛れさせる方がずっと楽だよ。真空地帯でかくれんぼは出来ない。しかし、百人が混雑する場所では身を隠せるからね。毛髪、体液、衣服、足跡、砂、土、ゴミ、……何だっていい。自分以外のありとあらゆるものをそこに残してくる。そして、街中で我々を監視しているカメラに、我々とはまったく異なる外観の身体を記録させてやればいい！」

「どうやって？」

「準備は整っている。あなたが承知さえすれば、すぐにもこの計画は実行に移される。」

友哉は、先ほどからずっと掻いていたこめかみの下を、この時到頭掻きむしって、鋭く汗の沁《し》みるのを感じた。

「――誰を最初に殺す？」

痛みに顔を歪《ゆが》めながら彼は尋ねた。

「それは、あなたが知る必要のないことだ。――誰か？　それを指し示す固有名詞には、何の意味もない。人間で十分だ。」

「なんでそいつが殺されるんだ？　ちゃんと言え！」

「あなたはまた、不毛な質問をした。それもあなたが知る必要のないことだ。ただこの計画で、最初に殺されるに相応《ふさわ》しい人間であることは私が保証する。」

「お前の知っている人間か？」

「よく知っている。――恐らくは、誰よりもね。……」

「……クソッ！　馬鹿！」

友哉は、両脚で激しく床を踏み続けた。しかし、目の前の幻影は微動だにしなかった。

自分は何か悪い夢を見ている。そう何度も考えた。この男は、一体、誰なのだろう？　本当に悪魔なのか？　悪魔が自分を唆《そそのか》して、見知らぬ人間を一人殺せと言っているのか？──殺すということ。人間を殺すということ。……殺ス、……コロス、……

友哉は、男の言う通り、これが大規模な同時多発殺人に発展し、やがてその首謀者が自分であると報ぜられた時の人々の反応を夢想した。誰もが、あの時の神戸の中学生以上に、自分に恐れ戦《おのの》くに違いない！　学校でのんきに部活動に勤《いそ》しんでいるような連中は、自分とはまるで違った次元で思考し、行動した同級生に対して、絶望的な畏怖《いふ》の念と激しい嫉妬《しっと》を抱くことだろう！　離脱した！　ああ！　あいつは離脱したのだ！　自分たちが、何の疑問もなく、車も通らない赤信号を間抜け面《づら》して待っていた時に、あいつは独りでそこを渡って振り返りもしなかった！……自分の企てた殺人によって、世界中で事件が勃発し、離脱者が続々と現れる！　世界は俺を認識し、歴史は俺を記憶するだろう！　テレビは、恐るべき子供として特番を組み、雑誌の見出しには、匿名のまま、自分の存在が書きつけられる！　新聞も連日、この神童的犯罪者の記事を書き、ネットは沸騰《ふっとう》して、世界中の人間がその関心の目を注ぐ！──それは確かに、同級生を一人刺し、秘密裏に記していたホームページがマスコミに公開されるよりも、遥《はる》かに大きな反響だった。

動機が不明瞭《ふめいりょう》であることも、人々を興奮させるに違いなかった。イジメの復讐《ふくしゅう》などというちんけな話ではない！　会ったこともない人間を、その日にいきなり殺す！　この世界から平然と消滅させる！　しかも俺は、聖なる例外として、聡明な離脱者として、誰からも咎《とが》め立てされる筋合いはない！　あちら側の世界に留まっている連中が、俺と無関係の法の話をして俺を咎めたとして、それが一体何になるだろう！

友哉は、行為が間近に迫っている、という実感に、この時突然打たれた。そして、これまで一度も経験したことのないような激しい恍惚《こうこつ》を感じた。人間を殺す。――その刹《せつ》那《な》の衝撃が、突如として世界を粉々に崩壊させる！　その轟音《ごうおん》が、耳鳴りのように彼の内部で湧《わ》き起こった。誰もが、ただ呆然《ぼうぜん》と自らの無能を痛感しながら、この選ばれた少年の行動について頼りない思考を巡らせるだろう。何が理由だったのだろう？　彼の〈心の闇〉とは、何だったのだろう？　そうして結局、呟くはずだ。――分からない、と。

男は、友哉の内部に探るように言葉を分け入らせて、

「約束の時間は九時。ここからそう遠くはない場所だ。――来るね？」

と尋ねた。

友哉は、返事をするきっかけを摑《つか》めないでいた。その様子に、男は再度、口を開いた。

「あなたは自問しているね。――この男は一体、誰なんだろう？　本当に悪魔なんだろうか？　やっぱり、単なる気狂いか？――とね。……そんな問いはすべて不毛だ。」

そういうと、男はすっと立ち上がって、片手をポケットに突っ込んだまま、友哉を見下ろした。そして、

「この部屋。——何か奇妙だと思わないかね？」

と唐突に問うた。友哉は、訝しげに顔を上げ、周囲に目を遣《や》った。

「あなたは、結局、ここから出られなかった。逃げようと思えば、必ずしも不可能ではなかったにも拘わらず。——なぜだと思う？」

男の表情は、この時まさしく悪魔的だった！　目には殆《ほとん》ど怒気に近い力が込められ、それが友哉の一挙手一投足を威圧した。

「あなたは、私から去ることが出来ない。」

そう言うと、彼は手でテーブルを脇《わき》に退《の》けて側《そば》に近づき、床に片膝を突いて、下から見上げるように顔を寄せた。友哉の全身は硬直した。

「あなたは今、私に説得されていたのではない。自分で自分を説得していたのだよ。私の語った考えも、計画も、みんなあなたのものだ。私はただそれを言葉にしたに過ぎない。——分かるね？　あなたは、あなた自身に恐れを抱き、抵抗している。しかし勿論《もちろん》、逃れられない。……まだ分からない？　ここは、あなたの内面の部屋だよ。」

友哉は戦慄《せんりつ》して顔色を変えた。

「私は、〈孤独な殺人者〉だ。」

男は口許《くちもと》を歪めた。

「分かるね？　私は、——いや、俺はつまりお前だ。お前の言った通り、俺はどこにも存在しない非存在だ。お前の作り出した幻だよ。お前は自分が映し出された鏡を見ている。それが、お前の本当の姿だ。」

そう言うと、男は友哉の腕を、巨大な鳥の足のように骨張った手で、五指すべてを肉に食い込ませながら、破壊的な強さで握り締めた。

「俺は、お前なんだよ。——悪魔！　そう、悪魔はお前自身だ。」

4

新日鐵《しんにってつ》八幡製鐵所戸畑第六高炉の火入れの日だった。

沢野治夫が、退職前に最後に携わったのは、戸畑第一高炉との切り替えのために改修された、一九九八年の戸畑第四高炉の火入れだった。八八年以後、八幡製鐵所では高炉は一基体制になっていたが、第四高炉を休止させ、第五高炉とともに新たに第六高炉を稼働《かどう》させるという現場に、彼は、自分でもどうかと感じながら、部屋着のまま立ち会っていた。

現場では、崇が第五高炉の性能について熱心に社員らと話し込んでいたが、治夫にはそこで話題になっているIT関連の用語がまったく理解できなかったし、それが、高炉と何の関係があるのかも分からなかった。

崇は時折、傍らの若い社員に目配せをしたが、それは、治夫が出向後の子会社で起こした労災の責任を問われた時、呼び出された本社で口を極めて彼を面罵《めんば》した男だった。

治夫はそもそも、第五高炉というものの存在を知らなかった。そんなものがいつ出来たのだろう？　その上新たに第六高炉まで造ってしまったのか？――彼は、苛立《いらだ》ちを覚えながら、『「第一次中期経営計画」の合理化で、粗鋼生産量2400万トンでも収益を確保できる体制を整えたはずじゃなかったのか？』と不平を言おうとしたが、うまく声が出なかった。

それを目敏《めざと》く認めると、崇は社員たちをその場に置いて、彼の許へと歩み寄ってきた。そして、

「父さんの第四高炉は、病んでるんだよ。だから、少し休ませないと――ね？」

と優しく微笑《ほほえ》みかけた。

「そんなこと、あるもんか！」

治夫は叫んだ。

「たった四年しか経《た》っとらんのに！　俺の高炉のことは、俺が一番よう知っとる！」

――が、そう言った途端に、彼は一つの疑念に襲われた。

『いや、……違うのか？　合理化計画は、実は完全な失敗やったんやないんか？……』

それから、更に恐ろしい不安に駆られて、

「第四高炉は、そもそも、ニセモノやったんか!?　鉄なんか、1グラムも作れとらんかったんやろう！　俺はそのニセの仕事をやらされとって、……」

と声を上げた。

崇は彼を無視すると、社員たちの目の前で、突然和子に抱きついてキスをした。そして、

「第四高炉の中はね、もう真っ暗だよ。真っ暗。」

とニヤッと笑って言った。和子は、

「そうよねぇ。」

と頷《うなず》きながら、満更でもない様子で、息子とじゃれ合っていた。

『あいつらは、どうなっとるんか？　親子のクセに！……』

そのふしだらな光景が、彼には酷《ひど》く不愉快だった。

高炉の足許に立って、彼は、屹立《きつりつ》する巨魁《きょかい》な鉄の子宮を眩《まぶ》しげに見上げたが、その所々に赤錆《あかさび》が萌《きざ》していることが気になった。そして、傍らにいつの間にか立っていた良介に、

「たっくんの喘息《ぜんそく》、治まったんか？」

と尋ねた。良介は、

「兄貴はあんなふうに言ったけど、……僕は、たっくんの遺体を高炉で焼くのには、今でも反対しとうけ。……」

と寂しげな口調で言った。

治夫は、良太が既に死んでいたことに驚いて目を瞠《みは》った。そしてむしろ、それを忘れていた自分の老いを悟らせないために、

「まぁ、……崇には崇の考えがあるんやろ。」

と、平静を装《よそお》いながらも、口の底に埋め込まれた重しを一瞬持ち上げるようにして、息を切らしながら何とかそう答えた。

「兄貴は、高炉を自分のものと勘違いしとうけ。……父さん、欺《だま》されとうんよ、兄貴に。――兄貴、父さんの集めた枕木、全部捨てて、黙ってコークスに入れ替えとうんよ。」

良介は、伏し目がちに拗《す》ねたような顔で言った。

「ウソ吐《つ》けっ！」

治夫はいきり立って叫んだ。

「――本当です。」

佳枝は、突然良介の後ろから現れたかと思うと、アトピーで赤らんだ腕を掻《か》きながら、母親の房江の数珠《じゅず》を片手に、いかにも正直に、真相を語る様子で呟《つぶや》き、そっと治夫の手

を握った。

「何で佳枝さんまで知っとるんね！」

治夫は高炉を見上げて振り返ったが、佳枝の姿は、もうそこにはなかった。

「父は、高炉の火入れには、線路の枕木《まくらぎ》が一番だって、わざわざ下関くんだりまで探しに行ってたんですよ。あと、熊本とか。——ええ。枕木、枕木って、気が狂ったみたいに。でも、今時、そんなやり方は、……ねぇ？」

崇は、治夫のかかりつけの医師に、同意を求めるふうに微笑みながら語っていた。

「だから、僕がこっそり、全部コークスに入れ替えておいたんです。それで、父がまた、何かそんなことで騒ぎ始めたら、先生の方で、うまく言っておいてもらえませんかね？　ちゃんと、枕木で火入れをしたって、まぁ、適当に誤魔化して。……」

崇はやはり笑っていた。野田というその若い医師もまた、

「大体、枕木も今は、コンクリート製にどんどん変わってますからね。沢野さんも、そんな木の枕木なんて、よく探してきましたねぇ？」

と親しげに相槌《あいづち》を打ちながら聴いていた。

「そう。でも、どうにか掻き集めてきたのも、腐ったりしてて、あれじゃあ、上の鉱石の荷重に耐えられませんよ。潰《つぶ》れたら羽口が下に曲がって、それを修復するためにまた一からやり直しなんですから！　父も、それを知ってるはずなんですけどねぇ。歳《とし》取っ

て、ちょっと意固地になってて。……気に入らないかもしれないけれど、これも父のためを思えばこそなんです。」

治夫はいよいよ憤激して、二人のいる方向に歩いて行った。

「そのために、わざわざちゃんとした枕木を探しにあっちこっち行ってきたんやろうが！　お前も、『父さんも、最後の大仕事に精が出るね。』とか、あの時は言ってくれよったやないか！　あれも上辺《うわべ》だけの言葉やったんか？　偉そうに、物知り顔でぺちゃくちゃ喋《しゃべ》りまくって！　コークスだけやったら、最初の水が出るまで倍も時間がかかるんよ！　分からんのか？　空気が通りにくいんやから！　俺の三十年間の経験を馬鹿《ばか》にするな！　幾ら勉強ばっかりしとったって、経験せんと分からんこともあるんぞ！」

治夫は顔を真っ赤にして怒号を発したが、二人の耳には届いていないようだった。

ふと顔を上げると、溶鉱炉の前面に、電気ポットの水位表示のような窓がついているのが目について、どうしてガラスが熔け出さないのだろうと驚いた。そして、自分が現場から遠ざかっていた間に、なにか恐ろしいほどの技術発展が遂げられていたのではという疑念に慄然とした。

鉱石とコークスとの重なり合う層が、まるで紙の上の概念図のように綺麗《きれい》に見えた。意外にも、最下層のコークスの層の下には、枕木の層がはっきりと見えていた。

『……あれ？　ちゃんと入っとうやないか。』

しかし、それを知るや、突然彼は、自分の枕木では荷重に耐えられないのではと不安になってきた。見ている間にも、積み上げられた枕木の層はゆっくりと押し潰されて行き、沈み込んでゆく。止めなければ！　しかし、そのために指示を出そうとしても、言葉がどうしても出なかった。

良介は、傍らで、

「父さん、あれじゃあ、たっくんが焼けないよ！　早くしないと、たっくんの死体が、また喘息の発作を起こすよ！」

と哀切な表情で訴えた。

治夫は、それに応じようとするが、声が出ない。

『——ああ、押し潰されていく！……沈む、沈む、……どうにかせんと！』

崇は、冷ややかな目つきで振り返り、和子に耳打ちをしていたが、よく見ると、それは耳を舐めているのだった！

治夫は、声を発しようと必死で藻掻《もが》いた。ほんの少し、息さえ吸い込むことが出来るならば、すべてが正常になるはずだった。息さえ出来れば！　しかし、今はむしろ、知らぬ間にすぐ後ろまで迫っていた死から逃れるべきだった。息をしなければ！　息を！　息を！……

激しく咳《せ》き込みながら、治夫は夢から醒《さ》めた。

飢《かつ》えた肺が、もどかしさに、気管に腕を伸ばして掻くように空気を取り込んでゆくと、全身に立ち籠《こ》めた鈍重な曇りが、俄《にわ》かに晴れてゆくようだった。

体を起こすと、激しい頭痛が、切迫の余韻を留《とど》めた脈に合わせて膨張を繰り返した。落ち着かなければと、数回深呼吸をして、側頭部に響く痛みの波を抑えつけるために、強く右手を宛《あて》がった。

ベッドの傍らには、豆電球だけを灯《とも》したランプが、そこだけ黄昏《たそがれ》が呑《の》み込まれないまま残ってしまったかのように、小さな光を周囲の闇《やみ》に滲《にじ》ませている。

時刻は、十時を回ったところだった。

六時に和子と一緒に食事をして、そのますぐに自室に下がり、昨夜寝残した分を食後に訪れる睡魔で埋めようと、カーテン越しに差し込む日没の名残に背を向けて、ベッドで横になっていた。

しばらくは、いつもと同じく、呻吟《しんぎん》するような寝返りを続けていたが、やがて、仰向けになって、些《いささ》か奇妙に四肢を広げてみたところで沈み行くような落ち着きを得て、そのまま意識が攫《さら》われてゆくまで、じっとしていた。その時も、確かにどこか、眠りの影は波のように、浜に引き上げられた意識の小舟に打ち寄せては、少しずつ、底に敷かれた砂を取り崩してゆくようだった。その波が、たった数時間後には、時化《しけ》たように、打ち壊された意識の残骸《ざんがい》を、再度、浜へと乱暴に打ち返してしまった。

呼吸が整わず、頭の奥が鈍く疼《うず》いている。治夫は、夢のメカニズムについて詳しいことは何も知らなかったが、それが脳の活動であることは当然に理解していた。そして、今彼に感じ取られている痛みは、そのまま、先ほどの破壊的な混乱の傷跡のようだった。

最初に処方してもらった睡眠導入剤は、サイレースとユーロジンとの二種類だったが、飲むと眠れはするものの、翌朝必ず吐き気に襲われるので、数日でそれを止《や》めて、その後はスコッチに頼っていた。それを医者に咎《とが》められ、代わりにレンドルミンを処方してもらうと、起き抜けの不快はなくなった。が、悪夢に見舞われるようになったのは、むしろそれからだった。

夢の中身は、大体起きた時に忘れてしまう。しかし、覚えているその断片は、殆《ほとん》ど狂騒的なもので、あまり熱心に観《み》た記憶もない、アクション映画の一場面か何かのように、猛スピードで車を運転して、深夜の工業地帯を死に物狂いで逃げ回ったり、あるいは、良太に転び方の練習をさせようと、手本のつもりで倒れ込んだ道端の水溜《みずた》まりで溺《おぼ》れ、水を飲みながら必死で藻掻いたりといったものだった。

治夫は、

「悪い夢に魘《うな》されたりすることはありますか？」

という若い担当医からの問いかけに、思いきってその内容を告白した。野田という名

の、まだ四十にもならない男は、続けて、

「——鼾《いびき》はかきますか？　朝起きて、頭が痛いようなことはありますか？」

と問診を行った後、ふんふんと頷きながら、

「それは、〈睡眠時無呼吸症候群〉の窒息感から来るものかもしれませんね。」

と意表を突く見解を述べた。

彼は、肥満や飲酒、枕の高さ、口腔《こうくう》の構造的な問題など、考えられる原因を列挙し、身振りを交えて仰向けの状態で気道がどのように塞《ふさ》がれるかを実演すると、

「寝てる時にはね、例えば、おでこに指で触れてやるでしょう？　すると、夢の中では釘《くぎ》が刺さってるように感じられたりとか、簞笥《たんす》が乗っかってるだとか、そんなふうに、外からの刺激が増幅されるんですよ。内容については、また別に考えないといけませんけど。何で釘なのか、簞笥なのか、というのは。睡眠時無呼吸症の患者さんは、そういう苦しいような、追いつめられたような夢をよく見られるんです。ですから、気道を確保するためには、例えば、枕を少し低いものに変えたりだとか、あと、一番簡単なのは、横向きに寝ることです。どうしても仰向きだと気道が圧迫されますから。——こんなふうに。ええ。——それで随分と違うはずです。日中の眠気とか、頭痛とかも、睡眠時無呼吸症で脳が酸欠状態になるために起こっている可能性があります。」

と、カルテに書き込みをしながら、時折彼を振り返りつつ説明をした。

治夫は以来、寝る際には出来るだけ、横を向くように心がけて、それで実際、悪夢の訪れは間遠になった。どちらを向くとは意識していなかったが、和子の気配でせっかく萌した眠りを取り上げられるのを嫌って、自然と妻には背を向けるようになっていた。目覚めて記憶の朧《おぼろ》な時には、何の夢を見ていただろうかと思い返してみたりもした。そして、具体的には何の像も浮かばなかったが、その薄明の中に、時にはひどく淫猥《いんわい》なものの気配が感じ取られて、しかもそれが、張りつめているはずの時間の遠近がだらしなく緩んで、数時間前というよりも、数十年前のものの滞留を呼び寄せたようで、彼を呆然《ぼうぜん》とさせた。

ベッドを離れるとペットボトルの水をコップに注いで立て続けに二杯飲み、深い溜息《ためいき》を吐《つ》いて和子の鏡台の前に腰を下ろした。十歩ほど歩いただけだったが、頭痛は破れそうなほどに膨んで、鎮《しず》まるまでに時間がかかった。そして、久しく目を背けていた鏡の中の自分と、示し合わせたように同時に顔を向け合った。

斜めに傾いて、虚《うつ》ろな目を開いた荒廃が一つ。——うっすらと埃《ほこり》の覆《おお》った鏡面の底の顔は、浸透現象を無抵抗に許して、不格好に浮腫《むく》んだ水死体のように見えた。

その観音開きの古い三面鏡は、嫁入り道具として和子が実家から持ってきたものだった。治夫には、そこに映し出され、相互に幾重にも反復し合う惨《みじ》めな自分の像が、妻の胸中で、今、谺《こだま》のように執拗《しつよう》に鳴り響いているであろう病んだ自分の姿と感ぜられて、もう何年も開きっ放しだったその扉を閉ざして、窒息させようとするかのように、菊の鎌倉彫の下にそれらを埋め込んだ。

それがそのまま、底のない深みへと沈みゆく自身の姿の想像へと繋《つな》がって、彼をまた、先ほどの夢中の苦しみへと連れ戻してしまった。

治夫は、鏡の台座に積もった埃が、扉の底に拭《ぬぐ》われた様に目を据えたが、瞳《ひとみ》から流れ込んでくるそうした現実の光景とは無関係に、夢の記憶は、見えるという手応《てごた》えもないまま、彼の意識にその崩れ落ちかけた断片を再生した。

虹色《にじいろ》に光る闇の中で、崇が何度も笑っていた。その表情は優しく、鏡のように澄んだ目で、静かに父親を見据えている。――そうじゃなかったと、治夫は感じた。夢の中の崇の笑顔は、もっと下卑た軽薄なもので、虫酸が走るほどに不愉快なものだったと思った。

それは、自分が作り上げてしまった息子の表情なのだろうか、と彼は疑った。自分の目は、息子をあんなふうに歪《ゆが》めて見てしまっているのだろうか？――そう、崇の笑顔は確かに歪んでいた。しかし、歪められたのは、むしろ息子の優しさだった。そして今、目覚めた彼は、その息子の優しさに、じっと見つめられているかのようだった。

治夫は、新たな心拍の高まりと目眩《めまい》を感じた。そして、結局また、耐え難いほどの倦《けん》怠感《たいかん》のために、押し潰されるようにして傍らの和子のベッドへと倒れ込んだ。

この格好は大丈夫だろうか、と彼は不安に感じた。寝たきりになってしまったら、自分はどうなるのだろう？　姿勢に窒息させられる。介護者がもし、悪気もなく仰向けに寝かせてしまったならば、自分は死ぬまで窒息の苦しみに喘《あえ》ぎながら、悪夢を見続けることになるのだろうか？　あるいは、首尾良く横向きに寝かせてもらったとして、床擦れで爛《ただ》れた皮膚の痛みに無力な呻《うめ》き声を発し続けなければならないのだろうか？……頭痛の網を掻い潜《くぐ》りながら、治夫は深刻に思いつめた。そして、最後の二三段になってから、ようやく彼の体は和子が踏み締める階段の音を感じ取った。その忍び足は、寝ている夫を起こさないためのいつもの気遣いだったが、彼にはそれが、この時なぜか、酷《ひど》く侮辱的に感じられた。

和子は、そっと様子を窺《うかが》うようにドアを開けた。そして、暗がりの中、自分のベッドの上に、突っ伏すようにして倒れている夫の姿に驚いて、

「お父さん！　大丈夫？」

と声を上げ、部屋の明かりをつけた。

治夫は、その切迫した呼びかけと、自身の惨めな格好をあからさまに照らし出す光とが、過敏になった体に乱暴に触ったように感じて、精一杯の力で固く凝った首を持ち上げると、辛うじて天井を一睨《ひとにら》みして、

「……頭に響くやろうが、そんな大声出して。」

と、目も合わさないまま言った。

和子は、その言い様に憮然《ぶぜん》として表情を曇らせたが、いつものように心の中で三秒数えて、気を落ち着かせると、

「ごめんね。倒れとうかと思って、ビックリして。……」

と謝った。しかし、彩《いろど》り程度に笑顔を添えてはみたものの、さすがに疲労の気配は隠しきれなかった。

治夫は、妻のうんざりした気分を痛いほどに感じ取った。そして、

「……どうかなったと思ったか？」

と呟《つぶや》いた。

「えっ？」

和子は、眉《まゆ》を顰《しか》めた。

「どうかなったと思ったかっち、……」

治夫は、そう反復しかけたまま、苛立《いらだ》たしげに口を噤《つぐ》んだ。

聴き取れなかったのか、あるいは、意味を取りそこなったのか、和子の分からないと尋ね返す声は、彼の耳には詰問《きつもん》のように強く響いた。

首を捻《ひね》って、入口に立ったままの妻の顔を見遣《みや》った。

咄嗟《とっさ》のことで準備がなかったのか、彼女のいかにも深刻そうな顔つきは、ただ何かを

訊《き》き直すためだけというには明らかに過剰と感じられ、無神経に思われた。彼はそれを憎みつつも、同時に申し訳なくも感じ、その気持ちを相手が思いやってくれないことに腹を立て、そうした身勝手な考えに捕らわれている自分を執拗に責めた。

和子の強張《こわば》った表情の上には、風呂《ふろ》上がりの化粧水のあとが、悪びれる様子もなく艶々《つやつや》とした耀《かが》やきを点《とも》していた。それは、いかにも安穏な、当たり前の日常めいた潤《うるお》いで、夫とは無関係に、彼女が自分自身の維持のために施し続けている何かだった。それが彼には、自分と妻との間の無限とも思われるような距離と感じられた。

「――イヤな思いをすることも多いと思いますが、我慢してあげてください。『がんばって』というのも禁句です。こっちは励ますつもりでも、プレッシャーになって、かえって症状を悪化させてしまいますから。あたたかく見守って待つことです。一番辛《つら》いのは、ご主人なんです。あまりヒドいことを言われた時には、お父さんの気持ちも分かるけど、あんな言い方されたら、わたしだって傷つくよ、と優しく言ってあげてください。……」

和子は、医者から何度も聞かされた、そうした忠告を思い出していた。

病気《いい》なのだから。――それは分かっていた。しかし、そうして受け渡された夫の苦しみを、彼女自身がどう処理すべきか、医者からは何も教えられていなかった。

愛情の咀嚼《そしゃく》力には、一つの性質があることに彼女はこの数ヶ月で感づいていた。それは、ゆっくりと時間をかければ、どんなに硬いものであっても噛《か》み砕くことができたが、矢継ぎ早に噛むことはできなかった。彼女の優しい気持ちは、何度か乱暴に押し込まれた夫の言葉を噛みそこね、刃毀《はこぼ》れして以来、何でもないような些細《ささい》な言葉でさえも、うまく咀嚼できなくなっていた。そうして無理にも呑み込んだ歪《いびつ》な塊が、いつまでも胸に閊《つか》えて、異物らしい角を立てている。

　彼女は病気ではなかった。夫の苦しみには、医者も家族も手を差し伸べている。しかし、彼女の苦しみはないことになっていた。それが、耐え難かった。

　彼女はその辛さを、何度か夫に訴えかけて、いつもその直前で踏み留まっていた。それがどうしても我慢できなくなると、祟に電話して話を聴いてもらうしかなかった。

　治夫は、黙ったままで立ち尽くす妻の姿に、神経を煎《い》られているような落ちつかなさを感じて、

「……その方が、お前のためやったやろうな。……俺が片づいてしまったら、お前ももう、こんな苦労なんかせんですむし。」

「また、……お父さん、……」

　――病気なのだから、と、彼女は今し方と同じように胸の中で繰り返した。しかし、押し返したはずの続く言葉が、途中で止まって苦しくなると、むしろそれを吐き出す方を選んだ。

「――なんでそんなこと言うと？」

治夫は、その一言に激しく動揺した。そして、天井の明かりが体の内側まで照らし出して、自分から逃げ場を奪ってしまおうとしているかのように感じた。

「……眩《まぶ》しいけ、電気消せ。……」

辛うじてそう一言だけ発すると、彼はそのまま思考を握りつぶされてしまったかのように、継ぐべき言葉を見失ってしまった。

和子は、言われた通りにすると、

「……誰もそんなこと、思っとらんのに。……」

と呟いて、しげしげと、幼児めいて寝転がったその姿を眺めた。

彼女は、自分の今口にした言葉に、落ち着きの悪さを感じた。こんなことを、いつまで繰り返すのだろう？　本気なのだろうか？　それともただ、こんな慰めの言葉をかけてもらいたいばかりに、わざと相手をドキッとさせるようなことを言ってみているのだろうか？　病気とはいえ、それはあんまり子供染《じ》みていた。

彼女は夫が、どうかなることを積極的に想像していたわけではなかった。が、むしろどうもならずに、この先十年、二十年とこのままの状態が続くことを考え、不安を感じ始めていた。老後の介護については、以前から覚悟を決めていたはずだった。なぜかは分からないが、彼女は、自分の方が世話をされることをあまり考えなかった。しかし、その訪れは予想よりも早く、しかも突然だった。そして、何よりもその内容が心づもりとは違っていた。

医師から夫が「鬱《うつ》病」であると診断を下されてから、彼女は駅前の書店で数冊の関連書籍を購入し、一通りの知識を得ていたが、十年以上にも亘《わた》る慢性化の症例を知るにつけ、自分の将来を暗い気持ちで想像せざるを得なかった。

耐えるという行為には、期限が必要だった。いつか終わると思えばこそ、終わったあとの幸福を前借りして、今をやり過ごすことができる。あるいはむしろ、終わらないとはっきり決まっていれば、ただやり過ごすというのではなく、今の困難を何か別の充実へと変える工夫をするはずだった。しかし、治夫の病状はもっと茫漠《ぼうばく》としていて、取りつく島がないように感じられた。

崇は以前に、鬱病を「腫瘍《しゅよう》のようなものだ」と語っていた。しかし、腫瘍であったなら、病はきっと、夫婦の共通の危機として、二人で手を取り合って克服すべきものと感じられただろう。苦しむのは夫である。しかし、苦しめる原因ははっきりしていて、二人はそれと向かい合い、励まし合いながら、改めて結婚生活の意義を深く感じることができただろう。――が、今はそうではなかった。腫瘍のように、どこからともなく現れて、夫を苦しめているのではない。その原因は、結局のところよく分からなかったし、ひょっとすると、自分のせいであるのかもしれなかった。

治夫は実際、彼女を徹底して病から閉め出していた。それに触れさせることは疎《おろ》か、見ようとすることさえ頑《かたく》なに拒んでいた。彼女は今に至るまで、夫が何に苦しんでいるのか、話して聞かせてもらったことは一度もなかった。ただ小康を得て幾分穏やかな口調に戻れば喜び、悪化すれば、罵倒《ばとう》されながら世話を焼く。その繰り返しである。そしてそれは、新日鐵時代の夫の姿と、結局は何も変わらなかった。

治夫はよく、高炉は生きものだと口にしていた。一度火を入れてしまえば、それを自由に止めることはできなかったし、不具合があれば、病のように治療を施さねばならなかった。そのために、盆も正月もなく出社することもあれば、家にいても気もそぞろということもあった。その加減は、いつでも夫の加減と直結していたが、彼女は三十年にも及ぶ結婚生活の中で、それについての詳しい話を殆《ほとん》どしてもらった記憶がなかった。

毎日、夕食を作って家で待っている。すると、何かあれば機嫌が好く、逆の何かがあれば機嫌が悪く家に帰ってきた。房江が生きていた時分には、就職した頃からの習慣らしく、時々仕事の話もしていたが、彼女はそれに特には立ち入らなかった。崇が小学校の社会見学で新日鐵を訪れた後、高炉についての発表をしなければならないと根掘り葉掘り治夫に尋ね、ノートを作った時にも、それがまったく自分の知らぬような話ばかりであったので、彼女は呆気《あっけ》に取られた。

そうした夫婦生活は、結局のところ、失敗だったのではあるまいか？　彼女は、夫が患《わずら》ってからというもの、ずっとそう考え続けていた。何も変わってはいなかった。未来に希望がない一方で、過去からの蓄えも乏しかった。しかも今は、高炉ではなく、自分の存在こそが、夫の不具合の原因かもしれないと疑わなければならなかった。

彼女は崇に電話して、頻繁に自分の苦しみを訴えた。その度に、彼は、一時間でも二時間でも話に耳を傾け、

「母さんは、自分を責めちゃダメだよ。逆に、父さんみたいな人が、今まで何事もなく過ごしてこられたのは、母さんのお陰なんだから。」

と穏やかな口調で慰めたが、治夫の病の原因が何であるのかについては、はっきりとしたことは言わなかった。その曖昧《あいまい》さは、結果として、彼女を一層、息子へと近づけることとなっていた。そしてその相手は、やはり良介ではなかった。

彼女は、佳枝に遠慮しているつもりだった。彼女自身が長年姑《しゅうとめ》の存在を疎《うと》んでいたから、嫁にはそうは思われたくないと、はっきりと意識して振る舞っているつもりだった。しかし、この五日間ほど、急に崇と連絡が取れなくなってみると、彼女は俄《にわ》かに、崇でなければならないという思いに追い立てられるようになった。そのことを初めて自覚したのが、昨日の良介との電話だった。

彼女は、出張の翌日に見舞いに来てくれるという良介の優しい申し出に対して、自分の態度が明らかに不当だったことを、電話を切ったあとで反省した。しばらく考えて、

もう一度電話をしようと思ったが、どう言うべきか分からなかったのと、時間が遅くなって、良太を起こしてはかわいそうだと思ったのとで、そのまま止《や》めてしまった。その分、日曜日によく感謝の気持ちを伝えればいいと思っていた。

そうした良介の気持ちには、治夫にも一緒に感謝してもらいたかった。

彼女は、三面鏡の前の椅子《いす》に腰掛けようとして、普段と様子の違うことに気がついた。扉が閉ざされているのは、もちろん、すぐに分かったが、もう余りに長い間見ていなかった光景だけに、わざわざ閉めた、と、その行為が際立《きわだ》って感じられた。そして、即座にその意味を、夫が自分に対して心を閉ざしてしまったことと解釈した。

「――日曜日、良ちゃんが来てくれるけ。」

和子は、先ほどの会話にわざと立ち戻らずにそう言った。

「今日は、大阪で崇と会っとうみたい。二人とも出張っち言いよったけ。……二人が仲良くしてくれて、うれしいね、お父さん。本当に、がんばって二人産んどいて良かったよ。」

治夫は何も言わなかったが、やはり下を向いたままで、大儀そうにゆっくりと起き上がった。和子はそれに手応《てごた》えを得て、思わず口を吐《つ》いて出たその言葉に先を促されながら更に続けた。

「あの子たちも、それぞれにしっかり自分の仕事をしてくれとうし、もう何も心配いらんよ。わたしたちはただ、自分たちの老後のことだけ、じっくり考えればいいんやけ。お父さんががんばって働いてくれたお陰で、生活にも困らんくらいの蓄えはあるんやし、それに年金を足せば、……ねぇ、お父さん。」

彼女は、そう励ますように微笑《ほほえ》んでみせた。脈絡もなく口にした子供たちのことだったが、ふしぎと、今のこの時には、自分の言葉が夫に通じそうな気がした。夫は顔を上げ、「そうだなぁ。」と感慨深げに穏やかに応じる。そして、今日まで何が心の重しだったかを、ゆっくりと語り始める。笑顔が見え、目と目が合う。——そんな気配をまさに感じ取っていた時、治夫は、錆《さ》びついて固くなったような髪を掻《か》き上げると、

「お前たち三人は、みんな不幸だ。……」

と絞り出すような声で言った。

その一言に、彼女は呆然《ぼうぜん》とした。そして、抑えようのない感情に、

「お父さん、……言って良いことと、悪いことがあるよ。……」

と打ち震えながら言った。

治夫は、その視線を重たく全身に感じながら、喘《あえ》ぐようにして息をした。

「お前ら、どうせみんな、俺に愛想尽かしとうんやろうが？　身内にこんな気狂いがおって、誰が幸せなもんか。……お前も、俺と離婚しようと思っとうんやないんか？　金の話なんかして。俺を安心させといて、出ていこうと思っとうんやろうが？……」

「もう、いい！」

和子は遮るようにして叫んだ。

「いい加減にして、お父さん！　情けない。……」

そして、一度では足りずに、

「いい加減にして！」

と繰り返した。

いつもの繰り言のようでもあったが、彼女にはそれが、この時急に、我慢の限界を超えたものと感じられた。幸せではない。――その断定は、彼女から現状を耐えさせるための根拠を乱暴に奪ってしまった。そして何より、これまで注意深く避けてきたある決断に、夫がまったく無神経に言及してしまったことに。それを努めて考えまいとしていた自分の気持ちを踏みにじって。――

『……もう、いい。……』

和子は今度は、胸の裡《うち》で呟《つぶや》いた。それは明らかに、二度目の言葉の重みを加えて、彼女自身に対して発せられていた。

立ち上がって部屋から出て行くと、階段を下りながら何度となく首を振った。

寝室からは、何の物音も聞こえなかった。ベッドに突っ伏した夫の姿が脳裡《のうり》をちらついた。その光景は、最初の誤解を秘《ひそ》やかに忍び込ませていたが、彼女はそれに、今はもう、奇妙に冷たい感情しか抱かなくなっていた。

5

シャワーを浴びて崇がバスルームから出てくると、千津は、彼と同じバスローブを着たまま、カーテンが開けられた窓辺のソファに座って、夜の街を眺めていた。

十月初めというのに、暑さは和らぐ気配がなく、日中は気温が30℃近くにまで上がっていた。熱気の籠《こ》めた場所に長くいただけに、弱めに設定されたクーラーの涼気が、少し物足りない程度に心地良かった。

部屋は、京都ホテルオークラの十二階で、北東角の鴨川《かもがわ》に面した2203号室である。夕方のチェックインの際に鍵《かぎ》を貰《もら》って、二人は最初二十二階と勘違いしたが、このホテルの妙な仕組みで、十二階の部屋にこの2200番台の数字が宛《あて》がわれているのだった。その時に、荷物を持ってくれたベルボーイと、かつての景観論争の話をして、二十二階などという高さだったら、今でもきっと寺社側と和解できてなかっただろうと冗談を言ったが、見下ろす夜景に、彼はふとそのことを思い出して、しかもそのたった五時間ほど前の記憶が、もう随分と昔のことのように感じられた。

千津を京都駅で拾って、そのまま午前中から大原に出かけ、遅い昼食を挟んで、詩仙堂の近辺を歩き、ホテルに着いたのが四時過ぎだった。

それから二人は、シャワーで軽く汗を流して体を交えた。夕食に七時頃から出かけて、戻ってきたのは九時半頃だった。

窓の中で目が合うと、千津はゆっくりと振り返って、崇を見ながら微笑んだ。

「のど渇いたから、一本、開けちゃった。」

そう言ってテーブルの上の缶ビールに目を遣《や》った。

「あ、俺も飲もうかな。……」

崇は冷蔵庫から一本取り出してフタを開け、一口飲んでから千津の傍らに座った。浴びたてのシャワーの熱が、バスローブの下で重たく蒸れているのを感じて、少し襟元を広げた。そして、ほっとしたように息を吐いた。

「ねぇ、やっぱりまだ、橋の辺りに人がいるよ。警察も来てるし。」

千津は、外を促しながら言った。崇は、一応、関心を示す程度に目を向けて、

「映画のロケでもやってるのかと思ってたけど、……何だろうね？」

とビールを飲んだ。彼女はまだ、それが気になるらしく、様子を窺《うかが》っていたが、やがて諦《あきら》めて、

「疲れたでしょう、一日運転して？」

と声をかけた。

「ううん、大丈夫。楽しかったよ。——昨日から運転してて、大分慣れてたから。」

「うん、運転、上手だからビックリした。」

「上手じゃないよ、全然。道が単純だったからね、今日は。東京だと大変だと思うけど。……」

「今朝、京都駅に崇くんが車で迎えに来てくれてたの、……なんか、新鮮だったな。」

そう言いながら、彼女は腕を伸ばしてビールの缶を手に取った。

「ちょっと、照れ臭かったね。いつもと違うから。」

「うん、ちょっとね。……」

崇の視界を、濡《ぬ》れたまま撫《な》でつけられた彼女の髪の濃い色が、トリートメントの香りとともにすっと横切った。それが、今の彼には、少し刺激が強すぎるようなバスローブの白と対照を成して、ほっそりとした首筋の淡く桃色を帯びた肌の光沢を際立たせた。

『……新鮮、か。……』

彼は胸の裡で呟いた。そう言うならば、今日は何もかもが、新鮮だったはずだった。一緒に旅行をしたのは勿論《もちろん》、日中から外で二人で会ったことさえ、これまでただの一度もなかった。

崇は初めて、快晴の明るい昼の光の下で、彼女の姿を認めた。そして、彼自身もまた、同じ明澄《めいちょう》さの中に迎え入れられて、彼女の目の前にいたのだったた。二人はそうして、ようやく夜の闇《やみ》から抜け出してきたところだった。夜の中でも、更に暗い寝室の一角で、互いの裸体を持ち寄っては、一つに組み合わせようと苦心していた、際限のない戯《たわむ》れを経て。――

残りがもう一日とない関係の中で、何かが新鮮と感じられるということが、彼の心を捉《とら》えた。それは一瞬、萌しのようにも感じられたが、ここから二人の関係が未来へと向けて更新されるわけでないことはよく分かっていた。むしろそれは、終わることが悪戯《いたずら》めかして垣間見《かいまみ》させた、二人の関係の別のありようのようだった。

今みたいでなく、こうでも良かったのではと彼は思った。そうでなかったのは、なぜだろう？　それぞれを巡る状況が、ほんの少し違っていたならば、二人はまた、別の形で互いに見知り、別の二人のように交わることができたのであろうか？　その時にも、自分は今の千津を知ることができただろうか？　夫に嘘《うそ》を吐き、人目を忍んで不倫相手とこっそり旅行に出かけてくる彼女。そうであったなら、自分は今のように、その彼女に心惹《ひ》かれることがあっただろうか？……

今日になって、ようやく見出《みいだ》されたこの新鮮さ。それは結局、何か意地の悪い冗談のように、記憶に差し込まれたままになるのだろうと彼は感じた。最後の旅行で、自分たちは、あり得たかもしれない、二人の別の関係を試みてみた。そしてそれは、試みのまま置き去りにされて、振り返ればむしろ、終わったあとに訪れるはずだった新しい何かが、誤って先んじたような印象を残すのかもしれない。

彼は、彼女を抱き寄せ、そっとキスした。紅を落とした唇の生《き》の感触が、心中の水面《みなも》に微《かす》かな波紋を広げた。バスローブのタオル地は、強《ごわ》つく厚みで二人を隔てたが、そこから逃れ出た素肌には、その分、露《あら》わな熱があった。

千津は、崇よりもやや遅れて目を開くと、はにかむように微笑んで、

「車借りるの、正解だったね。」

と、また先ほどの会話に戻って言った。

「本当？　良かった。思ったより近かったけどね。」

「うん。すぐついちゃったね。」

「――ね？　途中から一本道だったし。」

「もっとずっと乗ってても良かったな。」

「そうだね。天橋立《あまのはしだて》とか、思いきってあっちの方まで行くと、また全然雰囲気が違うんだろうね。――行ったことないけど。ある？」

「ううん。わたしもない。どうしても、市内ばっかりになっちゃうもんね、旅行で来ても。」

「うん、そうだね。……」

今度行ってみようか、と崇は言いかけたが、そうした守る気もない約束は、悪く後を

引くだけだと口を噤《つぐ》んだ。その不自然な間は、しかし、彼女に何がしかを感じさせるには十分だった。

俯《うつむ》き加減のまま、彼女は、

「わたしね、……」

と呟いた。

「ん？」

崇はその横顔を覗《のぞ》いた。

「大原のトンネル出て、ちょっと行ったあたりのカーヴで、一回、対向のダンプカーにぶつかりそうになったでしょう？」

「ああ、うん。ゴメンね。ヒヤッとしたよね。」

「ううん。……」

彼女は小さく首を横に振った。

「でも、あの時ね、今ぶつかってたら、どうなってたんだろうって考えたの。あそこで死んじゃってたら、みんなビックリするだろうなって。そもそも、なんで京都にいるの？って。……運転してた崇くんのことも、もちろん知らないし、どういう関係なんだろうって思うでしょう、やっぱり。」

「まぁ、ね。……察しはつくと思うけど。」

「みんな、どう思うのかなって。彼とか、……両親とか、……そうなったら、色々思い悩んでたこと、みんなに話して回らなくっても、一度に理解してもらえるかな、とか。……逆に、浮気相手と旅行先で死ぬなんて最低ってことで終わるのかな、とか。……」

「それであの時、黙ってたんだ？」

「うん。なんか、考えちゃって。……」

崇は、彼女を見つめたまま、

「そうなれば、俺だって同じだよ。」

と、曖昧《あいまい》に微笑んでみせた。

「俺も今日は、誰にも会ってないことになってるんだから。……二人とも、ここにいるけど、ここには存在してないんだよ。」

千津は、つと顔を上げた。

「俺たちは、本当はいつも、そうだったんだよ。――公《おおやけ》にはどこにも存在しない二人として会ってた。だからこそ、ただお互いのためだけに存在してたとも言えるかもしれないけど。……」

彼は、ビールの缶をテーブルに置いて、窓の外を眺めた。

「存在してない人間として死ぬ。――それって、どういうことだろうね？……その俺は、俺を知るあらゆる人が知っている俺を裏切るだろうね。しかもそれが、俺という人間に決着をつける。そういう人間だったたってことになってしまうよ。……死んだ俺は、それに反論できない。俺はそんな人間じゃないって、そうは言えないから。──でも、千津ちゃんが言ったのは、もっと恐ろしいことだね。大袈裟《おおげさ》だけど、それは、汚名とともに死ぬっていうことだよ。当人がそう思ってなくても、汚名っていうのは、世間が判断するものだから。──そうなると、辛《つら》いのかな？　それを感じる俺は、その時には存在してないわけだけど。……」

「そうね。……どうなんだろう……ね？」

彼女は首を傾《かし》げながら、手の中のビールの缶を見つめていたが、そのまま脳裡に焼きついていくような思念を振り払うように、すっと顔を上げた。

闇の底に沈められた鴨川の流れが、時折幽《かす》かに反射して波の気配を伝えていた。

彼女の視線は、川端通を上下に行き交う車のライトにそれとなく触れた。

暗がりに紛れて車影は曖昧だった。各々《おのおの》の先端の昆虫の目のように小さな光が、信号で詰まり、また解き放たれては等間隔で流れ、そうして絶えず、水平の一本の線上を動き回る単純な風景が、彼女には面白かった。

その向こうには、東山まで点々と明かりが灯《とも》っていて、街の眠りが、まだ少し遠いことを感じさせる。空には先ほどから、頻繁にヘリコプターの往来があった。

千津は、そうして意識が遠ざかり、また手許《てもと》に手繰り寄せられるのにつれ、窓の中の崇の姿へと戻ってきた。

　彼は、考えごとに耽《ふけ》っているらしい虚《うつ》ろな目をしていたが、彼女のその視線には敏感に応じた。

「そうね、……わたし、どっちでも良かったかな。……それで辛かったこと、分かってもらえるなら、もちろんうれしいけど、……やっぱりこうしてるのも、みんなにウソついてるわけだし、ふしだらな女として？——」

　と、語尾を上げつつ、自分でその紋切型を笑った。

「死んだとしても、しょうがないのかな。その方が、逆にほっとするっていうか。……」

　崇は、普段とは違って、そうした彼女の言葉にすぐには答えなかった。

　彼女は、その沈痛な表情に動揺して、

「あ、崇くんがどうとかっていうんじゃなくて、わたしの問題なの。」

　と言い、

「——ごめんね。」

　と振り返った。

　崇もまた、ガラス越しではなく、直接に彼女の方に体を向けると、

「ううん。そうじゃないの。そうじゃなくて、……よく分かるなと思って。」

と頻《しき》りに瞬《まばた》きを繰り返しながら言った。

「分かるよ。千津ちゃんの言ってること。」

「ううん、ほんとにごめんね。——なんか、崇くんに、会う度にいつもやさしくしてもらってたし、それでこの半年間、わたしがんばってこれたんだけど、……」

彼は首を横に振って、肩にそっと手を添えた。

「……そういう旅行だと思ってきたから。……」

千津は眸《ひとみ》を潤《うる》ませた。

「そう……だった？」

「……違う？」

彼女は、返事を躊躇《ためら》った後に、

「分からない。……最初はそのつもりだったけど、……」

と言うと、急に言葉を詰まらせて、右手で左腕のバスローブの袖《そで》を引き寄せながら涙を拭《ぬぐ》った。そしてそのまま、彼に寄りかかって胸に顔を埋めた。

彼女の体を強く抱くと、その涙が肌をゆっくりと濡らしてゆくのを感じた。彼女は顔を紅潮させて、嗚咽《おえつ》しながら辛うじて、

「わたしね、……」

と言った。

「……うん。」

低い響きが、胸から直接、頰に伝わった。

「……今日本当は、ここに来ないつもりだったの。」

彼女は、彼の体を摑《つか》む指先に力を込めた。

「それで終わりにした方がいいのかなって。……けど、やっぱり来ちゃって、……」

崇は、眉間《みけん》にうっすらと皺《しわ》を刻んだまま、彼女の体の震えを鎮《しず》めようとするかのようにじっとしていた。

「お別れのつもりで来たけど、……今日一日一緒にいたら、なんか、自分がどうしたいのか、分からなくなって。……さっきの話ね、事故に遭って、崇くんと一緒にいたこと、みんなに知られるんだったら、それでもいい気がして。……わたしの勝手だから、崇くんには迷惑だろうけど。……死んだりしなくって、事故のあと、京都に行ったことがバレて、みんなに二人の関係が知られるんだったら、そっちの方がいいのかなって思ってみたり。……それで崇くんとどうこうっていうんじゃなくって、ただ、そうなったら、今の色々なことがすっきりするかなって。……」

「……うん。」

「……ごめんね。」

千津はまたそう謝ると、しばらくそのまま黙っていた。そして、吹っ切れたように涙を拭って顔を上げると、急に泣き出した自分を恥ずかしがるふうに笑ってみせた。

崇もそれに応ずるように表情を崩した。そして、

「謝らなくていいよ。幸い、そうはならなかったんだから。」

と、わざと冗談らしく言った。

「──昨日の練習の甲斐《かい》があったよ。」

「幸い」というその言葉を、事故に遭わなかった意味に限定するために、敢《あ》えてそう言い足した。千津は、

「……うん。」

と頷《うなず》いたが、それでこの話は終わりだと感じた。

自分でもどこまで信じているのか、分からない考えだったが、三千院を二人で歩きながら、彼女は、夫とではなく、崇とやり直す生活もあるのだろうかと、ぼんやりと思いを巡らせていた。

彼女は、今回の旅の意味を、崇ほどはっきりとは見定めていなかった。むしろ、彼がどう思っているのか、それが分からなかった。旅を前にして彼女を襲った、怖《お》じ気づくような感情は、彼がこれを、二人の関係を一層推し進めるためのきっかけと捉えているならば、という想像によるものだった。

そんなふうに、彼女はいつも、彼のことを曖昧にしか理解していなかった。普通に人

と接する時、彼女は相手の胸中を、近接するような幾つかの思惑の間で考え迷うものだった。しかし、崇と接していると、好きか嫌いか、快か不快かと、まるで真反対の感情の間で、忖度《そんたく》の道を見失ってしまった。

三千院へと向かう車の中で、彼女は自分が、随分と遠くに来ていることを感じた。そこに崇と二人でいる。それは、同じように人目を避けて会っていて、その間どこにいようとも、他の人にとっては同じだといっても、彼の北青山の部屋に籠《こ》もっているのとは、やはり違う感覚だった。

彼の傍らで、彼女は、この関係に今よりもっと深入りしたいという思いを、奥深く車が山中へと分け入ってゆくほどに強くしていた。それは、真情らしくも感じられ、同時に自棄《やけ》のようでもあった。——その瞬間、カーヴの先から、車体を大きくはみ出した対向車線のダンプカーが突っ込んできたのだった。崇は咄嗟《とっさ》にハンドルを切って、衝突すれすれで事故を回避した。ダンプカーは、クラクションを鳴らす間もなく、急ブレーキとともに傍らを過ぎていったが、轟音《ごうおん》が無事に背後へと退いたあとで、彼は蒼褪《あおざ》めた表情で小さく息を吐いた。

千津は、テーブルの上のティッシュを取って涙を拭《ふ》くと、改めて、なんでもなかった、いい、というふうに今度はもっと控えめな微笑を見せた。彼の態度は、彼女には今、霞目《かすみめ》の向こう側にあっても鮮明に映った。それは、彼女を愛しているかどうか、という感情的な問題とは別に、もっと現実的に、二人の関係に延長されるべき未来がないことを納得しているふうだった。そして彼女は、彼と一緒の時には、いつもそうであるように、冷静になって、そのことを正しいと感じた。

崇もまた、少し頬を緩めて、彼女の髪の上から唇を押し当てた。表面の乾いた髪の奥には、まだ幾分水気が残っていた。それから、

「コーヒーでも飲む？」

とソファを立って、ポットが置かれている部屋の隅に向かった。

「うん、ありがとう。――あ、でも、お水にしよっかな。」

「そう？」

「うん。――崇くん、コーヒー飲みたかったら飲んでね。」

「ううん。俺もそんなのでいいかな。……」

冷蔵庫を開けて、中を覗くと、ボルヴィックと烏龍茶《ウーロン》とをそれぞれ一本ずつ取り出した。千津は、ソファを離れて、

「そのままで。」

とコップを準備しようとする彼からペットボトルを受け取ると、

「明日も、今日みたいにお天気良かったらいいのにね。……」

とベッドルームへと向かった。

「雨だっていう予報だったけど、どうかな。……」

そう言いながら、彼は、ルーム・ライトを落として、先ほどバッグの中でマナー・モードの振動音がしていた携帯電話を取り出した。

千津は、リモコンを片手にベッドの背に凭《もた》れながら、テレビの電源を入れた。

ホテルからの挨拶《あいさつ》画面を切り替えて、二つ三つチャンネルを回したところで、京都テレビの天気予報の画面に当たった。

――続いて、明日の降水確率です。全般に、高い予報となっています。和歌山県南部には、強風波浪警報が出ています。奈良県では、……

今朝からずっと見ていなかった携帯の着信履歴は、メールが三件と電話が五件だった。

メールは、香織と美菜、それに沙希からだった。それらのメッセージを一通り読むと、返事は書かないまま、電話の着信を確認した。佳枝からが三件、和子からが二件で、佳枝はメッセージを残しているようだった。

崇は、しばらく考えるふうに画面を見つめていたが、結局、メッセージ・センターには電話しないまま携帯を閉じた。そしてそのまま、バッグの奥に押し込むと、ベッドに座る千津の許に向かった。

「地元の天気予報見たら、なんか、旅行に来たって感じがするね。」

「そうだね。地図が関西だからね。」

「明日、やっぱり雨みたい。」

「そう？　今日がんばって色々見ておいて良かったね。」

「──ね？」

「どうしよっか？　車は一応、お昼までだけど、延長もできるし。」

「そうね、……。」

崇はカーテンを閉めるつもりで、烏龍茶をベッドの脇《わき》に置いて、もう一度、リヴィングに戻った。千津は、

「あー、今日は、新聞もテレビも全然見てないな。……。」

と、しばらくザッピングしていた。そして、内容というより、映し出されている景色の方に注意を引き寄せられて、

「……あれ？」

と、ニュース番組の中継の映像で手を止めた。

──えー、こちら、現場となりました京都市東山区の三条大橋に来ています。ご覧いただけますように、京都の繁華街のど真ん中ということもあって、この時間になりましても、報道関係各社を含め、週末、街に出てきた地元の人や観光客などで周囲はまだ騒然としています。上空には、ヘリコプターの機影も見えます。……チョット見にくいでしょうか？　この丁度真下の辺りで現場となりましたのが、

す。ただ今は、警察によって封鎖されておりまして、我々は下に降りていくことができません。

捜査本部が置かれました松原警察署の発表によりますと、今朝方午前七時頃、犬の散歩でこの辺りを通りかかった男性が、不審な黒いビニル袋を発見し、中を覗《のぞ》いてみたところ、人の頭部のようなものが見えていたため、すぐ近くにありますこちらの三条大橋東交番に通報し、駆けつけた警察官によって、人間の遺体らしきものが確認された模様です。発見時の状況から、被害者は別の場所で殺害され、何者かが現場に遺棄していったものとして、警察は殺人死体遺棄事件と断定し、慎重に捜査が行われています。……

千津は、その内容に驚いて、「えっ、」と声を漏らし、咄嗟に音量を上げて、

「崇くん、殺人事件だって！　三条大橋って、この近くじゃない？」

と彼を招き寄せた。

——遺体は、二十代から三十代の男性と見られ、切断された頭部と腕や脚の一部が見つかっておりまして、胴体を始めとする残りの部分についてはまだ発見されていません。遺体の入った袋には、大量のゴミが含まれていたとも伝えられております。現場の状況から、複数犯の可能性が高いと見られますが、正式な見解は発表されていません。現在警察では、目撃者捜しに全力を注いでいるとのことです。

で、——先ほどから話に出ております例の四つの封筒のようなものですが、目撃者の

話によりますと、切断されたそれぞれの手に一つずつ、両足を重ねて一つ、更に頭部に一つ、杭《くい》のようなもので打ちつけられた格好で発見されておりまして、犯行の残忍性、猟奇性が窺《うかが》われます。

全国的にも有名な歴史ある観光スポットでの前代未聞《みもん》のバラバラ殺人事件に、住民の衝撃は大きく、一刻も早い犯人逮捕が望まれています。――現場からは、ひとまず以上です。……

千津は、傍らで一緒に続きを見ていた崇に、

「……えー、……全然知らなかった、バラバラ殺人なんて。……それであんなに警察が出てたんだ？……」

崇は、その言葉が耳に入らないかのように、瞳《ひとみ》に異様な耀《かがや》きを灯《とも》しながら画面に見入っていた。

「三条大橋って、すぐそこだよね？」

「……ああ、うん。……」

彼女は彼の反応を訝《いぶ》かりながら、ベッドから降りると、窓に張りつくようにして川下の方に目を向けた。

「……見えないよ、三条までは。」

崇は、彼女の後ろに従って、同じように外を眺めた。

「あの橋の上の人たち、みんな向こう見てるのって、それでだったんだ？」

「……うん、……野次馬だね。」

千津はその声に、やはり普段と違った響きを聴き取ったように感じて振り返った。崇はそれに、「ん？」と、小首を傾《かし》げた。

「……ううん、何でもない。……」

窓ガラスには、テレビの映像が光を灯していて、スタジオで女性アシスタントと共に犯行声明文についての説明をする中年のキャスターの姿が浮かび上がっている。

――で、こちらをご覧頂きたいのですが、……はい、出ますでしょうか？……はい、こちらに現場を図にまとめました。丁度、この辺りで、遺体の入った袋が発見された模様です。

我々が入手しました情報によりますと、「御札のようなもの」と当初言われておりました四つの白い封筒ですが、どうやらいずれも、犯行声明文ではないかとの見方が広がっています。

その内の一つですが、……はい、先ほどは「頭部」とお伝えしましたが、正確には額の真ん中の丁度この辺りにですね、このようにして正面から杭のようなもので打ちつけられていた模様です。――で、ここに何か文字が書かれていた、と申し上げておりましたが、目撃証言その他を総合しますと、このように、ちょっと分かり辛《づら》いですかね、ワープロ文字で、「地上に平和をもたらすために、私が来たと思うな。平和ではなく、剣を投げ込むために来たのである。」という、確認しましたところ、新約聖書のマタイによる福音書の第十章三十四節からの引用と見られます言葉と、更に最後に、「悪魔」という言葉とが記されていた模様です。繰り返します。「地上に平和をもたらすために、私が来たと思うな。平和ではなく、剣を投げ込むために来たのである。──悪魔」と。……

それから、右手の封筒には、アルファベットの小文字でこのように記されておりまして、「**dancing**」という言葉にも読めますが、……こちらは未確認です。

更に、先ほど捜査本部の記者会見で発表がありましたように、足に杭で打たれていたものには、「離脱者」──リダツシャと読むのでしょうか？──、えー、という言葉が書かれていたとのことです。

スタジオには、犯罪心理学がご専門の……

千津は、ゾッとしたような顔でテレビを振り返った。

「……なんなの、この人たち？」

彼女は胸騒ぎを止めようとするかのように、無意識に崇の腕を摑《つか》んだ。

彼の顔色は蒼白《そうはく》だったが、その心拍の速さは、体を寄せた彼女にも伝わってきた。

「……恐いね。……ヘンな宗教？」

彼女はなぜか、早く一言、彼からの返答が欲しくて改めて声をかけた。

彼はそれに、頬を引き攣《つ》らせたまま、

「……頭のおかしいのがいるよ、本当に。」

と、鼻で笑ってみせた。

「……うん。」

千津は、ぎこちなく微笑《ほほえ》んで頷いた。しかし彼が、自分の発した声の震えに動揺しているらしい様子は、如実《にょじつ》に感じ取れた。そして、不穏な胸騒ぎに襲われて、続く言葉を見つけることができなかった。

6

シャワーが肌を打つ音が、白い静寂の彼方《かなた》で、ずっと、レースが揺らめくように手招きしていた。崇はもう起きている。いや、何度も夜中に起きていた気配があったが、そのまま眠れずに朝を迎えたのだろうか？——そんなことを、確かに一瞬考えた後、また睡気《ねむけ》に連れ戻されて、意識を留守にしていた。そうして、不意に近づいてきた体温に驚き、接吻《せっぷん》されて目を開けると、彼はもう服を着て、髪まできちんと整えていた。

ベッドの端に腰掛けると、崇は、彼女の額をそっと撫《な》でながら、

「おはよう。」

　と声をかけた。

「……おはよう。」

「九時だけど、どうする？　朝食、食べるか、もうちょっと寝てるか。……」

　千津は、照れるようにしてシーツを引っ張り、目を瞑《つぶ》ってまだ力が入りきれぬような頬で笑ってみせると、眠りの繭《まゆ》から這《は》い出ようとするかのように、両腕を上げてゆっくりと伸びをした。そして、脱力すると、

「……ううん、もう起きる。」

　と首を振り、五秒ほどじっとしていたあとで、意を決したようにすっと起き上がった。乱れて跳ね上がった髪が、愛らしかった。

「よく眠れた？」

「うん。……風邪引くからって、浴衣《ゆかた》を着たところまでは覚えてるけど、……そのあと、いつ寝ちゃったか覚えてないの。何時頃寝たんだろう？」

「二時くらいじゃないかな、多分。」

「そっかぁ。……」

　右手で髪を抑えつけながら、彼女はリヴィングの方を見遣《みや》った。

　カーテンが片側だけ開けられて、そこから微弱な光が垂れている。雨に濡《ぬ》れた窓の外

には、厚い雲に覆《おお》われた鈍色《にびいろ》の空が覗いている。

「雨、やっぱり降っちゃったね。」

「うん。まだ暗いうちからずっと降ってたよ。」

「崇くん、起きてたね、何度か。」

「ああ、……うん、ちょっと眠りが浅くて。」

「もしかして、わたし、うるさかった？」

崇の曖昧《あいまい》な口調に、彼女は不安げな様子で言った。

「あ、ううん、全然。――そうじゃなくって、……なんとなくね。」

彼は、首を横に振った。それから、徐《おもむろ》に立ち上がると、ベッドの傍らのカーテンを開けて外を眺めた。

「……雨だね、本当に。」

「――何？」

千津は、彼の呟《つぶや》きが聴き取れずに問い返したが、今度はそれを彼の方が聴きそこなったのか、振り向かずにそのまま立っていた。彼女は、しばらくその後ろ姿を眺めていたが、やがて、

「わたしも、シャワー浴びてくるね。」

と乱れた浴衣の前を合わせ、スリッパを探しながらベッドを降りた。

崇はようやく後ろを振り返って、ただ、

「……うん。」

とだけ返事をした。

シャワーを浴び、身支度を整えて浴室から出てくると、彼は、テレビをつけたまま、ソファで新聞を広げていた。一面には、昨夜ニュースで見た事件の記事が、《京都で男性のバラバラ遺体発見》という大きな見出しとともに掲載されている。

「あ、あのニュース、どうなった？」

千津は、情報番組の画面を振り返りながら尋ねた。

「……特に新しい情報は出てないみたい。」

やや強張《こわば》ったような表情で、彼は顔を上げた。

「テレビも、さっきまでやってたけど、同じだね。第一発見者の男の人が、顔隠して出てたけど。」

「あんなの見ちゃったら、一生忘れられないね。」

「うん。でもなんか、携帯で写真撮ったみたいよ、遺体の。」

「えー、……ウソでしょう？」

「昨日、報道で妙に詳しく犯行声明の解説とかしてたから、おかしいなと思ってたんだけど。警察がそんなこと発表するはずがないし。多分、その画像がテレビ局に渡ってるんじゃない？」

「テレビに映像も出てたの？」

「ううん、さすがに。でも、そのうち出るかもね。」

「売るのかな、それ？」

「じゃない？　9・11の時も、あのビルに旅客機が突入した時の映像は、かなりの高値で買い取られたっていう噂《うわさ》だったけど。――みんな、そういうことを考える時代だよ。イヤな世の中だね。」

「ね、……」

崇は、新聞を折り畳んで傍らに置くと、溜息《ためいき》を吐《つ》いた。そして、

「――行こうか？」

と、改めて彼女を見遣って、立ち上がった。

「うん。……」

千津は、テレビのリモコンを手に取って、二三秒、画面を眺めていたが、やがて二人の間から、そうした情報の一切を閉め出してしまおうとするかのように、電源のボタンを押して、原稿を読み上げるキャスターの言葉をいかにも半端な箇所で打ち切った。

最上階のレストランでビュッフェ・スタイルの朝食を言葉少なに軽めに摂《と》ると、崇は、千津を先に部屋に帰して、チェックアウトの客で混み合うロビーに下り、先ほどまた着

信のあった佳枝の携帯に電話をかけた。

一度の呼び出しで、彼女は待ち構えていたかのようにすぐに応じた。

「もしもし。」

「あ、もしもし、崇です。ゴメンね、昨日から何度も電話もらってて。」

「いえ、……今、大丈夫ですか？」

「うん、大丈夫。」

「外ですか？」

「そう、ホテルのロビーなんだけど。――」

崇は、探りを入れるような彼女の口調に、自分でも意識しないまま周囲に視線を巡らせていた。

「あの、お義兄《にい》さん、……金曜日、良クンに会ったんですよね？」

「ああ、……うん、会ったよ。」

「どんな話、したんですか？」

「話？……」

やや上向き加減でそう訊《き》き返すと、彼は急に曖昧な目をして言葉を詰まらせた。佳枝はしばらく黙っていたが、やがて、

「――もしもし？」

と通話を確認するために声を発した。

「もしもし、——ごめん、……いや、……」

「……ひょっとして、今、一緒なんですか？」

「え、……いや、独りだけど、——あ、良介のこと？」

「ええ」

「良介いないの、そっちに？　ああ、今日は実家か。……僕はまだ京都にいるから、……」

「良クン、まだ帰ってきてないんです。」

「どこから？　え？……」

「大阪に出張に行って、そのまま、家に帰ってきてないんです。」

「えっ、……実家には？　連絡してみた？」

「実家の方にも、もちろん連絡してみましたけど、来てないって。……」

崇の頬は、震えるようにして強張った。そして、電波の強い場所を探すように、落ち着かない様子で周囲を歩くと、電話を強く耳に押し当てながら、

「携帯は？　連絡取れないの？」

と尋ねた。佳枝はもどかしそうに、

「取れないんです。——とにかく、どんな話だったのか、お義兄さんの口から聴きたく

て。」

と、彼が誤魔化したままでいる先ほどの問いの返答を促した。

崇は、一度、唇を嚙《か》みしめた後に、

「――そんなに長い時間は一緒にいなかったんだよ。……父さんの病状について話して、それについての良介の危惧《きぐ》も、それから、……それとも関係してるんだけど、僕に対する不信感も、よく分かったから、……とにかく、今日は時間がないけど、近々実家に帰った時にでも、もう一度ゆっくり話し合おうって言って。僕も、父さんがどういう状態になっているのか、ちゃんと知りたかったし。――あとは、仕事のことなんかをちょっと訊いてみたけど、通り一遍の話だったよ。悩みを打ち明けてくれるような雰囲気じゃなかったから。……」

そこまで言うと、少し間を置いて、改めて口を開いた。

「僕はね、佳枝ちゃん、良介ととことん話し合いたかったんだよ、あの時。そういう時間を、もう随分と持てないできたから。……僕たちは、本当に仲の良い兄弟だったはずだよ。……だから、良介がすぅの日記に書いていたようなことは、心底、悲しかった。――心底ね。……単に元気づけるなんてことじゃなくて、僕自身のためにも、ちゃんと時間をかけて話したかったんだよ。……だけど、はぐらかされてしまった。良介が、僕と佳枝ちゃんとの関係について、寂しい誤解をしていることもその一因だとは思うけど、僕はそれさえ解くことができなかった。あの時間では、切り出しようがなかったから。……」

「でもお義兄さん、……十一時くらいまでは良クンと一緒にいたんでしょう？」

佳枝は、訝《いぶか》るふうに尋ねた。

「いや、——八時にはもう別れてたよ。」

「八時？」

彼女は声を高くした。

「うん。」

「でも、……え、十一時くらいに、まだお義兄さんと一緒にいるって、……」

「良介が？」

「そうです。メールで。」

「いや、——その時は、僕じゃなくて、例のサイトの常連の人と会ってたはずだよ。佳枝ちゃんには言えないから、僕とまだ一緒にいることにしたんじゃない？」

崇は首を傾《かし》げながら、ぼんやりと、御池通に面した出入口のガラス越しに、次第に雨脚が強まってゆく外の様子を眺めた。

「——本当は、止めたかったんだよ。あんな得体の知れない人間にじゃなくて、僕に相談して欲しかったから。……だけど、」

「ちょっ……えっ、……ちょっと、……」

「何？」

「え、……ちょっと混乱してるんですけど、……あの掲示板の666っていう人、お義兄さんじゃないんですか？」

「――どういうこと？」

「いや、だから、……あれはお義兄さんが書き込みをしてたんじゃないんですか？」

「僕が？　ううん、違うよ。僕じゃない。」

「じゃあ、……誰なんですか？」

「え、……いや、分からない。……」

「……。」

「待って。――AIっていう書き込みは、佳枝ちゃんなんだよね？」

「そうです。」

「666は僕じゃないよ。」

「違うんですか？……どうして？」

彼女の動揺は、電話越しにもはっきりと感じ取れた。背後では、アンパンマンのDVDに合わせて、良太が歌を歌っている声が聞こえる。

「本当だよ。――僕じゃない。」

崇は、固い表情のまま、首を振って言った。

「お義兄さんに会うって、良クン、言ってたんですけど。」

「そう。僕と会って、そのあと、その666っていう人に会ってるんだよ。」

「……。」

「だって、佳枝ちゃんが666なんて人のこと、知ってるとは思ってないんだから、良介は。――良介は、メールで何て言ってたの？」

「連絡、取ってないんですか、あれから？」

「うん、……特には。」

佳枝は、考えを整理しようとするかのように口を噤《つぐ》んだ。崇はその沈黙に、彼女の不審をそのまま聴き取るように感じた。

やがて、彼女は、

「十一時頃に、まだお義兄さんといるからって、メールがあったんです。あと、たっくんはもう寝た？って。」

と、はっきりとした口調で答えた。

「それでわたしも、うん、もう寝たよって返事を書いて、お義兄さんと、ゆっくり楽しんできてねって。――そしたら、ありがとう、おやすみって、また良クンから返事が来て。」

「……うん。」

崇は、低い声で確認するように相槌《あいづち》を打った。

「それから、……次の日になって急に、……」

「……うん、」

「今まで黙ってたけど、もうこんなくだらない人生には耐えられないって。」

「――良介が？」

「リセットしたいから、探さないでくれって。」

「……。」

「それから、……」

「……うん、」

「……わたしもたっくんも、新しい出発のためには、いいお荷物だから、金輪際、会う気はないって。……」

佳枝は、自らの言葉を疑うような口調で言った。

崇は、チェックアウトを済ませた団体客が、騒々しく傍らを過ぎて行くのを嫌って、出入口付近からソファの方に向かって移動した。外からの光が、それで完全に届かなくなった。

「――捜索願は？」

「まだです。」

「そう、……僕からも連絡を取ってみるけど、出した方がいいね。メールの文面を直接読んだわけじゃないから分からないけど、ただの失踪《しっそう》じゃないと思う。良介がそんなこと言うはずないよ。どう考えても、おかしいでしょう、そんなの?」

「そう……ですか?」

佳枝の声は、この時、奇妙に無表情だった。

「そう感じない? 思い当たる節ある?」

「……分からない。」

崇は、その返答に眉《まゆ》を顰《ひそ》めた。

「だって、……」

「だって、あんな日記書いてたくらいだし、そういう日が来てもおかしくないって、そう思いません? 普段、接してる良クンからは考えられないけど、すぅとして考えてきたことを実行に移しただけだと思ったら、……なんか、……」

「……気持ちは分からなくもないけど、冷静に考えないと。」

「考えてました、もちろんわたし、昨日からずっと。――とにかく、まだお休みだし、気まぐれでこんなこと書いてはみたけど、考え直して戻ってくるんだったら、ヘンに警察に届けを出して、会社だとか、ご両親だとかを巻き込んで、話を大きくしない方がいいのかなと思って待ってたんです。……でも、とにかく、お義兄さんに話を聞きたいと思って、それで昨日から何度も電話してて。……」

「そっか。——ごめんね。……実家にも、じゃあ、言ってないんだね？　今日、父さんの様子を見に行くことになってたはずだけど。」

「出張が伸びたって、一応、言ってあります。」

「……そう、……」

崇は、口を噤んだまま、押し殺したように大きく鼻で息を吐いた。ソファでは、旅行客らが、新聞を広げながら、頻《しき》りに三条河原の事件について語り合っている。

——近いの、ここから？——もう、すぐそこよ！——あとで見に行ってみようか？

——雨降ってるし、……

「——お義兄さん、……」

佳枝は突然、思いきったように崇に呼びかけた。

「本当のこと、言ってください。——お願いします！　良クンに、何を言ったんですか？　隠さずに、本当のことを教えてください！　サイトのこと、話したんですか？　それならそれで別に良いんです。言ってください！」

崇は、その切迫した声に動揺した。彼女の必死さは、今明らかに、彼の言葉の、いや、彼自身の不明瞭《ふめいりよう》さへと向けられていた。

「さっき言った通りだよ。本当に、それ以上のことは思い当たらない。僕の言葉の何かが、良介を傷つけてしまった可能性はあるけど、……そのことが、そういう行動に直結するとは思えない。もちろん、僕が意図的に隠してることとなんてないよ。信じてもらうしかないけど。」

「お願いします、何でもいいんです！　何か気がついたこと、なかったんですか？」

彼は、視界の底が熱を帯びてきて、人々の輪郭をゆっくりと崩してゆくのを感じた。強く瞬《まばた》きをして、襟のボタンを外すと、苦しげに息をした。彼は自分が、彼女に対して、酷《ひど》く苛立《いらだ》っていることに漸《よう》く気がついた。

「本当に、僕が話したのは、それくらいだから。——そうじゃなくて、僕のあとに会った、666っていう人間の方を疑うべきじゃない？——いい？　最悪のケイスを考えるなら、良介が佳枝ちゃんに送ったそのメールは遺書だよ。」

崇は、その言葉が彼女を絶句させたのをはっきりと感じた。

「だけど、そうじゃないとすれば、その666っていう人間が関わってるとしか考えられない。たとえば、ヘンな宗教に勧誘されたとか、……そういう心当たり、全然ない？」

「いえ、ないです。——わたしだって、掲示板でやりとりしてただけですし。」

「良介のメールは？　勝手に見るのは良くないけど、事情が事情だし、パソコンのメールの履歴をチェックしてみたら？　それで連絡取り合ってたんでしょう、多分？」

「良クン、パソコン、出張に持って行ってるんです。」

「あ、……そうか、……」

「いい、本当のこと、言ってください！……」

佳枝は、彼の言葉を無視するかのように、また唐突にそう言った。彼は、継ぐべき言葉を失った。

「わたしには、お願いですから、正直に言ってください。……666って、お義兄さんだったんじゃないんですか？」

「――どうして？……どうしてそう思うの？」

「だって、お義兄さん、わたしと一緒に、すぅを元気づけてくれてたんじゃないんですか？」

「僕はただ、あのサイトを見てただけだよ。」

「嘘《うそ》！」

佳枝は思わず、強い口調で言った。

「だってわたし、ずっとそのつもりで相談してたんですよ。お義兄さんも、それに応じてくれてたんじゃないんですか？」

「どうして佳枝ちゃんがそんな誤解をしてしまったのかは分からないけど、とにかく、

666という書き込みは僕じゃない。良介は、僕と会ったあと、その男と会うことになってたんだよ。」

「……分からない、わたし、……」

「僕は、あの666という人間を全然信用してなかった。佳枝ちゃんまで、心を開いているふうだったから、あえて言わなかったけど。」

「だって、お義兄さんだと思ってたから！」

　彼女は遮るように言った。

「アカの他人だと思って改めて読めば、おかしな人間だってこと、すぐに分かるよ。良介に対する共感の仕方一つ採ってみても、単に卑屈だっていう以上に、明らかに荒廃してたよ。——必ずしも、それほど大袈裟《おおげさ》に考えていたわけじゃないけど。僕は警戒してたし、良介にそんな奴《やつ》に会いに行って欲しくなかった。だけど、僕は尻込《しりご》みしてたんだよ。良介が僕や佳枝ちゃんより、その男を信用していて、その関係に、自分が割って入るっていうことに。」

「男なんですか、その人は？」

　彼女は、明らかに、単純な疑問という以上の意図を以《もっ》てそう問いかけた。

「——え？　いや、分からないけど、文面からそうだと、——違う？」

「……いや、全然分からないですけど。」

「とにかく、――」

　落ち着かなければ、と彼は心中に念じた。

「冷静になって考えないと。僕はこれから、良介に電話してみるから、佳枝ちゃんからも、もう一度、かけてみて。――ね？　それで、夕方になってもやっぱり行方が分からないようなら、捜索願を出そう。……あとは、……あ、そうだ、ホテルは？　梅田駅近くのビジネス・ホテルだって言ってたけど、どこだか聞いてる？」

「いえ、……分かりません。」

「ホテルから連絡は？」

「いえ。」

「そう？　じゃあ、チェックアウトはしてるのかな。……とにかく、――一旦《いったん》切って、またかけなおすから。佳枝ちゃんの方でも、何か分かったら連絡して。」

「……はい。」

「じゃあ、……またあとで。」

「……はい。」

　通話が切れると、崇は携帯を一旦折り畳んで息を吐き、大きく一度、舌打ちした。それから、床に落とした視線を引き上げると、電話の画面を開いて、良介の番号を検索し、発信ボタンを押した。

呼び出し音は鳴らなかった。直接、メッセージ・センターに繋《つな》がると、

「――崇です。一昨日は時間を作ってくれてありがとう。……ちょっと、急ぎで連絡をもらいたいんだけど。……待ってます。……」

と何でもないふうを装《よそお》って、そのまま電話を切った。それから、彼自身の番号に残されたメッセージを確認するために、メッセージ・センターに接続してみたが、「タダイマ、デンゴンハオアズカリシテイマセン。」という応答だった。

エレベーターに乗ってから、腕時計で確認すると、もう十時半になろうとしていた。

部屋では、千津が荷物を纏《まと》め終えて、先ほどとはまた別のワイドショーめいた情報番組に目を遣《や》っていた。

「――電話、もう大丈夫？」

「あ、うん。ゴメンね。」

「ううん、……いいの？」

千津は、彼の表情を見て、気遣うように言った。彼は口を閉ざしたまま、二度、俯《うつむ》き加減に頷《うなず》いただけで、テレビの傍らの飲み物の伝票を取りに行った。

テレビでは、知性派として売っている若手のお笑いコンビが、派手なセットの真ん中に立って、元プロ野球投手やグラビア・アイドルらを相手に、三条河原の事件に触れつつ、熱心に死刑廃止論に反対する意見を語っていた。

——こんなヤツ、絶対死刑にすべきだよ！　目には目をで、三条河原に晒《さら》し首にしてやればいいんだよ！　政治家なんかでもさぁ、なんか、死刑が野蛮だとかなんとか言ってるヤツがいるけど、どっちが野蛮なのかっつぅ話だよ！　殺してんだから、自業《じごう》自得だろうがって！　テメエの家族が殺されても、そんなこと言ってられっかっつぅの。オレが被害者の家族なら、無期懲役なんかで出てきた日には、ゼッタイ、自分で殺しに行くね。こっちは家族を殺されてて、殺した方は、うまいもん喰ったり、風俗行って女抱いたりして、好き勝手できるんだから。納得できるワケねぇよ。……

——イヤ、まぁ、それは極端だけど、……でも、ご遺族の方は、赦《ゆる》せない気持ちでしようね。

——ゼッタイ、赦せねぇよ、ンなの。……

ボケ役の瘦《や》せた男が、そうして暴走を巧みに演出すると、ツッコミ役の小太りの男が、それを良識的に和らげて、スタジオのゲスト・コメンテイターたちに受け渡した。

崇は、無言のまま画面の側から離れて、トローリー・ケイスに詰め忘れていたシャツをクロークから取り出し、手際《てぎわ》良く四角に折り畳んだ。

「——なんか、この人たちも、こういう芸風になっちゃったね。」

千津は、先ほどから彼との間に生じている隔たりを気にして、特に深い関心もないままにそう言った。彼女にはそれが、彼との間に元々あった距離なのか、それとも別れによって、今こそ萌《きざ》しつつある距離なのかが、分からなかった。それでも、口にしてしまった言葉の空疎《くうそ》さは、彼女がいつも、夫との間の沈黙を乗り越えるために発する言葉と、知らないうちに似通ってしまっていた。

崇は、顔を上げて、少し微笑《ほほえ》んでみせながら、

「そうだね。……まぁ、ウケるんじゃない？　こういうのが。」

と言った。

「何でだろうね？　別に面白くないよね？」

「乱暴なようで迎合的なことしか言わないから。なんとなく、建前じゃない、本音を代弁してくれてるような感じがするんじゃない？――それでいて、笑えるっていうのが、本当は〈お笑い〉のはずだけど。」

彼は、彼女から見えないようにケイスの蓋《ふた》を開けてシャツを収めると、一旦バス・ルームに忘れ物を確認しに行った。それからすぐに戻って来て、改めてケイスに鍵《かぎ》をかけると、彼女がソファから立ち上がっているのを目にして、先ほどの伝票を手に取り、テレビを消した。

室内に、急によそよそしい静寂が訪れて、二人から素っ気なく、昨夜一泊する間に少し馴染《なじ》んできたはずの居場所を取り上げてしまった。

「十一時だね。」

「うん。——どうしよっか？」

千津はそう言うと、雨の降りしきる窓の外を見遣った。

「車で駅まで荷物を預けに行って、それから、どこかで食事でもしようか？　さっき食べたばっかりだから、そんな感じじゃないかな？」

「ううん、……大丈夫。」

「雨だし、見られる場所は限られてるけど。——美術館とか、そういうところかな？」

「そう……ね。」

その提案に、彼女はあまり気乗りしない様子だった。提案した彼自身も、それがいかにも間に合わせめいていることを感じた。

「それか、どこか行ってみたいところ、ある？」

「うーん、……。」

「夕方くらいに新幹線に乗ろうって言ってたけど、……持て余してるね、俺たち。それまでの時間を。」

「……なんか、ね。」

「帰る？　もう東京に？」

「でも、お昼食べよう？」

「うん。」

崇は頷くと、最後の抱擁のつもりで彼女を抱き寄せた。彼女もそれに応じて、長いキスをした。

胸に顔を埋めて、しばらく動かなかった。やがて、

「……ねぇ、」

と彼女は呟《つぶや》いた。

崇は、頭に顔を押し当てたまま、黙って小首を傾《かし》げてみせた。

「もし、……延長できるんだったら、もう少しここにいない？」

「……うん、……」

彼は彼女を抱く両腕に力を込めた。

「そうだね。……もう少しだけ、延長しようか。……」

そして、少し笑って、

「未練がましいね、なんか、ちょっと。」

と言った。彼女は、

「うん、……未練たっぷり。」

と言って、同じように笑ってみせた。

日曜日の夜、二人だけの食事を終え、夫に続いて入浴を済ませると、志保子は後回し

にしていた台所の食器の後片づけを始めた。スポンジで皿の油汚れを落としてゆきながら、彼女は、友哉の夕食の盆を、部屋の前から下げ忘れていることに気がついた。

手が洗剤の泡に塗《まみ》れているので、どうしようかと思い迷った。ついでに洗ってしまいたかったが、一度、中断する手間よりも、部屋の前で、また手も着けられないまま冷めきってしまった料理を目にする不安の方が、むしろ彼女の足を重くしていた。

金曜、土曜と、まったく食事を摂《と》らなかった後、今朝になって、やっとトーストと目玉焼きの朝食に少し手を着け、昼食の焼きそばも半分ほど食べていた。それで、夕食には友哉の好きな手製のメンチカツと、きんぴらごぼうとをおかずにして、サラダなどと一緒に二階に運んでいた。

英二は、その献立の意図をすぐに察して、食卓に着くと、盗み見るように妻の表情を窺《うかが》ったが、取り立てて何か言うわけではなかった。その夫の視線が、今、盆を下げに行くことを余計に億劫《おっくう》にさせていた。

いつものように、食べられそうなものだけはラップをかけて翌日の昼に自分で食べ、そうでないものは、直接生ゴミとして捨てる。その様を、傍らでいかにも蔑《さげす》んだような目つきで眺めている夫のことが、彼女には我慢ならなかった。

水道の蛇口を捻《ひね》って、流しに溜《たま》った食器を濯《すす》ぎ始めると、飛沫《しぶき》を散らす水の音の向こうで、夫が何か喋《しゃべ》っているのが聞こえてきた。

「……何？」

水を止めて、居間を覗《のぞ》いてみると、彼女は思いがけず、盆を持って二階から降りてきた友哉が立っているのを目にした。部屋に引き籠《こ》もるようになってから、三週間ぶりのことだった。

英二が何を言ったのか、彼女は咄嗟《とっさ》にそれが気になった。そして、エプロンで手を拭《ふ》きながら、急いで歩み寄ると、

「ああ、友くん！　お盆持ってきてくれたただかぁ。ありがとう。」

とそれを受け取った。皿に盛られた料理は、すべて平らげられ、茶碗《ちゃわん》にも米粒一つ残ってはいなかった。

「まぁ、……全部食べてくれたんだかぁ。……お母さん、今日ははりきって友くんの好きなもの、作ったけぇ。……うれしいなぁ。……」

そう言うと、彼女は思わず涙ぐんで、しかも、両手で盆を抱えているので、拭《ぬぐ》うこともできなかった。英二は、その様子を黙って見ていたあとで、

「ちょっと、そこに座れ。」

と、布団《ふとん》を取り払った炬燵台《こたつだい》の向かいの座布団を顎《あご》で指した。友哉は、反抗するわけでもなく、素直にそれに従って、自分から正座をした。

「お父さん！」

志保子は、約束が違う、というふうに顔を顰《しか》めて声を上げたが、英二は、

「いいから、座っとけ。」

と妻にではなく、体を少しテレビの方へと動かそうとした友哉に向かって念を押した。

志保子は、急いで盆を台所に持っていくと、洗いものを中断したまま、居間に戻ってきて、エプロンを外して二人の間に座った。友哉が〈引きこもり〉を止めて部屋《や》から出てきた時には、何も言わずに、温かく迎えてやろうと、彼女はくどいほど何度も夫に言い聞かせていた。

英二は、妻のそうした危惧《きぐ》に、内心ずっと反発していた。自分には、友哉を怒鳴りつける権利があると思っていた。彼は父親で、しかも、息子からまったく理不尽な暴力を被《こうむ》っていた。躾《しつけ》のためというだけではない。人間的な感情からも、手を挙げて当然だとさえ思っていた。それが結局は、教育的な意味を持つはずである。バカげた振る舞いをすれば、人は怒るのだ、と。——しかし、この期《ご》に及んで、彼はもう、そうするつもりはなかった。寛大な気持ちで、赦そうと心に決めていた。そんな心情を自然と抱きながら、むしろ、その理由づけに苦慮していた。

三週間という時間は、延長が予定されているかのような独特の長さだと彼は感じた。一週間、二週間と様子を見ていたが、三週間目には、この状態がいつまで続くのだろうかとさすがに不安になってきた。〈引きこもり〉についての特集記事を雑誌で目にした

時には、自分の息子も果たしてそうなのだろうかと、チャート化された〈引きこもり度チェック〉の該当項目を数えてみたりした。例として挙げられているケイスの中には、丸十年も家から一歩も外に出ていないという三十代の若者もいた。その最初の三週間目というのは、案外、こんな感じだったのではないだろうか？

その危惧から解放されて、一安心という気持ちが、自分の中にないわけではなかった。それに、怒りという感情は、維持するのに根気が要るものだというのが、彼のいつもながらの実感だった。目許《めもと》に痣《あざ》が残っている間は、否応《いやおう》なく息子の蛮行が思い返されて、不快を禁じ得なかったが、それが消えると、その内出血が、まるで自分の内面の表示であったかのように、心に受けた傷も薄らいでしまったように感じた。そして、何が原因だったのかを知りたい気持ちへと傾いていった。

しかし、そうした曲折を一切経なかったかのように、単純な愛情によって息子を再び家族の輪の中へと迎え入れることに、英二は抵抗を感じていた。縦《よし》んば母親がそれでいいとしても、父親の取るべき態度はもっと違ったものでなければならないのではあるまいか？

英二は、志保子の危惧を余所《よそ》に、落ち着いた口調で、

「学校で何か、あっただか？　なんでも言ってみい。お父さんたちも、力になってやるけぇ。」

と尋ねた。志保子は、その態度に意外そうな顔をして、続けて自分も、

「そうよ、友くん。なんでも言いんさい。お母さんたち、どんな時でも友くんの味方だけぇ。なぁ？」

と声をかけた。

友哉は、無表情のまま、母親のその最後の言葉を聞いていた。そして、しばらく黙っていた後に、

「……心配かけて、ごめんなさい。……明日から、学校に行きます。」

とだけ、俯いたまま、小さな声で言った。

英二は、その思いがけない返答に、ちらと傍らの志保子の顔を見遣った。彼女もまた、友哉の言葉に驚いたが、感激の訪れに、夫のような出遅れはなかった。

「友くん！　エラいなぁ。エラい！　ようがんばったなぁ。もう大丈夫？　お母さん、学校に一緒に行ってあげようかぁ？　先生によくお話ししとくけぇ。なんでも言いんさい。」

志保子は、友哉に擦り寄って、両手で膝《ひざ》の上の手を握り、自分の言葉が息子の体の中にまで深く浸透するように、何度も揺すってみせた。友哉はそれを無抵抗に受け容《い》れて、頷いているのか、ただ傾いただけなのか分からないような様子で首を前後に動かした。

英二は、そのやりとりからは、あえて距離を置くふうに、先ほどの問いかけに立ち戻

った。

「イジメとか、そういうのじゃないだか？」

友哉は、母親にまだ手を握られたまま、一瞬顔を上げたが、すぐにまた下を向いて、

「……いや。」

と首を振った。

志保子は、心配そうに覗き込んだ。

「遠慮せずに、言いんさい。」

友哉は、

「ううん、大丈夫。」

とだけ言って、その沈黙の合間に耳に入った報道番組に気を取られた。

――えー、たった今、入った情報です。今日、午後八時半頃、神奈川県横浜市港北区の鶴見川河川敷で、切断された人体の一部と見られるものが発見され、現在、現場検証が行われています。繰り返します。神奈川県横浜市港北区の鶴見川河川敷で、切断された人体の一部と見られるものが発見され、現場検証が行われています。詳しい情報はまだ分かっておりませんが、入り次第、お伝えします。……

英二は、いつの間にか、両親からも注意を逸《そ》らしてテレビの方を向いてしまった友哉を見て、もうしばらくは時間がかかりそうだなと感じた。それでも、部屋から出てきた

だけではなく、明日から学校に通うと言い出したことは、まったく予想外の進展だった。今日はそれで良しとすべきかもしれない。それに、彼自身も、新しく入ったそのニュースには関心をそそられた。

「あらぁ……、またかぁ？　続くなぁ、こういう事件は。」

志保子は、友哉がテレビに興味を示しているらしい様子を看《み》て取って、それを会話の糸口にしようと話しかけた。

「友くん、ニュース見とらんけぇ、知らんだろう？　京都でもバラバラ殺人事件があって、昨日からずっとニュースでやっとるだで。」

友哉は、身動《みじろ》ぎもせず、画面を見つめていたが、やがて、

「……犯人、捕まったん？」

と体の位置をずらしながら、母親の手を逃れて尋ねた。

「ううん、まだ。犯行声明になぁ、〈悪魔〉って名前が書かれとっただって。人を殺して、そんな悪戯《いたずら》みたいなことして、恐いなぁ。どんな人間だろうか？　ねぇ、お父さん。」

「さァ。――ヘンなサスペンス映画とか、そんなのの真似《まね》なんやないんか？」

――ニュースを続けます。昨年十二月、鹿児島県奄美《あまみ》大島沖で起きました北朝鮮工作船事件で、海上保安庁は、……

友哉は、父親の言葉を無表情で聞きながら、

「殺されたの、誰？」

と尋ねた。

「ん？　若い男の人みたいだけど、まだ分かっとらんのじゃないか？」

英二は、友哉の興味の示し方をやや意外に感じたが、そのために、まるでこの三週間続いた〈引きこもり〉が嘘《うそ》のように、自然と言葉のやりとりが交わされていることの方に、むしろ不思議さを感じた。

「読むなら、新聞あるけぇ。……土曜の夕刊と、日曜の朝刊。」

英二に手渡されて、友哉は、ネットで見た時よりも遥《はる》かにインパクトのある、真っ黒の大きな見出しの文字に目を奪われた。

《京都三条河原で男性のバラバラ遺体を発見》

記事の内容は、ネットで見たのと同じだったので、ざっと目を通して台の上に置くと、

「明日があるけ、……おやすみ。」

と立ち上がった。

「そう？　お風呂《ふろ》は？　まだお湯張っとるで。お母さんたちのあとだけど。」

志保子は一緒に立って促した。友哉は、

「じゃあ、……あとで。」

と言ったきり、階段を登って部屋に戻った。英二は、その後ろ姿を、座ったまま最後まで見つめていた。

ドアに鍵《かぎ》をかけると、友哉は早速パソコンに向かって、新聞のサイトで今し方のニュースの情報を探したが、記事はまだアップロードされていないようだった。ついでに、京都の事件の続報を見ると、次のような見出しが目についた。

《現場に不審な白い車？　三人組の若者？　目撃情報錯綜《さくそう》　20:11》

友哉はそれをクリックした。

《京都市東山区の三条河原で今月五日未明に男性のバラバラ遺体が発見された事件で、当日、現場近くに不審な白い乗用車が駐《と》まっていたとの目撃情報があることが新たに分かった。また同時刻に、三人組の若い男が、大きな黒いバッグを持って周囲を歩いていたとの目撃証言もあり、現在警察では事件との関連性について慎重に調べを進めている。

司法解剖の結果、発見された遺体は20－30歳代の男性で、身長は１７０cm前後。死因はまだ明らかにされていない。

京都府警は、遺体のあった現場の状況を総合的に判断し、複数の人間が、別の場所で被害者を殺害し、ノコギリなどを用いて切断した遺体を運んできたものとの見方を強めている。現在、遺留品の鑑識や家出人捜索願の照合などを通じて、被害者の身許の特定作業を進めている。》

また、別の見出しには、次のようにあった。

《ネット上に遺体写真、流出か？　21:00
京都三条河原のバラバラ死体遺棄事件で、インターネット上に被害者のものと見られる写真が流出している問題で、警察では現在、その経路についての調べを進めている。
流出写真は複数あり、いずれも、携帯電話のカメラ機能で撮影されたものと見られているが、それぞれに異なった機種で撮影されたものとの指摘も出ている。》

友哉は、Googleの検索欄に、先ほどテレビのテロップで目にした「鶴見川河川敷」という言葉を入力してみた。《京浜河川事務所》や《鶴見川流域クリーンアップ作戦》といったサイトに加え、夏から毎日のようにテレビで取り上げられていたアザラシの〈タマちゃん〉の目撃情報などが並んでいたが、更に先へ進むと、《悪魔、横浜に再降臨!?》という掲示板のスレッドが既に立てられているのを発見した。

書き込みの内容は、まだ、テレビの速報をなぞった程度だった。

それから、今度は、「京都　バラバラ　三条　写メ」と検索欄に入力して、件《くだん》の写真を探した。既にかなりの数が出回り、削除されたあとがあったが、出遅れたような幾つかのリンクを辿《たど》ると、画像は残っていた。彼はそれを、取りあえず、見つける度に保存していったが、確認できたのは三種類だった。

一枚目は、黒いゴミ袋の中に、両手足と頭部とが、部品のように収められている写真で、画像を加工して、体の輪郭を黄色くなぞったものもあった。二枚目は、報道された

〈悪魔〉という署名と新約聖書の引用とが記された犯行声明文のアップ。三枚目は、一枚目と似てはいるが、懐中電灯らしい照明でより鮮明に撮影された写真である。

友哉は、その三枚目の写真をクリックし、拡大したところで、顔を画面に近づけ、しばらくじっと眺めていた。それから、急に思いたったように、一昨日閉鎖した《孤独な殺人者の夢想》の代わりとして、オフラインで日記を書こうとワードを開いたところで、下から、

「友くーん、もう寝とるだかぁ？　お風呂は？」

と、そうした当たり前の呼びかけが、さも嬉《うれ》しいかのような母親の声が聞こえてきた。

友哉は、一旦《いったん》パソコンを閉じると、立ち上がって、部屋の中を往復し、それから下腹部の火傷《やけど》の具合を見るために100円ショップで買ってきた鏡を覗き込んで、自分の表情を確かめた。そして、ビニル袋に移したメンチカツやきんぴらごぼうを忘れずに手に取って、トイレに流すために上から手で握り潰《つぶ》し、折りたたんだパジャマの隙間《すきま》に隠した。

ビニル越しに伝わってきたその生温かい感触に、彼は一瞬、口許を震わせた。そして、何もついてないのを確かめるように、掌《てのひら》を開くと、細かな皺《しわ》の一本々々の溝《みぞ》に目を凝らした。

五　決　壊

「……とにかく、警察に捜索願は出してるんだから、何かあれば連絡が入るはずだし、……うん、……もちろん、良介から電話があれば、一番に知らせるから。……うん、……うん、……佳枝ちゃんとは連絡がつかないんでしょう？……そうだけど、母さんも、少し休まないと、……ね、……うん、……父さんの様子は？　よくないの？……僕も休みを取って、一度帰ろうと思ってるから、とにかく、病院の先生に相談してみて、……うん、……はい、じゃあね。元気出して。……」

1

電話を切ると、崇は、目を離した数分で、また幾分小雨になった外の様子を眺めながら、少し離れたところで待っていた部下の岸辺の方へと近づいていった。

時刻は午後一時半を過ぎていた。民主党の若手議員から、湾岸戦争後、九一年にイラクで起こった全国的な武装蜂起《ほうき》に関する資料を、一時を締め切りに依頼されていたのだったが、岸辺がそのサマライズに梃摺《てこず》っていたので、昼食を後回しにして指導を兼ねて手伝っていた。

国会図書館の西口ロビーには、休暇中に貯《た》め込んでいた調べものを片づけようと足を運んだ閲覧者たちが、昼食後の倦怠感《けんたいかん》に浸《ひた》ってぼんやりと佇《たたず》んでいる。

崇は結局、課長への提出前に、岸辺が準備していた資料の大部分に、かなりの手を入れなければならなかったが、その負担を申し訳なく感じ、感謝しつつも、大幅な訂正に、やはり少しく矜持《きょうじ》を傷つけられたふうの彼に対する気遣いとして、一緒に昼食をと誘ったのだった。

岸辺はそれに「ええ。」と応じ、ロビーに下りて来たが、急にまた降り出した雨のために、一旦《いったん》事務室に傘を取りに戻った。彼を待つ間に、崇は、今朝から何度も着信のあった母に電話をする隙《すき》を見つけたのだった。

「おまたせしました。」

「あ、いえ、全然。――大丈夫ですか？」

携帯を折り畳みながら声をかけてきた崇に、岸辺は、やや遠慮気味に尋ねた。通話中の様子から、なにか、プライヴェートなことだろうとは察しがついたが、詮索《せんさく》しないつもりが、つい内容を知りたがるような口調になってしまった。

書誌部から調査及び立法考査局の外交防衛調査室へと異動となり、主査の崇の下で働き始めてから、半年が過ぎようとしていたが、こんなに落ち着かない表情をしている彼を、岸辺はこれまで見たことがなかった。先ほどまでは、さすがに少し苛立《いらだ》っている様子もあったが、今はむしろ、不安を押し隠そうとしているように見えた。

崇は、

「──ええ、ちょっと、……。」

と、歯切れの悪い返事をした後に、

「……家族のことで。」

と、それ以上の質問を受けつけぬように短く言い添えた。そして、

「この時間だし、平河町の方のカフェにしませんか？　仕事の話も少ししたいですし、あそこならOLくらいしかいませんから。」

と言いながら歩き始めた。

傘は、差しても差さなくても構わない程度だったが、十月とは思えないほど蒸し暑く、肌にまとわりつくワイシャツの感触が不快だった。

崇は、母が先ほど、電話口で口にした「拉致《らち》」という言葉のことを考えていた。この一週間ほどは、彼自身もイラク問題についての調査にかかりきりだったが、それまでは専《もっぱ》ら、北朝鮮による拉致問題関連の資料に取り囲まれる毎日だった。

「──良ちゃん、誰かに拉致されたんやないやか？……」

和子は確かに、「誘拐《ゆうかい》」ではなく「拉致」と言った。彼女の言葉の世界に、そうした語彙《ごい》を差し挿《はさ》んだのは、明らかに、連日に亘《わた》る拉致事件の報道だった。それは、いかに

も遠い場所で、見知らぬ他人たちによって語られ、彼女の意識に滑り込み、「工作員」だとか「強制収容所」などといった、いずれも彼女の生活圏には金輪際存在しなかった言葉と数珠《じゅず》繋《つな》ぎに結びついて、あるいは、先月の小泉訪朝時に発表された「五人生存、八人死亡」という衝撃的な情報を俟《ま》って、あらゆる空想的な不安を、漠然とその内面に広げているに過ぎないはずだった。

　その「拉致」という言葉が、今突発的に、彼女の体温と湿度とを染《し》み渡らせたまま、声帯の震えを潜《くぐ》って音となり、形を得たということが、崇の心を強く揺さぶった。

　良介は、母の見ている目の前で、忽然《こつぜん》と姿を消したわけではなかった。しかし、言葉により伝聞された、いなくなったという事態のリアリティを、彼女はほとんど身体的な敏感さで受け取っていた。良介が、自分の言葉が届き、自分に言葉が届く場所からいなくなったということ。それを彼女が理解する早さには、痛みのような正確さがあった。そして今、彼女が切迫した言葉とともに崇に訴えかけているのは、その痛みが一つの切断であり、その先に何もないことを感じ取った不安に外ならなかった。

　店は、丁度ランチタイムの客が引き始めた頃で、窓際《まどぎわ》の四人席にすぐに通され、崇は日替わりのワン・プレート・ランチを、岸辺は豚の角煮丼《どん》セットを注文した。

　ニーナ・シモンのCDが、会話の邪魔にならぬ程度に流れている店内には、国会関係者らしい客の姿はなく、制服姿のOLやIDをぶら下げたままの若いサラリーマンらが、四組ほど見受けられる程度だった。

　崇は押し黙って、考えごとをするような様子で肘《ひじ》をつき、口許《くちもと》に軽く手を添えて、外を眺めていた。岸辺は特に喉《のど》が渇いたというわけでもなく、コップの水を飲みながら、彼のその堅い莟《つぼみ》のような節が埋め込まれた長い指に目を留めたが、よく見るとそれは凍えたように震えていた。

「沢野さん、……」

　そう呼びかけて、彼はまた先ほどと同じように、「大丈夫ですか？」と尋ねそうになったが、「家族のことで」と断られたのを思い出して、咄嗟《とっさ》に、

「午後に国連関係の資料を整理しようと思ってるんですが、――フランスは、最終的には安保理で折れるんでしょうか？」

　と、たまたま頭を過《よ》ぎった疑問に言葉をすり替えた。

　崇は、つと顔を上げると、

「――どう思いますか？」

　と、むしろ彼の方に何か言いたいことがあるのだろうかというふうに問いを返した。

「そうですねぇ、……先月の国連総会でのブッシュの演説を読む限り、単独攻撃も辞さないという感じでしたけど、……でも、まァ、最終的にはどこかで落とし所を見つけるんでしょうね。」

「僕もそう思ってますよ。フランスにいる外務省関係者も、メールで、最終的には折れるだろうという話をしてました。」

「そうですか？」

「裏づけがあるというより、経験的にそう見ているという程度の話でしたけど。」

「そうなんですか。日本なんかにいると、どうしても、自主外交っていう幻想をフランスに仮託したい気持ちになりますけどねェ。軍備も、地政学的な条件も全然違いますから、比較に意味があるとは思えませんけど。」

「心情的には、ね。さすがにド・ゴール時代とは違うとはいえ、なんだかんだで、主体的に外交をしているように見えますからね。見せ方も上手《うま》いし。」

「ええ。」

「とにかく、向こうにはやっぱり、ヨーロッパというものがありますから。去年の9・11の前ですけど、西欧同盟からの流れで、ＥＵにも政治安全保障委員会とか軍事委員会なんかが設置されて、安全保障に関しても実効的なシステムが整いつつありますし、あと、年末までには、ＮＡＴＯの軍事機能がＥＵの危機管理作戦に使用可能となるはずですから。」

「方向性としては、脱ＮＡＴＯということなんですかね？」

「フランスには、そういう思惑もあると思いますけど、ただ、ソ連という敵がいなくなって、意味合いが変わっても、一足飛びにNATOが形骸化《けいがい》することまでは考えられませんから、現段階ではアメリカを完全に袖《そで》にするようなことは不可能でしょうね。――万が一、フランスが頑張ったとしても、アメリカの単独攻撃はあり得ませんから、アドホックな有志連合を形成することにはなるでしょうが。野党の最大の懸念《けねん》は、そうした関わり方でしょう？」

「自衛隊も参加、ということですかね？」

「でしょう。湾岸戦争の時のことがありますから、知らん顔は勿論《もちろん》できませんけど、金だけでも済まないでしょうね、今回は。」

「この前、討論番組を見てたら、日本人も血を流すべきだって、それこそ血眼になって怒鳴ってる自民党の政治家がいて、あれはちょっと、国民へのアピールとしては逆効果じゃないかなと思いましたけどね。気味が悪かったですよ。数合わせで、とにかく、何人か死なないと申し訳ないって言ってるみたいで。」

　岸辺は苦笑しながら言った。崇は、軽く頷《うなず》くと、

「ただ、実際に死ねば内閣は保《も》たないでしょうから、面目が立つ程度の方法を考えるでしょう。それがうまくいくかどうかですね。攻撃すれば、イラクは間違いなくメチャクチャになりますよ。収拾がつかないでしょう。」

と確信のあるらしい口調で言った。

した。

「そうですかね、やっぱり？」

岸辺は目を見開いて、空のコップをうっかり手に取り、あ、というふうにまた元に戻
「大量破壊兵器を含めて、フセイン政権にどの程度の軍事力があるのか、現時点ではよく分からないですけど、打倒されることは間違いないでしょう。問題はその後ですよ。」

崇は、先に来た豚の角煮丼を食べるように、岸辺に軽く促し、ついでに彼のために水を頼んだ。岸辺は、首をチョンと突き出すようにして断ると、一口、食べてから、

「それこそ、地政学的にも全然条件が違いますけど、日本の戦後の近代化みたいな話をする人がいるじゃないですか。」

と箸《はし》を持つ手を挙げながら言った。

「ライシャワー的な日本の近代化論を基にして、ですね。」

「そうです。フセインが独裁体制を構築するまでは、バアス党は、党是としてはアラブ・ナショナリズムを標榜《ひょうぼう》してますけど、路線としては近代化でしょう？　国会も設置されたりして、不十分だし、表面的な大衆慰撫《いぶ》政策に過ぎないという見方もありますけど、その芽はあったわけで、それと、大正デモクラシーまで途絶えていた日本の近代化が、第二次大戦後の体制転換で復活したっていう話とがイメージとして重なるのって、分かる気がするんですけどね。」

「もちろん、政治分析の一手法としては、近代化論は必ずしも無効ではないですよ。その見方で言えば、イラクにだって南北問題は歴然と存在していますから。ただ、政治行動の唯一《ゆいいつ》の根拠とすべきかどうかとなると別問題ですよ。僕が岸辺さんのサマライズに手を加えたのは、要するに、その辺の整理のためですけど。」

崇は、そう言いながら、運ばれてきたランチの皿を引いて、カップに入ったミネストローネに口をつけた。岸辺は、

「ええ、……」

と言ったきり、少し考えるような顔つきで、下を向いて箸を進めた。やがて、崇がまた口を開いた。

「大衆慰撫政策としての近代化という意味では、むしろフセイン独裁体制下でこそ顕著だったわけですから、体制転換の理屈としてはちょっと混乱してますけど、——例えば日本にせよ、国民皆保険制度みたいなものは、一九四二年に国民健康保険法が改正されて、任意加入が強制加入になった時点で事実上、実現されているわけなんですね。そうした身体レヴェルでの国民の管理という発想は、近代主義の本質ですけど、それが戦時下では〈総動員〉のシステムとして悪用され、戦後は体制転換を経て社会福祉に善用された。——そういう意味で日本を例に挙げて、フセイン体制打倒後に、それ以前に悪用されていた近代化の萌芽《ほうが》を批判的に発展させて善用するという理屈を語ることはできる

かもしれません。」

「……なるほど、……」

岸辺は、眉間《みけん》に皺《しわ》を寄せ、口を半開きにしながら頷いた。崇は、彼が頭の中で話を整理する間を取るかのように、パスタを少し食べて、話が別に逸《そ》れる前に続けた。

「ただ、フセインがそうした慰撫政策に出なければならなかったのは、大衆との直接の結びつきが、彼の権力基盤にとって非常に大きな意味を持っていたからですよ。彼は、バアス党の一党独裁体制時代から、そうした党のヒエラルキーのシステムを飛び越えて、そこから零《こぼ》れ落ちてしまった非エリート層と直接に結び合うような関係を重視してきたでしょう？　ああいうカリスマ的な政治支配体制には、それが絶対に必要となるわけですが。」

「なんか、この前の小泉の選挙みたいですね。」

「カンが良いんでしょう、彼は。」

崇は同意するように言った。

「僕はだから、イラン・イラク戦争や湾岸戦争の直後に、決まってそうした大衆が反乱を起こして、フセインがなんとかそれを収拾しようとしてきたという繰り返しにひどく興味をそそられるんです。それは、建国以来のイラクの歴史ですけどね。バアス党も、彼らが共産主義勢力やイスラーム勢力に吸収されることを常に警戒してたわけですけど。

──特に湾岸危機後は、経済制裁もかなり効いてて、食料政策上の必要からも、農業と闇《やみ》貿易との重要性が高くなってましたし、もちろん、第一義的には治安維持の観点から、いずれにせよ、地方部族のインフォーマルな支配力をアテにせざるを得なくなっていた。同時に、これまで否定してきたイスラームも、積極的に統治政策に活用されるようになった。午前中の仕事の話ですが、……そうして二〇世紀になって、イギリスによるオスマン帝国の解体の結果、偶然のように不確かな国境とともに誕生したイラクという国は、どうにかこうにか分裂せずに保っていきたわけですね。僕はそれを肯定してるんじゃないんです、もちろん。ただ、攻撃すればその百年分の無理が一気に決壊を起こすでしょうね。──フセインは、そういう矛盾の核ですよ。アメリカが攻撃してきた時に、各地の部族は、多分、あっさり道を譲るだろうし、投降する兵士も多いと思いますけど、そのバラバラになったあとのイラクを占領軍が維持するのは至難の業ですよ。《ドラゴンクエスト》みたいに、敵のボスを倒せばただちに平和が訪れるということにはなりませんから。」

「イラク国民は、どうなんでしょう？　腹の底ではやっぱり、フセインなんていなくなればいいと思ってるんですかね？」

「フセイン体制下で、どの程度のポジションにいたかでしょうね、それは。でも、フセインを憎悪《ぞうお》している国民でも、彼みたいな人間の登場を経験せざるを得なかった自国の矛盾は、身体的な実感として、生活の中でよく理解しているでしょうからね。〈諸悪の根源〉と言われますけど、〈根源〉を担《かつ》ぐのは〈諸悪〉ですから。暴力的に彼を排除すれば、屈折してますけど、憎悪を買うでしょう。そこが難しいところです。……」

崇はそう言うと、急に思いつめたような表情をした。そして、

「奇妙な喩《たと》えに聞こえるかもしれませんが、……イラク攻撃は、鬱病の疾患に対して、ガンのレーザー治療みたいなアプローチを取ろうとしているところがあります。フセインを排除することで、そんなに簡単にイラクという国が正常化するとは思えませんよ。」

と呟《つぶや》くように言うと、冷め始めた皿の上を手早く片づけ、半分も食べずに口をナプキンで拭《ぬぐ》った。そして、また雨脚の強まってきた窓の外に目を遣《や》った。

岸辺も、米粒一つ残さずに白い楕円形《だえんけい》の器を空にすると、

「帰り、濡《ぬ》れそうですね。」

と言って、紙ナプキンを丸めて中に投げ入れた。

「そうですね。タイミングを見計らって出ましょう。」

「ええ。——あ、スミマセン、コーヒーを。沢野さんは？　あっ、……」

岸辺は、傍らを通り過ぎて行こうとしていた店員を呼び止めたが、ふと見ると、崇の皿の上にはまだかなりの量が残っていたので、戸惑ったような表情をした。

「僕もコーヒーを。」

「こちら、おさげしてもよろしかったですか？」

「はい。ごちそうさま。」

「……食欲、ないんですか？」

岸辺の心配するような口調に、崇は、

「……いや、お腹《なか》いっぱいで。」

と軽く首を横に振って、携帯電話を見てから水を飲んだ。

丁度、二つ隣のテーブルの四人組が会計をしているところで、店内は、彼ら以外は二組を残すだけとなっていた。スピーカーから流れる音楽の向こうに、微《かす》かにテレビの音が聞こえている。崇は、厨房《ちゅうぼう》の方に目を遣ったが、柱の陰になって映像までは見えなかった。

コーヒーが来ると、岸辺は息を吐《つ》いて、手探りといった感じで話を再開した。

「僕は、なんて言うか、……正直、イラク攻撃には反対ですけど、親米保守派の政治家なんかに、じゃあ、どうする、フセインみたいなのを放っておくのかって言われたら、言葉に詰まってしまうんですよ。核査察を受け容《い》れないのが悪いじゃないかと言われれば、そうだと思いますし。——沢野さんが言われることも分かるんですけど、クルド人虐殺《ぎゃくさつ》みたいな酷《ひど》いこともやってるじゃないですか、フセインは？　北朝鮮の金正日《キムジョンイル》政権にしたってそうですけど、文化相対主義、内政不干渉ということでは話が済まないんじゃないですか？　そりゃ僕も、オノ・ヨーコなんかが、若いミュージシャンとかを集めて、ラヴ・アンド・ピースとか言ってるコンサートにでも行ってれば楽ですけど、虐殺されたクルド人や飢餓状態の北朝鮮の子供たちには、ラヴもピースもないですよ。……」

崇は、黙ってその言葉に聴き入っていたが、最後に優しく微笑《ほほえ》んでみせると、

「岸辺さんは正直なんですよ。僕はだから、信頼してますよ。」

と言った。

「今、右派が元気なのは、彼らが9・11以降の社会不安に巧みに付け入って、リアリズムを標榜しつつ、左派のイデオロジックなオプティミズムを徹底的に批判してるからでしょう。それが説得的に響くというのは、岸辺さんの言う通り、否定できないですよ。職業的には、我々はそれを判断すべき立場にはないですから、それで問題はないと思いますけど、岸辺さんが拘《こだわ》っているのは、個人の政治判断として、ということでしょう？」

「そうです。沢野さんはどうですか？　これは他言しませんが。」

岸辺は実直そうな口調でそう断った。崇は、また携帯を気にする様子を見せながら顔を上げて言った。

「安全保障上のあらゆる問題について、即時的に、正しい情報に基づき、正しい判断を

下す。――そういうことが、可能と信じるかどうかじゃないですか？　僕は、シニシズムは嫌いですけど、イラク問題について考えるために、我々が職業上の必要に迫られて目を通しているような膨大な資料に、すべての有権者が逐一当たるなんてことはあり得ないでしょう？　それを、政治的に怠慢だといって責めることはできませんよ。イラク問題に関しては、なんとかそれをやってみたとして、更に北朝鮮についても、イランについても、同じことができるか？　冷戦時代みたいに、イデオロギーで世界を左右に二分して、どんな時でも、そのどちらかの立場からだけ物事を見ていれば良かったという時代じゃない。国民として政治的な声を発するとするなら、殺し合いはゴメンだ、と言うくらいじゃないですか？　僕はその率直な声を支持しますけど、右派はそこに欺瞞《ぎまん》を見《み》出《いだ》して、その主張が、岸辺さんが今言った通り、オノ・ヨーコみたいに世界のラヴ・アンド・ピースを理想主義的に説くことなのか、それとも、今自分自身のいる生活圏のラヴ・アンド・ピースを素朴に説くことなのか、鋭く詰問《きつもん》するわけです。世界のどこかで殺し合いがあるのがイヤだと言っているのか、それとも単に自分が殺し合いに関わりたくないだけなのか。――後者の立場は、まず倫理的に否定される。自分さえ良ければいいのかと。更にリアリズムの観点からも否定される。世界のどこかの殺し合いは、今ここにある生活と無関係ではないのだと。その実例が、9・11というわけですよ。」

「僕はそこで、ジレンマに陥ってるんです。」

「マックス・ウェーバーが、《職業としての政治》の中で〈心情倫理〉と〈責任倫理〉との対立ということを言ってるでしょう？　心情的に正しいと信じる行動を選択して、結果的に破滅的な事態が生じたとしても、それは現実の側に問題があったのだから仕方がないと考えるか、それとも、世界の不出来を予《あらかじ》め前提として、望ましい結果を得るためには、心情的には受け容れ難いような手段をも肯定するか。——安全保障に関して、親米保守派が最も好む言葉は、アイロニカルですが、極めて功利主義的な〈国益〉という言葉でしょう？　日本の平和を守るためには対米追従しかない、たとえそれが、心情的には受け容れ難い手段であったとしても、というわけです。そうした割り切りの出来ることが、社民党のような心情倫理的野党とは違う、責任倫理的与党であり、政権担当能力があるということだと。——自民党が国民に向けて説く政治的リアリズムというのは、そういうことですが、それで、無知で脳天気な理想主義者だと思われたくない、自尊心の強いインテリたちが、挙《こぞ》って右傾化している。」

「沢野さんも、そこに含まれるんですか？」

　岸辺は、先を急ぐように問いかけた。

「それとも、素朴なラヴ・アンド・ピースの立場ですか？」

「無力ですが、後者と言うしかないでしょうね。」

　崇は、そう言うと静かにコーヒー・カップを傾けて、明らかに失望した様子の岸辺の表情を、俯《うつむ》き加減の視界の端に置いた。

「前者の認識にリアリティがあるというのは、それはそれで欺瞞ですよ。イラクで何が起こり、何が起ころうとしているのかということと、日本で今、決断が下されなければならない政治的課題との間には、ほとんど何の関係もないと言っていいくらいの距離があります。現代人は、それを乗り越えるべき距離として、マスメディアやネットなどのあらゆる環境を準備しましたけど、ついに現実は遠い彼方《かなた》の経験でしかないというのが、僕の痛切な実感です。こんな仕事に携わっていればいるほど、そう感じますよ。」

「それは、さっきの話からすると、僕たちみたいに、量的に豊富で、質的に高い情報に囲まれている人だけが、そういう現実に対する想像力みたいなものを持てる、という話ですか？」

「違います。むしろ、言葉は結局、永遠に現実には到達できないということです。僕は、イラク問題に関しては、完全にブッキッシュにしかアプローチできません。しかも、アプローチの先として目がけているものは、アプローチ自体が形成しているというパラドクシカルな状況です。言葉というのは、そういうものじゃないですか？」

岸辺は、曖昧《あいまい》に頷《うなず》いた。

「実際、アメリカにとって、フセイン政権転覆というのは、湾岸戦争以降の未完のプロジェクトですよ。ブッシュ政権だけじゃない。クリントン時代にも局所的な空爆はしょっちゅうだったし、九八年には、イラクの反体制派に9700万ドルもの支援を行う法案が可決されている。9・11を経て、彼らは、ビン・ラーディンとイラクとを結びつけて、アメリカ国内だけじゃなく、世界中の安全保障上の急務として、フセイン政権を打倒する必要性をリアリスティックに説いていますが、そう語ること自体が、いわばリアリティを捏造《ねつぞう》しているに過ぎない。リアリティというのは、常にあとから来るものですよ。実際、イラクとアルカイダとは無関係だと思いますけど。」

「そういうのは、みんな表向きで、石油利権のためだというような話ですか？」

「それを否定はできないでしょうが、残念ながら、それだけというほど単純じゃないでしょう？」

「ええ、もちろん。」

「とにかく、――冷戦後のパクス・アメリカーナを表立って肯定するかどうかはともかく、国連が世界の現状に対して決して十全な存在でない以上、アメリカが二百年も昔のジェファソン時代の、一国的で、慎《つつ》ましやかな選択的外交へと逆戻りできるはずがない。南北問題や地域紛争、その他諸々《もろもろ》の世界の矛盾を政治的にどうにかしたいと本気で考えるならば、アメリカのヘゲモニーをアテにしつつ、マルチ・スタンダードで事に当たるしかないというのが大方の見方でしょう。ところが、頼みのＩＴバブルが崩壊したところに9・11に見舞われて、アメリカは今、九〇年代の世界暫定チャンピオンの座を守るのに必死ですよ。金融政策では、金利を下げて、ジャブジャブ金を垂れ流しながら、軍事的には強面《こわもて》でという具合に。ブッシュは、その無理の象徴に見えますね。」

「でも、アメリカが絶対的な善として振る舞ってくれるならそれでもいいでしょうけど、そうじゃないところでみんな躓《つまず》くんじゃないですか？　最近、ノーム・チョムスキーの本なんかが、よく売れてますけど。……」

「そう。――それが問題の核心ですよ。」

崇は、コーヒー・カップを置いて頷いた。

「系譜としては、ブッシュ政権の外交は、ウィルソン的な理想主義とジャクソン的な国家主義とが合流したものだと分析されていますけど、アメリカは当面、そうした両義的な外交姿勢を望むと望まないとに拘《かか》わらず、免れ得ないでしょう。そして、彼らは関与する。それもピューリタン的な頑《かたく》なさで、強く関与するわけです。その拠《よ》って立つ主張は、基本的にはさっきも言ったように近代化論ですよ。〈自由〉という理念の下に、資本主義と民主主義とのミクスチャーを絶対的な善として普及させようとする。しかし、アメリカにせよ、アイデンティティの雑多な複数性は否定できない。内に色々な自分を抱え込んでいる。そうすると、その複数のアイデンティティの中で、支配的なものを善として確認しようとするなら、悪なる他者を外部に発見して、それと対立するというのが、一番確実な方法となるわけですよ。ソ連崩壊までは、そうした存在に事欠きませんでしたけど、それが見出せなくなった時には、捏造してでも存在してもらわなければ困る。〈悪の枢軸《すうじく》〉というのは、良い例ですが。アメリカはだから、その自己確認的な世界への関与をこれから際限もなく行っていくでしょう。」

「自分探しみたいですね、そうなると。それを肯定してるんですか、沢野さんは？」

岸辺は、さすがに少し時計を気にしながら、それでももどかしそうに尋ねた。

厨房で、数枚の皿が一時《いちどき》に割れたような大きな音がして、「失礼しましたー。」という声が聞こえてきた。

崇は、これまでになく真剣な顔つきで、岸辺に向かって言った。

「他者を承認せよ、多様性を認めよと我々は言うわけです。しかし、他者の他者性が、自分自身にとって何ら深刻なものでない時、他者の承認というのは、結局のところ、単なる無関心の意味でしょう。こういう趣味嗜《し》好《こう》がある、こういう生まれ育ちだ、こういう習慣を持っている、文化を持っている、ああそうですか、大事にしてください、という話ですよ。しかし、他者が他者性を悪として先鋭的に際立《きわだ》たせて、自分の住む世界に出現し、存在する瞬間から、我々は逃れ難く政治的になる。関係が不可避なら、つまり、無関心が不可能なら、自分たちが良しとする世界の構成員に相応《ふさわ》しくあれと、相手に同化を強制するわけです。外部に別の世界として存在することは構わないが、同一世界の内部で、その一体性を脅《おびや》かす例外として扱うことはできない。もちろん、相手側の異質な世界に呑《の》み込まれることもイヤなわけです。」

「ええ、……」

岸辺は、考え込むような顔をした。

「グローバリゼーションが頻《しき》りに唱えられてますけど、冗談でもなんでもなく、問題は地球の一個性ですよ。文明は、距離を乗り越えて、ますますそのミもフタもない事実を明らかにしつつある。それが否応《いやおう》なく、世界を一個的にしようとしている。更にそこに一回性も加えるべきでしょうね。そしてそれは、人間の身体の一個性、一回性という問題と対応しているはずです。」

「そうすると、僕たちは結局、沢野さんの言われる他者に対して、どう関与できるんですかね？　結局、無力ということですか？」

崇は、時計に目を遣って、立ち上がる準備をしながら言った。

「表立って認められたビヘイヴィアと、それが由来するところのものとが、必ず一対一で対応するわけではないという考えを信じるしかないでしょうね。別の表現は複数あり得たはずだし、それは代替的なものではなくて、元の表現と完全に等価的であって、いずれも偶然性に拘束されたものだと。その上で、行為に対しては一定の制限を課しつつ、それが由来するところのものには配慮し、尊重する、ということですかね。——そのくらいしか、僕には言えません。岸辺さんは、不満だとは思いますが。」

「いえ、……」

岸辺は、慌《あわ》てて首を横に振ったが、それに対して、すぐに返答することはできなかった。

「——行きましょうか？」

「はい。」

崇は、伝票を手に取ると、彼の先に立ってレジ前の列に並んだ。

厨房の奥の小型テレビがようやく視界に入った。注文が切れ、一息吐《つ》いている若い二人が、賄《まかな》いらしいサンドイッチを立ったまま食べながら、民放の情報番組を喰い入るように見つめている。

——昨夜、横浜で発見されたのに続いて、今度は東京と大阪、それに広島、ということですが、……引き続き、犯罪社会学がご専門の高石勉《つとむ》氏にお話を伺いたいと思います。高石さん、まだこれから慎重に**DNA**鑑定等が行われるということですが、犯行声明からも、恐らくは、これらのバラバラ遺体は同一の被害者のものであろうと考えてまず間違いないと？

——その可能性が高いと思います。

——ズバリ犯人像と申しますか、犯人グループ像と言った方が良いかもしれませんが、どのように考えられますか？

――そうですね、まだ情報が錯綜《さくそう》していますから、はっきりしたことは言えませんが、複数犯であることは間違いないでしょう。それから、実行犯とは別に、何らかの組織が背景にあるのではないかと見ています。

――ハァ、……それは、たとえば宗教団体のようなものですか？

――それはまだ分かりませんが、公安ももう動き出しているでしょう。

――そうなると、我々はどうしても、九五年の地下鉄サリン事件を思い出してしまいますが、何かそういった背景があるということでしょうか？

――現時点でそこまでは分かりませんが、指揮系統と実働部隊が分かれている可能性はあります。犯行声明の公開の仕方も、非常に計算されていて、意図的に捜査を攪乱《かくらん》しようというようなところが見て取れます。あと、死体遺棄現場が、非常に広範にわたっていますね？　東京から広島までと。こうしたことも極めて稀《まれ》なケースです。単独犯ではまず無理でしょう。

――なるほど。

――それから、遺棄現場が、東京、神奈川、大阪でしょう？

――はい。

――ご存じの方もあるかとは思いますが、大体、警視庁と、神奈川県警、それに大阪府警は犬猿の仲なんですよ。互いに手を取り合って協力するという雰囲気じゃありませんし、今回の事件も捜査は難航するんじゃないかという気がしてます。逆に言えば、犯人グループは、そうした事情を知りつつ、遺棄現場を選んだのではないかとも考えられますが、飽くまで現段階での可能性に過ぎません。

——ははァ。……

「お待たせしましたー。どうぞー。」

画面に見入っていた崇は、一瞬、岸辺の表情を確認するような仕草を見せると、何も言わずに、そのまま前へと進んだ。

外では、雨粒が地面を打つ音が、また少し重くなったようだった。

会計を済ませて店を出ると、岸辺が傘の下から声をかけた。

「あのバラバラ殺人事件のニュース、なんか、スゴイことになってますね？　今度は、西麻布で足が見つかったらしいですけど。」

「——そうなんですか？」

「あれ？　ニュース見てないんですか？」

「鶴見川で人の腕が見つかったっていうのは、昨日の晩、テレビでやってましたけど。今朝は新聞だけしか見てなくて。……」

「そのあと、今朝ですけど、ゴミ収集車が西麻布で足を見つけたらしくて。沢野さんがさっき電話で喋《しゃべ》っている時に、レファレンス課の木戸さんが教えてくれましたよ。高槻《たかつき》と福山でも見つかったとかって話でしたけど。」

「同じ事件なんですか、あの京都のと？」

「みたいですよ、どうも。あのヘンな犯行声明があったでしょう？」

「ええ。」

「あれと同じものが添えてあった、とかいう話でしたけど、詳しくは僕も、……」

崇は、

「そうですか。……」

と呟《つぶや》いて、歩き始めた。

しばらくして、彼は急に傘を持ち替えたかと思うと、スーツのポケットに手を突っ込んで、呼び出し音とともに振動する携帯電話を取り出した。

「ちょっと、失礼、……」

そう断って、顔を背けながら電話に出た。着信の表示欄には、伯父の本田象一の名前があった。

岸辺は、話を聞かないように気を遣って、少し前を歩いていたが、やがて応答する崇の声が聞こえなくなったので、不審らしく足を止めて後ろを振り返った。

崇は電話を耳に押し当てたまま、その場に立ち尽くしていた。岸辺は、雨の滴《しずく》が頻りに垂れ落ちる紺色の傘の下から、その顔を一瞬垣間見《かいまみ》たような気がしたが、それは殆《ほとん》ど抉《えぐ》られたような深い影に浸されていて、表情を窺《うかが》い知ることはできなかった。

2

崇の乗った〈のぞみ〉は十七時十九分に京都駅に到着する予定だった。

佳枝は、捜索願を出した後、稲毛から母親に来てもらっていたので、そのまま宇部のマンションで良太を預かってもらい、独りで新幹線に乗って、既に捜査本部のある松原警察署に到着しているはずだった。

崇は、一旦《いったん》京都駅で両親と待ち合わせ、一緒に警察に行くことにしていたが、象一の話から判断するに、治夫はとても同行できそうにはない様子だった。

伯父からの電話を切ると、崇はすぐに図書館に戻って、室長に内密に事情を説明し、早退届と一週間の休暇届とを提出した。それから、岸辺に一通りの指示を出して荷物を纏《まと》め、そのままタクシーで東京駅の八重洲《やえす》口へと向かったのだった。

車内の液晶テレビでは、先ほどとはまた別の局のワイドショーが、京都に始まる今回の一連のバラバラ死体遺棄事件について、西麻布での現場検証の映像を、背景のモニターに流しながら報じていた。タクシーの運転手は、

「今日はどのチャンネルも朝からこればっかりですよ！」

と苦笑しながら彼に語りかけた。

話題は、今日になって一斉にメディアがその具体的な内容を報じた四点の〈犯行声明〉についてだった。司会者はその「四点」という数が、捜査本部の正式な発表によるものではなく、「こちらに入っております情報」によると断ってから、コメンテイター二人に意見を求めた。

——原則的に、捜査本部は、現場検証やなんかで得られた情報を、テレビドラマみたいに簡単に公開したりしないんですよ。

——それはなんでですの？　公開した方が、早く犯人が捕まってエエんとちゃいます？

——普通の感覚からするとそうなんですが、情報の中には犯人しか知り得ない事実というのがあるわけですよ。

——ええ。

——それが、供述を取る時に大きな意味を持ってくるんです。どんなに容疑を否認しても、うっかりその「犯人しか知り得ない事実」を漏らしてしまうこともありますし、それを以《もっ》て自白の信憑《しんぴょう》性の根拠とすることもできます。

——はぁー、なるほどねぇ。

——だから、警察に犯行声明を送りつけたり、死体にメッセージなんか残しておいたりしたって、本当は無意味なんですよ、世間へのアピールという意味では。それで私も、正直、京都で遺体が発見された時には、バカだなと思ってたんです。

――でも、今回は、すぐに内容が出てしまいましたでしょう？

――そう。それが問題なんです。今回も、もちろん警察が犯行声明を公表したわけではなかったんですよ。ただ、ネットとマスコミが利用されたんですね。

――僕も正直、ネットでつい、色々検索してしまいましたけど。……

――とにかく、今分かっているだけでも、相当数の犯行声明が、全国各地から一斉に、マスコミ各社に宛《あ》てて送りつけられているわけですね。そうすると、一社がスクープとして報じれば、たとえ地方新聞であっても、今はネットですぐに伝播《でんぱ》しますし、他社は追随せざるを得ないんですよ。その結果、四通の手紙の内容がすべてメディアに載ることとなってしまった。これは、ちょっと考えるべき問題で、どういう経緯でそうなったか、きちんと検証すべきですね。

――マスコミも犯人に躍らされてる、ゆうことですやろ？

――意図的なことかどうかは分かりませんけど、結果的には思うツボですよ。確かに、想定しにくい事態ではありましたけど。警察としては、やりにくいでしょう。

――四通ゆうてましたけど、まだあるんですか？

――いや、実際には何通の犯行声明が警察の手許《てもと》にあるのか、先ほども話がありましたけど、まだ分からないんですよ。五通かもしれないし、十通かもしれない。流出している例の京都の事件の写真がありますでしょう？　あれにどうも四通写っているらしい、ということだけなんですね。今日になって、一斉に四通ということになりましたけど、これはネット上に出回っているものと、マスコミ各社に届けられたもの、それにどうも福山と高槻ですか、それぞれの遺体の入ったゴミ袋に同封されていたものが同じだということで、マスコミが警察から情報を入手して、一応確認の取れたもの、ということなんですよ。とにかく、文面がネット上で出回っていますから。

――けど、今はなんかもう、ネット上にはイタズラみたいな「犯行声明」が溢《あふ》れかえってるじゃないですか？　どれが本物とかって、分からないでしょう？

――そうなんです。実を言うと、普通の事件なんかでも、報道があるでしょう？　そうすると、ニセの犯行声明だとか、自分が犯人だと名乗り出たりするようなウソの手紙なんかって、マスコミにけっこう届くもんなんですよ、公表しないだけで。

――そうなんですか？　どうしてるんですか、それ？

――まァ、ほとんどのものは処分されます、そのまま。大体、文面読めば分かりますし、とにかく、マスコミとしては、馬鹿《ばか》げたイタズラに引っかかって誤報を出してしまうことだけは避けたいですから。

――確かに、そうなったら、エエ笑いもんですからねぇ。

――そういうことです。ただ、今回はそれが本物かどうかが照会できてしまったんですね。本物というのは、要するに、バラバラ遺体と一緒に押収《おうしゅう》されたものですけど、コピーが大量にマスコミ、あるいはネット上に出回ってしまいましたから、皮肉にも警察側が、隠しても無意味だという判断だったんでしょうけど、認めるということによって、どのコピーが本物かというお墨付きを与える結果となったんですね。

――なるほどねぇ。

――そうなると、私は、実際には何通警察が押収しているかというのをはっきりと公表した方が、むしろ良いんじゃないかと思うんですよ。あと何通、本物があるか分からない、というので、ネット上でも色んな犯行声明が増殖中で、どれが本当に犯人からのものか、見当がつかなくなってきてますよ。虱潰《しらみつぶ》しに調べていくのか、でも、もっと増えると思いますよ。今はともかく、ネットでそれが起こっていますけど、明日あたりから、マスコミにも警察にも、手紙に書かれた犯行声明が大量に届くんじゃないかと危惧《きぐ》しています。そのほとんどはイタズラの類《たぐい》だと思いますけど、新しい本物が混ざっている可能性はあります。元々の四通の犯行声明自体が、ちょっとイタズラめいてるというか、よく分からないものでしょう？　哲学的というか、宗教的というか、そういう内容のものもありますし、見方によれば、漫画チックなのかもしれませんけど。……

時折、電波障害のために掻《か》き乱される画面の奥で、テレビ好きの評論家が、若手のお笑いタレントを相手に身振りを交えながら熱心に説明していた。次いで、司会者がそれを受けて、度々言及されているその「四点の犯行声明」を順にフリップで説明していった。

――で、その問題の本物だろうと考えられています犯行声明ですが、……まず一点目がこちらですね。

《「地上に平和をもたらすために、私が来たと思うな。平和ではなく、剣を投げ込むために来たのである。」》

これが、最後にこのように、はい、こちらですね、「悪魔」という署名がされたものでして、京都の事件では遺体の頭部に打ちつけられていたというものです。一点一点の解説は後回しにして、ひとまず、ざっとご紹介しましょう。二点目が、はい、こちらです。

《殺人が一つ起こる
すると　目の色を変えて犯人捜しが始まる
つまらない日常の退屈しのぎ
だが　殺す側はもっとスリリングだw
殺す阿呆《あほう》に見る阿呆
同じ阿呆なら殺さな損損www》

こちらの署名は、「**dancing killer**」となっておりまして、京都の事件の際に、「**dancing**」ではないかと伝えられておりましたが、今回、「**dancing killer**」と新たに判明しました。こちらは、左手に打ちつけられていたものとされています。——えー、それから、……はい、次が三点目ですが、こちらは、遺体の右手に打ちつけられていたもので、「離脱者」——「リダツシャ」と読むのでしょうか——そういう署名が記されています。

《わたしは、とても理性的な人間です。少しマジメすぎるとよく言われますが、自分ではそうは思っていません。

でも、わたしは他のメンバーとはちょっと違っていると思います。

わたしはわたしなりの考えで、この企画《イヴェント》に参加しています。信じてもらえないと思いますが、本当です。

わたしはわたしの性別のことで悩んできました。わたしの国籍のことでもです。

わたしは、わたしの生きている世界には、わたしの居場所がないと思っています。反論する人がいるでしょうが、もう聞き飽きました。

人間はひとりとして同じ人はいません。なのに、この世界は一つしかありません。その世界は、一部の人たちにだけ、都合よくできていて、わたしにとってはそうではありませんでした。だからわたしも、離脱者の一人になることにしました。法律からも、道徳からも、完全に離脱します。

わたしは、世界は、人間の数だけ多様であるべきだと思います。みんなが納得できる世界なんて、あるはずがないと思います。それで、わたしはわたしの世界で生きていくことに決めました。

人を殺すのはどうかと思いましたが、それもわたしが、離脱する前にいた世界の勝手なルールにとらわれているからだと考えなおしました。

わたしは、わたしに、とても言葉では言い表せないような残酷なことをしてきた人たちに、これから一人ずつ復讐《ふくしゅう》していきます。その人たちは、わたしのやりかたを責めるかもしれませんが、それはその人たちの考えなので、わたしには関係ありません。

それから、わたしたちはカルトではありません。わたし個人は、宗教には関心がありません。参加は自由ですから、それぞれの考えで行動してください。》

――えー、なんと言いましょうか、……とにかく、次が最後のものです。こちらは、両足に杭《くい》で打ちつけられていたものだということですが、署名は、「殺意、或《あ》るいは悪意」となっています。

《「殺人者」ナド存在シナイ。タダ、「殺人」ガ存在スルダケダ。

我々ニハ、身体的ナ実体ガナイ。我々ハ人間ノ姿ヲシテ存在シテイナイ。シタガッテ、逮捕モデキナイ。

我々ハ純粋ナ「観念」ダ。我々ハ、アラユル人間ニ於イテ存在シ、アラユル人間ニ於《お》イテ発現スル。殺サレタ哀レナ生《い》ケ贄《にえ》ノ内部ニモ、我々ハ秘《ひそ》カニ棲《す》ミツイテイタノダヨ。我々ヲ見ツケルコトハ簡単ダ。シカシ、我々ダケヲ逮捕スルコトハデキナイ。血ト肉トヲ分離デキナイヨウニ。

隣ノ人間ヲ見テミタマエ。――ソコニ我々ガイル。

鏡ヲ見テミタマエ。――ソコニ我々ガイル！

誰一人、無関係デハイラレナイ。我々ガ有罪宣告ヲ受ケル時、裁カレルノハ人類全体ダ。

同時多発殺人ハ、コレヲ皮切リニ全国各地デ開始サレル。生キ残ル方法ハタダ一ツ。いいい先ニ殺スコトダ。

今スグニ、殺セ。――サモナクバ、目覚メタ時ニハ、オマエタチハモウ冷タイ血塗《ちまみ》レノ死体ダ。》

「イヤになりますねぇ、こんなのばっかりが起こっちゃってさぁ。日本もお終《しま》いですよ、こうなると。ねぇ？」

日比谷の交差点手前で渋滞に巻き込まれた運転手は、テレビを眺めながら、ハンドルを軽く叩《たた》いた。崇はただ、「……ええ、」と言ったきり、虚《うつ》ろな目を画面に据えていた。

それから、駅前で車を降りるまで、運転手はずっと喋《しゃべ》り続けていた。

「……私なんかも、この仕事始めて、まだ半年なんですよ、実は。三十二年間、勤め上げた会社を突然リストラされましてねぇ。大の男がですよ、今じゃ手取り十三万円ですよ！　情けないでしょう？　ねぇ？　いや、ホントに惨《みじ》めなもんですよ！　でもねぇ、お客さん、いつかはこういう世の中になるなっていうのはねぇ、私なんかは、もう十年も前から分かってましたよ。新入社員見てたら分かりますから。ええ、もう、本当に。やっぱり、日本がダメになってきてるのは、教育のせいですよ！　これだけは間違いなく言えますね。体罰がダメだとかなんとか言わずに、子供の頃から、善いことは善い、悪いことは悪いで、ビシッと躾《しつ》けておけばね、こんなことする連中が出てくるわけないんですよ！　日教組が悪いんですよ、あれは。ホントにねぇ、もう、……」

新幹線は、名古屋駅を過ぎる頃になっても、雨雲の下を抜けられなかった。

三人席の窓際《まどぎわ》に、崇は独りで座っていた。軋《きし》むような微《かす》かな音を立てて絶え間なく打ちつけられてゆく雨粒が、切れ切れの、細かな罅《ひび》のような線となってガラスの上を無数に走っている。

東京駅で出発までの時間を待つ間に、彼は、携帯用のパソコンで可能な限り事件の情報を収集し、電波が届かなくなる前に必要なページのコピーを取っておいたが、動き出してすぐに画面を閉じると、結局一度もそれを開こうとはしなかった。

車内は、商用を終えたらしい日帰りのサラリーマンたちで所々席が埋まっていて、汗を吸って形を崩したスーツの中で、気ままに居眠りをしたり、週刊誌を捲《めく》ってみたりしながら、時折隣に座る同行者と言葉を交わしていた。

京都に近づくにつれ、次第に光を失ってゆく車窓が、ガラスの中の彼の輪郭を少しずつ濃くして、その表情を暴露していった。流れゆく景色が闇《やみ》に沈みゆくのを感じながら、彼は麻痺《まひ》したような目でその自分自身の像に触れたが、詮索《せんさく》しようとする視線は、足を取られたかのように傾いて、うまく立てずに倒れてしまった。

先ほどから何度となく携帯電話が振動し、その度に彼は発信者の名前を見て、そのまま鎮《しず》まるまで無視していた。が、今また鳴り始めた無音の着信の合図が、母からの電話であると分かると、席を立ち、デッキへと向かいながらそれに応じた。

「……もしもし、母さん？　着いた？……うん、……うん、……さっき名古屋を出たから、予定通り五時十九分に到着するよ。……うん、分かった、そうだと思ってたから。……うん、……京都駅の中にあるグランヴィアっていうホテルに、母さんの名前で部屋を取ってあるから。え？　そう、母さんの名前で。……もちろん、僕も泊まるよ、今日は。職場にも休暇届を出してきたから。……うん、じゃあ、着いたら部屋を訪ねるから、少しゆっくりしてて。……うん、……」

ホームからかけているのか、周囲の雑音が多くてところどころ聴き取れなかったが、それでも母が泣いていることだけははっきりと感じられた。崇は、電話を切る前に、

「母さん、……」

と改めて呼びかけた。

「気をしっかりね、僕がついてるから。」

そう硬い表情のまま言ったが、言葉がうまく形を成しきれなかった感じがした。

座席に戻ると、一度瞼《まぶた》を閉じて大きく息を吐いた。そして、携帯電話をバッグの中に放り込むと、前方の電光掲示板を流れてゆく赤い文字に目を留めた。

——……判明。

その末尾の言葉は、彼の意識の隅々にまで、瞬時に張りつめた真空を行き渡らせ、ただそこに渇いた破裂的な心拍だけを響かせた。ニュースは数秒後に、再度掲示板を、それを受け止めるために要する時間とはなんら関係のない速度で横切っていった。

——◇読売新聞ニュース◇　今月五日未明に京都市東山区三条大橋下で発見された男性のバラバラ遺体の一部は、家出人捜索願が提出されていた山口県宇部市の会社員、沢野良介さん（**30**歳）のものと判明。

……ホテルの部屋の呼び鈴を鳴らすと、和子は何も言わずに、ただロックを外すためだけという程度に小さくドアを開いた。

崇は、ゆっくりとそれを手で押したが、その時間さえ待てないというふうに、彼女は息子と目も合わさないまま、背中を向けてベッドへと歩いていった。化粧をしていないせいもあったが、憔悴《しょうすい》の色は、ここに来るまでに想像していた以上だった。

室内の明かりは、微光の天井灯が点《とも》っているだけで、カーテンは閉め切られていた。

和子は、ベッドの端に腰掛けると、両手の平で顔を押さえて体を震わせた。

崇は、鏡の前に据えられていた椅子《いす》を向かい合わせに持ってくると、座って母の膝《ひざ》に右手を置いた。

「……母さん、……」

和子は、その声にむしろ嗚咽《おえつ》を激しくした。彼は、もう随分と長い間、そんなふうにして、しっかりと触れた記憶のなかった母の体に、穏やかではあるが、次第に濁りを帯びてゆくような熱の騒立《さわだ》ちを感じ、その姿を苦しげな表情で見つめた。

母の顔を隙《すき》なく覆《おお》った二つの手。――その内側には、ここに来るまで漠然と感じていたものが、現実との固い結び目となって確かに存在しているということを、彼は感じた。

一頻《ひとしき》り泣いてから、彼女はようやく指の腹で目を擦《こす》りつつ顔を覗《のぞ》かせかけたが、途中でまた溢れ出した涙を堪《こら》えるために、顔を押し隠してしまった。

「……佳枝ちゃんから、連絡があったの？」

崇の問いかけに、彼女は反応しなかった。

「警察……から？」

頷《うなず》くと、辛うじて絞り出すようにして、

「……かわいそうに！」

と声を発した。崇もまた、眉間《みけん》に力を込めながら言葉もなく頷いた。

「……母さん、ここにいる？　僕は警察に行ってくるけれど、……」

彼は、警察で遺体がどういった状態で置かれているのかを危惧していた。そこにはまだ、京都で見つかった部位《いい》しかないはずだったが、だとすれば、その光景に、母が耐えられるとは到底考えられなかった。

和子は、しばらく黙っていたが、改めて、

「……かわいそうに、……」

と口にすると、顔を上げて激しく感情を高ぶらせながら、

「お母さんが行ってやらんと、良ちゃんが待っとうやろうも！」

と非難するような声で言った。

崇はそれに、

「うん、……そうだね。」

と応じると、泣き濡《ぬ》らした母の両手を、彼自身の両手で包むようにして強く握り締めた。

雨はまだ降り続いていた。

タクシーに乗って東山の松原警察署へと向かうと、建物の前には中継車が連なり、レインコートに身を包んだ多数の報道関係者が詰めかけていた。車は少し手前に停めてもらったが、ライトに気がついて二人を注視していた彼らは、傘の下に覗く崇の風貌《ふうぼう》を認めると、最初は顔を見合わせながら、やがて猛然と駆け寄って来て、

「沢野さんですよね？　沢野崇さん？」

と声をかけた。

テレビの撮影用のライトが、一瞬、闇の中の雨粒を煌《きら》めかせたかと思うと、次の刹那《せつな》には彼の視界のすべてを真っ白に焼き尽くした。次いで、無数のフラッシュが折り重なるようにして行く手を埋め尽くし、血のような赤い残像を吹きつけるようにして打ち煙らせた。

——遺体の身許《みもと》が沢野良介さんのものだと…普段と比べて……確認され………最後に……ですか………コメ………コメントを一…犯人に心当たりは……イタイ、イタイ、……オイ、押すなよ！……今の気持ちをお聞かせ………ちょっと！…中継はいるから！　こっち、こっち！………一言だけ、お願いしまーす！……一言！…お母様ですかー？　お母様？……違うの？…え？……一言お願いします！………危ないから、押すなって！……

崇は母の手を取ると、

「すみません、通してください。」

とだけ言って、前に進もうとしたが、声は忽《たちま》ちにして喧噪《けんそう》の渦中に呑《の》み込まれ、傘はカメラやライトに引っかかって、骨を歪《ゆが》ませ、不用意に弾《はじ》けた。

下を向いたまま、無理にも彼らを押し分けて警察署入口へと向かったが、その背中で、誰が誰に向かって言ったともつかない、「……何だよ！」という舌打ちが、その瞬間だけ、奇妙にゆったりとしたスペースを得て、じめついた夜の足許に響いたのが聞こえた。

事前に電話で連絡しておいたので、入口に辿《たど》り着くと、向こうから、

「沢野さんですか？」

と声をかけてきた。

「そうです。沢野良介の家族です。」

控え室に通されると、ほどなく、松原署の署長と刑事二人が彼らの許を訪れて、代わる替わる挨拶《あいさつ》をした。

崇が礼をして顔を上げると、彼よりも幾分背が低く、堅い樹《き》の幹に似た体つきの三十半ばらしい須田《すだ》という名前の刑事は、一瞬、表情の戻りが遅れたというふうに、彼を注視する目をさっと奥に下げた。崇は自分が見られているということを敏感に察した。

「こちらは、母です。」

「……沢野和子です。この度は、お世話になります。」

「遠いところをご苦労様です。大変なご心痛かとお察ししますが、我々も署を挙げて全力で捜査をしておりますので、一刻も早い犯人検挙に至りますように、どうぞ、ご協力をお願いします。」

「こちらこそ、よろしくお願いします。」

署長にそう言って深々と頭を下げると、和子はまた目を潤《うる》ませた。

「義理の妹はいますか？　良介の妻の沢野佳枝が、先にこちらに伺っているはずですが。」

崇は、二人いる刑事のうち、大柄でもう少し年齢の若く見える方に問いかけた。

「義妹《いもうと》さんは、先ほどここを出らはりましたわ。」

「出た？」

「ちょっと体調を悪くされまして、一旦《いったん》、病院にお連れしてから、こちらで手配したホテルにお送りすることになってます。」

「病院、ですか？」

「いや、ご遺体に会われてショックを受けはったんやと思いますわ。」

「そうですか。……どこに宿泊の予定ですか？」

「ええっと、……どこでしたっけ？……あ、あとでお伝えしますわ。」

男は、そう言うと、須田の様子をちらと盗み見た。崇は、その返答に不自然さを感じたが、それ以上は尋ねなかった。グランヴィアには、佳枝の部屋も予約してあったが、それを取り消さなければならないということを、彼はこの時ぼんやりと考えた。そして、今という時に、そうしたいかにも些事《さじ》めいた用件に気を取られてしまうことに、却《かえ》って自身の混乱を感じた。

階段を下りながら、若い刑事は、

「司法解剖も終えてますし、出来るだけきれいな状態にはさせてもろうてますけど、……」

とすべてを口にしないまま、改めて二人の意思を確認した。取り分け、遺体の惨状に和子が恐慌《きょうこう》を来《きた》すことを懸念《けねん》しているらしかった。

崇もまた、

「……母さん、……」

と呼びかけたが、彼女は思いつめたような表情のまま押し黙って、それに耳を貸さなかった。

霊安室は備えていないということで、案内されたのは、署内の車庫だった。薄暗い部屋の片隅に柩《ひつぎ》が一基置かれていて、その前に簡素な焼香台が据えられ、線香の煙が一本、頼りなげにまっすぐ立ち昇っている。

奥には、マリア像と仏像とが一体ずつ置かれていて、部屋の照明は無遠慮に明るかった。

冷蔵室に収められていたという説明だったが、そのせいか、覚悟していた腐臭は気配程度で、微かであるために、却って香の匂《にお》いを潜《くぐ》って嗅覚《きゅうかく》に立つようなところがあった。全国で次々と見つかっている遺体の断片が、その在処《ありか》を自ら告げているのが、この臭いであることを、崇は報道を通じて知っていた。

和子は、声もなく苦しげに、咳《せ》き込むように息をして、顎《あご》の下で両手を固く結び、震えながら体を内に向けて引き絞った。崇は、支えるようにしてその背中に手を添えた。

遺体は、そうする以外に、それを扱う方法はなかったというふうに、ただ覗き窓から顔しか見られないように処置されていた。

刑事ではなく、出入りの葬儀業者の社員らしい人間が、先に立って合掌し、親子が歩み寄るのを待って、白い手袋を塡《は》めた手で柩の窓を開けた。

和子は、崇の腕を摑《つか》むと、縋《すが》るようにして柩に近づき、その顔を覗き込んだが、

「……ああ、……」

と咽《のど》を締めつけられたようにか細く声を漏らすと、濡れそぼった顔を掻《か》き破るような激しさで拭《ぬぐ》い始めた。

「……良ちゃん！……良ちゃん！……」

良介の顔は、突然襲いかかってきた破滅的な暴力が、今もまだ執拗《しつよう》にそこに留まって、更に奥へと捻《ね》じ入ろうとしているかのように、喰い縛った歯を剝《む》き出しにしたまま激しく歪んでいた。それは、彼の生の最後の一瞬の経験を、深甚な恐怖とともに必死で耐え続けながら、今はもう為《な》す術《すべ》もなく腐敗に曝《さら》されていた。助けを乞《こ》う絶叫の燃え滓《かす》は、冷たい無力な沈黙の底に、澱《おり》のように溜《た》まって凝固している。激痛の残響に今にも呻《うめ》き声を上げそうで、しかも実際に、呻いていた。その顔が死を絶対に拒絶しようとしたように、死もまた冷厳に、それを安らかに受け容《い》れることを峻拒《しゅんきょ》していた。

報道された額の杭《くい》の痕《あと》は、白い布で覆い隠されていたが、頰には別の切り傷があり、腫《は》れ上がって潰《つぶ》れた半開きの左眼は、赤黒い内出血の痕でその瞳《ひとみ》を呑み込んでいた。

返事を乞《こ》うようにして呼びかけながら、和子は柩を何度となく叩《たた》いたが、手応《てごた》えはむしろ、中がほとんど空であることを隠し立てなく告げていた。

部屋に入った瞬間、彼女はその直方体の量感に、一個の欠けるところのない遺体が、ひっそりと、しかし確かに横たわっているような感触を得ていたが、それが取り上げられると、むしろその空虚の気配を、絶望的な暗がりと数百キロに亘《わた》って広がる巨大な喧噪とが両《ふたつ》ながらに蝕《むしば》んで、恣《ほしいまま》にしているかのように感じられた。

「……かわいそうに！……かわいそうにね、……なんでかね？……なんで？……痛かったねぇ、……ねぇ、……」

彼女の意識は、ここに至るまで辛うじて保たれていた最後の一片まで、残酷に握り潰され、二度と元には戻せないような無惨《むざん》な姿へと変えられてしまった。

崇は、母に寄り添いながら、呆然《ぼうぜん》と立ち尽くして涙を溢《あふ》れさせた。そして、悲哀というよりも、どこか苦しみ喘《あえ》ぐような表情で口を開いていたが、発せられる声はいずれも、言葉へと届く前に脆《もろ》くも崩れ落ちてしまった。

その崇の一挙手一投足を、須田は部屋の奥の暗い隅に立ったまま、具《つぶさ》にじっと観察し続けていた。

車庫を出て、また最初の控え室へと戻ると、崇の感情の小康を見計らって、同行した葬儀業者の社員が彼を廊下に呼び出し、佳枝との間で取り決めた遺体の移送についての話をした。それから、先ほどの大柄の刑事が、今後の遺族の世話役として中年の婦警を紹介し、彼女が責任を持って和子をホテルまで送迎する手筈《てはず》となっていることを伝えた。

崇は、その提案に同意して、彼女とともに控え室の母のところへ行き、事情を話して確認を取った。そして、それを伝えようと、一旦廊下に出ると、丁度須田が若い刑事と小声で何かを囁《ささや》き合っていたところだった。

崇は、母が納得したことを告げ、佳枝のことが心配なので、連絡先を教えて欲しいと言った。須田はそれには、返事をせずに、改まった様子で彼の前にまっすぐに立つと、

「その前に、お疲れのところ申し訳ないんですが、ちょっとお話を聞かせていただけま

すか？」

と言った。

今し方のやりとりから、事情聴取を予想していた崇は、むしろその口調に、さっと顔色を変えて険しい目つきをした。須田は、その変化を見逃さなかった。

「いや、お時間は取らせませんから。」

有無を言わせぬように、彼は眸《ひとみ》に力を籠《こ》めた。崇は返答をしなかった。するともう一度、彼は念押しをするように言った。

「いえね、ご遺族の佳枝さんから、あなたが最後に被害者と会ってるはずだと伺っていましてね。その辺りのことについて、ちょっとお話を伺いたいと思いまして。」


（下巻につづく）

平野啓一郎著　葬送　第一部（上・下）

ロマン主義全盛十九世紀中葉のパリ社交界を舞台に繰り広げられる愛憎劇。ドラクロワとショパンの交流を軸に芸術の時代を描く巨編。

平野啓一郎著　葬送　第二部（上・下）

二月革命が勃発した。七月王政の終焉、共和国の誕生。不安におののく貴族、活気づく民衆。時代の大きなうねりを描く雄編第二部。

平野啓一郎著　顔のない裸体たち

昼は平凡な女教師、顔のない〈吉田希美子〉の裸体の氾濫は投稿サイトの話題を独占した……ネット社会の罠をリアルに描く衝撃作！

平野啓一郎著　日蝕・一月物語　芥川賞受賞

崩れゆく中世世界を貫く異界の光。著者23歳の衝撃処女作と、青年詩人と運命の女の聖悲劇。文学の新時代を拓いた2編を一冊に！

平野啓一郎著　透明な迷宮

異国の深夜、監禁下で「愛」を強いられた男女の数奇な運命を辿る表題作を始め、孤独な現代人の悲喜劇を官能的に描く傑作短編集。

福永武彦著　草の花

あまりにも研ぎ澄まされた理知ゆえに、友を、恋人を失った彼——孤独な魂の愛と死を、透明な時間の中に昇華させた、青春の鎮魂歌。

町屋良平著
1R1分34秒
芥川賞受賞

敗戦続きのぼんこつボクサーが自分を見失いかけるも、ウメキチとの出会いで変わっていく。若者の葛藤と成長を描く圧巻の青春小説。

辻仁成著
そこに僕はいた

初恋の人、喧嘩友達、読書ライバル、硬派の先輩……。永遠にきらめく懐かしい時間が、笑いと涙と熱い思いで綴られた青春エッセイ。

ねじめ正一著
高円寺純情商店街
直木賞受賞

賑やかな商店街に暮らす、正一少年の瞳に映った「かつてあったかもしれない東京」の佇まい。街と人々の関わりを描く連作短編集。

本谷有希子著
生きてるだけで、愛。

25歳の寧子は鬱で無職。だが突如現れた同棲相手の元恋人に強引に自立を迫られ……。怒濤の展開で、新世代の〝愛〟を描く物語。

本谷有希子著
ぬるい毒
野間文芸新人賞受賞

魅力に溢れ、嘘つきで、人を侮辱することを何よりも愉しむ男。彼に絡めとられたある少女の、アイデンティティを賭けた闘い。

高山羽根子著
首里の馬
芥川賞受賞

沖縄の小さな資料館、リモートでクイズを出題する謎めいた仕事、庭に迷い込んだ宮古馬。記録と記憶が、孤独な人々をつなぐ感動作。

大江健三郎著

芽むしり 仔撃ち

疫病の流行する山村に閉じこめられた非行少年たちの愛と友情にみちた共生感とその挫折。綿密な設定と新鮮なイメージで描かれた傑作。

大江健三郎著

性的人間

青年の性の渇望と行動を大胆に描いて波紋を投じた「性的人間」、政治少年の行動と心理を描いた「セヴンティーン」など問題作3編。

大江健三郎著

空の怪物アグイー

六〇年安保以後の不安な状況を背景に〝現代の恐怖と狂気〟を描く表題作ほか「不満足」「スパルタ教育」「敬老週間」「犬の世界」など。

大江健三郎著

見るまえに跳べ

処女作「奇妙な仕事」から3年後の「下降生活者」まで、時代の旗手としての名声と悪評の中で、充実した歩みを始めた時期の秀作10編。

大江健三郎著

われらの狂気を生き延びる道を教えよ

おそいくる時代の狂気と、自分の内部からあらわれてくる狂気にとらわれながら、核時代を生き延びる人間の絶望感と解放の道を描く。

大江健三郎著

個人的な体験

新潮社文学賞受賞

奇形に生れたわが子の死を願う青年の魂の遍歴と、絶望と背徳の日々。狂気の淵に瀕した現代人に再生の希望はあるのか? 力作長編。

中村文則著　**悪意の手記**

いつまでもこの腕に絡みつく人を殺した感触。人はなぜ人を殺してはいけないのか。若き芥川賞・大江賞受賞作家が挑む衝撃の問題作。

中村文則著　**迷　宮**

密室状態の家で両親と兄が殺され、小学生の少女だけが生き残った。迷宮入りした事件の狂気に搦め取られる人間を描く衝撃の長編。

河合隼雄著　**こころの処方箋**

「耐える」だけが精神力ではない、「理解ある親」をもつ子はたまらない——など、疲弊した心に、真の勇気を起こし秘策を生みだす55章。

河合隼雄著　**猫だましい**

心の専門家カワイ先生は実は猫が大好き。古今東西の猫本の中から、オススメにゃんこを選んで、お話しいただきました。

河合隼雄著　**こころの最終講義**

「物語」を読み解き、日本人のこころの在り処に深く鋭く迫る河合隼雄の眼……伝説の京都大学退官記念講義を収録した貴重な講義録。

河合隼雄著　**こころの読書教室**

「面白い本」には深いわけがある——カフカ、漱石から村上春樹まで、著者が厳選した二十冊を読み解き、人間の心の深層に迫る好著！

谷川俊太郎著
ベージュ
弱冠18歳で詩人は産声を上げ、以来70余年、谷川俊太郎の詩は私たちと共に在り続ける——。長い道のりを経て結実した珠玉の31篇。

谷川俊太郎著
さよならは仮のことば
—谷川俊太郎詩集—
代表作「生きる」から隠れた名篇まで。70年にわたって最前線を走り続ける国民的詩人の、珠玉を味わう決定版。新潮文庫オリジナル！

堀江敏幸著
雪沼とその周辺
川端康成文学賞・谷崎潤一郎賞受賞
小さなレコード店や製函工場で、旧式の道具と血を通わせながら生きる雪沼の人々。静かな筆致で人生の甘苦を照らす傑作短編集。

重松清著
青い鳥
非常勤の村内先生はうまく話せない。でも先生には、授業よりも大事な仕事がある——孤独な心に寄り添い、小さな希望をくれる物語。

町田康著
夫婦茶碗
あまりにも過激な堕落の美学に大反響を呼んだ表題作、元パンクロッカーの大逃避行「人間の屑」。日本文藝最強の堕天使の傑作二編！

辻仁成著
海峡の光
芥川賞受賞
函館の刑務所で看守を務める私の前に現れた受刑者一名。少年の日、私を残酷に苦しめた、あいつだ……。海峡に揺らめく、人生の暗流。

沢木耕太郎著

人の砂漠

一体のミイラと英語まじりのノートを残して餓死した老女を探る「おばあさんが死んだ」等、社会の片隅に生きる人々をみつめたルポ。

沢木耕太郎著

一瞬の夏（上・下）

非運の天才ボクサーの再起に自らの人生を賭けた男たちのドラマを〝私ノンフィクション〟の手法で描く第一回新田次郎文学賞受賞作。

沢木耕太郎著

バーボン・ストリート

講談社エッセイ賞受賞

ニュージャーナリズムの旗手が、バーボングラスを傾けながら贈るスポーツ、贅沢、賭け事、映画などについての珠玉のエッセイ15編。

沢木耕太郎著

深夜特急（1〜6）

地球の大きさを体感したい——。26歳の〈私〉のユーラシア放浪の旅がいま始まる！「永遠の旅のバイブル」待望の増補新版。

沢木耕太郎著

凍

講談社ノンフィクション賞受賞

「最強のクライマー」山野井が夫妻で挑んだ魔の高峰は、絶望的選択を強いた——奇跡の登山行と人間の絆を描く、圧巻の感動作。

沢木耕太郎著

旅する力

—深夜特急ノート—

バックパッカーのバイブル『深夜特急』誕生前夜、若き著者を旅へ駆り立てたのは。16年を経て語られる意外な物語、〈旅〉論の集大成。

新潮文庫の新刊

原田ひ香著

財布は踊る

人知れず毎月二万円を貯金して、小さな夢を叶えた専業主婦のみづほだが、夫の多額の借金が発覚し――。お金と向き合う超実践小説。

沢木耕太郎著

キャラヴァンは進む
―銀河を渡るI―

ニューヨークの地下鉄で、モロッコのマラケシュで、香港の喧騒で……。旅をして、出会い、綴った25年の軌跡を辿るエッセイ集。

信友直子著

ぼけますから、よろしくお願いします。おかえりお母さん

脳梗塞を発症し入院を余儀なくされた認知症の母。「うちへ帰ってお父さんとまた暮らしたい」一念で闘病を続けたが……感動の記録。

角田光代著

晴れの日散歩

丁寧な暮らしじゃなくてもいい！　さぼった日も、やる気が出なかった日も、全部丸ごと受け止めてくれる大人気エッセイ、第四弾！

沢村凜著

紫姫の国（上・下）

船旅に出たソナンは、絶壁の岩棚に投げ出される。そこへひとりの少女が現れ……。絶体絶命の二人の運命が交わる傑作ファンタジー。

太田紫織著

黒雪姫と七人の怪物
―最愛の人を殺されたので黒衣の悪女になって復讐を誓います―

最愛の人を奪われたアナベルは訳アリの従者たちと共に復讐を開始する！　ヴィクトリアン調異世界でのサスペンスミステリー開幕。

新潮文庫の新刊

永井荷風著
つゆのあとさき・カッフェー一夕話
天性のあざとさを持つ君江と悩殺されては翻弄される男たち……。にわかにもつれ始めた男女の関係は、思わぬ展開を見せていく。

村山治著
工藤會事件
北九州市を「修羅の街」にした指定暴力団・工藤會。警察・検察がタッグを組んだトップ逮捕までの全貌を描くノンフィクション。

C・フォーブス
村上和久訳
戦車兵の栄光
―マチルダ単騎行―
ドイツの電撃戦の最中、友軍から取り残されたバーンズと一輌の戦車。彼らは虎口から脱することが出来るのか。これぞ王道冒険小説。

C・S・ルイス
小澤身和子訳
ナルニア国物語2
カスピアン王子と魔法の角笛
角笛に導かれ、ふたたびナルニアの地を踏んだルーシーたち。失われたアスランの魔法を取り戻すため、新たな仲間との旅が始まる。

黒川博行著
熔果
五億円相当の金塊が強奪された。堀内・伊達の元刑事コンビはその行方を追う。脅す、騙す、殴る、蹴る。痛快クライム・サスペンス。

筒井ともみ著
もういちど、あなたと食べたい
名脚本家が出会った数多くの俳優や監督たち。彼らとの忘れられない食事を、余情あふれる名文で振り返る美味しくも儚いエッセイ集。

JASRAC 出1105623-405

決《けっ》　壊《かい》（上）

新潮文庫　ひ－18－11

平成二十三年六月一日発行
令和七年一月二十日五刷

著者　平《ひら》野《の》啓《けい》一《いち》郎《ろう》
発行者　佐藤隆信
発行所　株式会社　新潮社

郵便番号　一六二―八七一一
東京都新宿区矢来町七一
電話　編集部(〇三)三二六六―五四四〇
　　　読者係(〇三)三二六六―五一一一
https://www.shinchosha.co.jp

価格はカバーに表示してあります。

印刷・大日本印刷株式会社　製本・加藤製本株式会社

ISBN978-4-10-129041-6 C0193